Monnaie et histoire d'Alexandre à Mahomet

ÉCOLE PRATIQUE DES HAUTES ÉTUDES — SORBONNE
SIXIÈME SECTION : SCIENCES ÉCONOMIQUES ET SOCIALES
CENTRE DE RECHERCHES HISTORIQUES

Civilisations et Sociétés 26

MOUTON & CO
PARIS. LA HAYE
MCMLXXI

MAURICE LOMBARD

ÉTUDES D'ÉCONOMIE MÉDIÉVALE

I

Monnaie et histoire d'Alexandre à Mahomet

MOUTON & CO
PARIS. LA HAYE
MCMLXXI

CET OUVRAGE A ÉTÉ
PUBLIÉ AVEC LE CONCOURS
DU CENTRE NATIONAL DE
LA RECHERCHE SCIENTIFIQUE

L'illustration de la couverture représente

en haut à gauche : un *distatère* d'Alexandre le Grand (336-323 av. J.-C.). Tête de Pallas à droite coiffée d'un casque corinthien. Or : 17 g. 19

en bas à droite : un *dinar* de Abd al-Malik (684-705). Première émission de type épigraphique. Monnaie très rare. An 77 H./10 avril 696-mai 697. Or : 4 g. 28

Bibliothèque nationale. Cabinet des Médailles. *Photo B.N.*

Library of Congress Catalog Card Number : 71-151328

Depuis la disparition de Maurice Lombard, six années se sont écoulées. Un premier ouvrage posthume, *L'Islam dans sa première grandeur*, est paru chez Flammarion en 1971. Voici maintenant le volume initial d'une série d'*Études d'économie médiévale*, préparées et publiées grâce à l'aide de la VIe Section de l'École Pratique des Hautes Études et en particulier de F. Braudel et de J. Le Goff.

Rédigé à partir de notes laissées par l'auteur, ce premier tome comprend d'abord une liste des sources orientales et occidentales relatives à l'histoire économique du Monde musulman (VIIIe-XIe siècle), dont la partie relative aux sources arabes a été mise en œuvre par A. Miquel ; en second lieu, une étude intitulée *Monnaie et Histoire d'Alexandre à Mahomet*, à la rédaction de laquelle ont contribué C. Klapisch et P. Braunstein.

Les cartes et les schémas ont été exécutés, d'après des croquis de Maurice Lombard, au Laboratoire de Cartographie de l'É.P.H.É., par les soins de J. Récurat.

Dans la même série : *Études d'économie médiévale*, deux volumes paraîtront prochainement : le premier consacré aux métaux et à la métallurgie, le second aux textiles et aux tissus dans le Monde musulman (VIIIe-XIe siècle).

LISTE MÉTHODIQUE DES SOURCES ORIENTALES ET OCCIDENTALES RELATIVES A L'HISTOIRE ÉCONOMIQUE DU MONDE MUSULMAN

(VIIIe-XIe SIÈCLE)

AVERTISSEMENT

La liste des sources qui suit est celle qui avait été élaborée par Maurice Lombard. Le classement méthodique et les grandes divisions en ont été conservées. Telle quelle cette bibliographie n'est que le squelette de celle qu'il avait consignée dans d'innombrables feuillets où sont notés les passages fondamentaux, la raison de la présence de ces ouvrages dans la liste des sources, les critiques, les comptes rendus, etc. Dans quelques cas importants, on s'est contenté d'indiquer, en retrait, les éditions ou les traductions qu'il n'avait pu connaître.

Pour les mots arabes, le système de transcription généralement adopté est le système dit serré. Dans tous les cas où le nom qu'il accompagne intervient seul pour désigner un auteur, l'article *al-* a été supprimé. Le mot *ibn* (fils) est, selon les cas, transcrit intégralement ou abrégé (*b.*).

A la fin de chaque rubrique, des astérisques précèdent les ouvrages échappant au classement chronologique strict : recueils de textes portant sur plusieurs époques, textes modernes ou non datés.

Un index alphabétique des sources narratives permet une consultation plus aisée.

Pour des directions de recherches éventuelles il est conseillé de se reporter aux ouvrages suivants :

Encyclopédie de l'Islam, 1re éd., 4 vol. et suppl., Leyde, 1913-1942 ; nouv. éd. en cours de publication depuis 1954.

J. SAUVAGET, *Introduction à l'histoire de l'Orient musulman. Éléments de bibliographie*, éd. posth., refondue et complétée par C. CAHEN, Paris, 1961.

C. BROCKELMANN, *Geschichte der arabischen Literatur*, Leyde, 1937-1949, 5 vol.

A. M.

I. — SOURCES ORIENTALES

A. Sources narratives.

1. *Géographes et voyageurs. Cartes.*

    En arabe.
    En arménien.
    En hébreu.
    En italien.
    En persan.
    Cartes.

2. *Descriptions et histoires de villes.*

    En arabe.
    En persan.

3. *Historiens, chroniqueurs, biographes.*

    En arabe.
    En arménien.
    En chinois.
    En géorgien.
    En hébreu.
    En persan.
    En syriaque.

4. *Juristes.*

    En arabe.

5. *Traités techniques ou spécialisés et répertoires.*

    En arabe.
    En copte.
    En persan.

6. *Sources littéraires, encyclopédies et correspondances.*

    En arabe.
    En hébreu.
    En persan.

B. Sources d'archives.

1. *Papyrus* (*grecs, coptes, arabes*).
2. *Documents de Geniza* (en arabe et en hébreu).
3. *Diplômes et formulaires* (en grec, en copte et en arabe).

C. Sources épigraphiques (en arabe et en hébreu).

II. — SOURCES BYZANTINES

A. Sources narratives.

1. *Géographes et voyageurs.*
2. *Chroniqueurs et historiens.*
3. *Sources juridiques.*
4. *Traités techniques.*
5. *Sources littéraires et hagiographiques. Correspondances.*

B. Sources d'archives.

III. — SOURCES OCCIDENTALES

A. Sources narratives.

1. *Voyageurs.*
2. *Chroniqueurs et annalistes.*
3. *Sources législatives et administratives.*
4. *Traités techniques.*
5. *Sources littéraires et hagiographiques. Correspondances.*

B. Sources d'archives (classement géographique).

1. *Italie.*
2. *Suisse.*
3. *Espagne.*
4. *Portugal.*
5. *France.*

Index alphabétique des sources narratives.

I — SOURCES ORIENTALES

A. SOURCES NARRATIVES

1. *GÉOGRAPHES ET VOYAGEURS. CARTES*

En arabe :

1. ḪUWĀRIZMĪ (mort en 820), *Kitāb ṣūrat al-arḍ*, éd. et trad. H. von Mžik, Leipzig, 1926.
2. SULAYMĀN (attribué à), (écrit en 851), revu par ABŪ ZAYD AS-SĪRĀFĪ (vers 916), éd. et trad. M. Reinaud, *Relation des voyages faits par les Arabes et les Persans dans l'Inde et à la Chine dans le IXe siècle de l'ère chrétienne...*, Paris, 1845. Nouv. éd. J. Ferrand, *Voyage du marchand arabe Sulaymān en Inde et en Chine en 851*, Paris, 1922. Nouv. éd. et trad. J. Sauvaget, *Relation de la Chine et de l'Inde* ('Aḫbār aṣ-Ṣīn wa l-Hind), Paris, 1948.
3. IBN ḪURDĀḎBEH (écrit vers 885), *Kitāb al-masālik wa l-mamālik*, éd. et trad. M. J. de Goeje, *Liber viarum et regnorum*, Leyde, 1889.
4. YA 'QŪBĪ (écrit en 890), *Kitāb al- buldān*, éd. M. J. de Goeje, Leyde, 1892. Trad. G. Wiet, *Les pays*, Le Caire, 1937.
5. BATTĀNĪ (mort en 317/929), *az — Zīǧ*, trad. C. A. Nallino, *Le tabelle geografiche d'al-Battānī*, Turin, 1898. Autre éd. par C. A. Nallino, *Opus astronomicum...*, Milan, 1899-1907, 3 vol.
6. IBN SERAPION (écrit vers 900), éd. et trad. G. Le Strange, « Description of Mesopotamia anb Baghdād », dans *Journal of the Royal Asiatic Society*, 1895. Autre éd. par H. von Mžik (avec attrib. à Suhrāb), *Kitāb 'aǧā' ib al-aqālīm as-sab'a*, Leipzig, 1930.

7. IBN AL-FAQĪH AL-HAMAḎĀNĪ (écrit vers 903), *Kitāb al-buldān*, abrégé de son œuvre par ŠAYZARĪ, *Muḫtaṣar Kitāb al-buldān* (écrit vers 1022), éd. M. J. de Goeje, *Compendium libri Kitāb al-boldān auctore Ibn al-Fakīh al-Hamadhānī*, Leyde, 1885. Éd. et trad. part. par M. Hadj-Sadok, Alger, 1949.
8. IBN RUSTEH (écrit vers 903), *Kitāb al-a'lāq annafīsa*, 7e partie seule conservée et éd. par M. J. de Goeje, Leyde, 1892. Trad. G. Wiet, *Les Atours précieux*, Le Caire, 1955.
9. IBN FAḌLĀN (écrit vers 922), *Risāla...*, éd. C. M. Frähn, *Ibn Foszlans und anderer Araber Berichte über die Russen älterer Zeit*, Saint-Pétersbourg, 1823. Nouv. éd. par Kovalevsky, Kharkov, 1956 ; S. Dahan, Damas, 1379/1959. Trad. par M. Canard, dans *Annales de l'Institut d'Études Orientales* de la Faculté des Lettres d'Alger, t. XVI, 1958, pp. 41-146.
10. QUDĀMA (écrit vers 932), *Kitāb al-ḫarāǧ*, partiellement conservé, éd. et trad. M. G. de Slane dans *Journal asiatique*, 1862, II ; Barbier de Meynard, *ibid.*, 6e série, 1865, t. V. M. J. de Goeje, *Excerpta e Kitāb al-kharadj auctore Kodāma ibn Dja'far*, Leyde, 1889.
11. AḤMAD B. MUḤAMMAD AR-RĀZĪ (EL MORO RASIS) (887-955), trad. esp., faite d'après une trad. portug. du XIVe siècle, éd. P. de Gayangos en appendice à « Memoria sobre la autenticidad de la Crónica denominada del moro Rasis », dans *Memorias de la R. Ac. de la Historia*, t. VIII. Trad. nouv. par E. Lévi-Provençal, « La description de l'Espagne d'Aḥmad ar-Rāzī », dans *al-Andalus*, XVIII, 1953, p. 51 et suiv.
12. ABŪ DULAF MIS'AR (écrit en 942), *'Aǧā'ib al-buldān*, fragments conservés chez Yāqūt et Qazwīnī, éd. et trad. lat. K. de Schloezer, *Abu Dolef Misaris ben Mohalhal de Itinere asiatico Commentarium*, Berlin, 1845. Trad. G. Ferrand, *Relations de voyages et textes géographiques arabes, persans et turcs relatifs à l'Extrême-Orient du VIIe au XVIIIe siècle*, Paris, t. I, 1913, p. 89, 208, 229. Nouv. éd. par A. von Rohr-Sauer, Bonn, 1939.
13. IṢṬAḪRĪ (écrit vers 951), *Kitāb al-masālik wa l-mamālik*, éd. M. J. de Goeje, *Viae regnorum. Descriptio ditionis moslemicae auctore Abū Ishāk al-Fārisī al-Istakhrī*, Leyde, 1870. Trad. Defrémery, dans *Journal asiatique*, XIV, 1849. Nouv. éd. par M. G. 'Abd al-'Āl al-Ḥīnī, Le Caire, 1381/1961.
14. BUZURG B. ŠAHRIYĀR (vers 956), *Kitāb 'aǧā'ib al-Hind*, éd. et trad. P. A. van der Lith et M. Devic, *Les merveilles*

de l'Inde, Leyde, 1883-1886. Nouv. trad. par J. Sauvaget (posth.), dans *Mémorial Sauvaget*, Damas, t. I, 1954, p. 189-309.

15. ISḤĀQ B.AL-ḤUSAYN (milieu xe siècle), éd. et trad. A. Codazzi, « Il compendio geografico Arabo di Isḥāq ibn al-Ḥusayn », dans *Rendiconti della Reale Accademia dei Lincei* (Classe delle Sc. mor., stor. e filol.), 6e série, t. V, 1929, p. 373-463.

16. IBN ḤAWQAL (mort en 978), *Kitāb al-masālik wa l-mamālik*, éd. M. J. de Goeje, *Viae et regna. Descriptio ditionis moslemicae*, Leyde, 1873. Nouv. éd. par J. H. Kramers, Leyde, 1938-1939. Trad. part. par M. G. de Slane, « Description de l'Afrique par Ibn Haucal », dans *Journal asiatique*, 3e série, t. XIII, 1842, p. 153 et 209 ; M. Amari, *Description de Palerme au milieu du Xe siècle de l'ère vulgaire*, Paris, 1845. Nouv. trad. par G. Wiet, *Configuration de la terre*, Paris-Beyrouth, 1964.

17. IBRĀHĪM IBN YAʿQŪB (vers 965), éd. et annot. (en russe) par A. Kunik et W. Rosen, Saint-Pétersbourg, 1898. Voir aussi F. Westberg, « Le voyage d'Ibrāhīm Ibn Jaʿkūb de 965 », dans *Mémoires de l'Académie impériale*, Saint-Pétersbourg, t. VIII, 5e série, Classe sc. hist. et philol., vol. III, no 4, 1898, p. 53 ; 1899, p. 211-275. Nouv. éd. et trad. (lat. et polon.) par T. Kowalski, Cracovie, 1946. Pour les extraits relatifs à l'Europe de l'Ouest, cf. trad. par G. Jacob, *Ein arabischer Berichterstatter aus dem 10. Jahrhundert*, 2e éd., Berlin, 1891. Trad. française par A. Miquel, « L'Europe occidentale dans la relation arabe d'Ibrāhīm b. Yʿaqūb (xe siècle) », dans *Annales E.S.C.*, sept. oct. 1966, p. 1048 et suiv.

18. MUQADDASĪ (ou MAQDISĪ) (écrit vers 985), *Aḥsan at-taqāsīm fī maʿrifat al-aqālīm*, éd. M. J. de Goeje, *Descriptio imperii moslemici*, Leyde, 1906. Trad. part. par G. Le Strange, *Description of Syria, including Palestine*, Londres, 1896 ; J. Gildemeister, « Beiträge zur Palästinakunde aus arabischen Quellen : Mukaddasi », dans *Zeitschrift des deutschen Palästinavereins*, t. VII, 1884, p. 143 et 215 ; Ch. Pellat, Alger, 1950. Nouv. trad. part. par A. Miquel, *La meilleure répartition pour la connaissance des provinces*, Damas, 1963.

19. BĪRŪNĪ (mort vers 1050), *Kitāb taḥqīq mā li l-Hind min maqūla maqbūla fī l-ʿaql aw mard̲ūla*, éd. et trad. E. Sachau, *Alberuni's India...*, Londres, 1887-1910, 2 vol.

20. — « Bērōnī nubaḏ fī aḫbār aṣ-Ṣīn », éd. F. Krenkow, dans *Revue de l'Académie arabe de Damas*, XIII, 1935, pp. 333-390.

21. BAKRĪ (écrit en 1068), *Kitāb al-masālik wa l-mamālik*, trad. part. par M. G. de Slane, « Description de l'Afrique septentrionale... », dans *Journal asiatique*, 5e série, t. XII, 1858, t. XIII, 1859, t. XIV, 1859, et nouv. éd. revue (texte arabe et trad.), Paris-Alger, 1911-1913, 2 vol.

22. *Anonyme d'Almeria* (XIe siècle). Trad. et annot. par R. Basset, dans *Documents géographiques sur l'Afrique septentrionale*, Paris, 1898. *Description de l'Espagne extraite du géographe anonyme d'Almeria*, Saragosse, 1904. (L'*Anonyme* semble bien avoir été écrit avant l'occupation de Saragosse, Huesca, etc., par les chrétiens, donc au XIe siècle et non au XIIe siècle comme le dit R. Basset.)

23. MARWAZĪ (début XIIe siècle), éd. et trad. V. Minorsky, *Sharaf az-Zamān Ṭāhir Marwazī on China, the Turks and India*, Londres, 1942.

24. ZAMAḪŠARĪ (mort en 1144), *Kitāb al-amkina wa l- ǧibāl wa l-miyāh*, éd. M. Salverda de Grave, *Specimen e literaris orientalibus exhibens Az-Zamaḫšarii Lexicon geographicon*, Leyde, 1856.

25. IDRĪSĪ (écrit en 1154), *Nuzhat al- muštāq-fīḫtirāq al-āfāq*, trad. A. Jaubert, *La géographie d'Edrisi...*, Paris, 1837-1841, 2 vol. éd. et trad. part. par R. Dozy et M. J. de Goeje, *Description de l'Afrique et de l'Espagne par Edrisi...*, Leyde, 1886, 2 vol. C. H. et A. M. Tallgrewn, *La Finlande et les autres pays baltiques orientaux*, Studia orientalia, III, Helsingfors, 1930 ; Gildemeister (Syrie et Palestine), Bonn, 1885, et trad. dans *Zeitschrift des deutschen Palästinavereins*, 1885. M. Amari, « L'Italia descritta nel *Libro del re Ruggero* », dans *Atti della Reale Accademia dei Lincei*, 2e série, vol. VIII, 1883.

26. NASWĀN AL-ḤIMYARĪ (mort en 573/1178), *Šams al-'ulūm*, éd. Azimu'd-din Ahmad, *Extracts relating to southern Arabia from the dictionary entitled Shamsu'l-'Ulūm of Nashwān al-Himyarī*, Leyde, 1916.

27. ABŪ ḤĀMID AL-ĠARNĀṬĪ (écrit en 1162), *Tuḥfat al-albāb*, éd. par G. Ferrand, dans *Journal asiatique*, t. CCVII, 1925, pp. 1-148, 193-304.

Autre œuvre d'Abū Ḥāmid, *Kitāb al-Mu'rib 'an ba'ḍ 'aǧā'ib al-Maġrib*, publ. et traduite (en esp.) par C. E. Dubler ,*Abū Hāmid el Granadino y su relacion de viaje...*, Madrid, 1953.

28. ABŪ ḤĀMID AL-ĠARNĀṬĪ (pseudo), *ʿAǧāʾib al-maḫlūqāt*, trad. par E. Fagnan, *Extraits inédits relatifs au Maghreb*, Alger, 1929 p. 27.
29. IBN ǦUBAYR (écrit vers 1185), *Riḥla*, éd. M. J. de Goeje, Leyde, 1907. Trad. C. Schiaparelli, *Viaggio in Ispagna, Sicilia, Siria e Palestina, Mesopotamia, Arabia, Egitto, compiuto nel secolo XII...*, Rome, 1906. M. Amari, « Voyage en Sicile de Mohammed ibn Djobaïr de Valence », texte et trad. dans *Journal asiatique*, 1845, II, 1846, I. Trad. par M. Gaudefroy-Demombynes, Paris, 1949-1956, 3 vol.
   Nouv. éd. (anon.), Beyrouth, 1379/1959.
30. *Kitāb al-istibṣār* (ouvrage anon. écrit en 1191), éd. A. von Kremer, Vienne, 1852. Trad. E. Fagnan, « L'Afrique septentrionale au XIIe siècle de notre ère... », dans *Recueil des Notices et Mémoires de la Société archéologique de Constantine*, vol. XXXIII, 1899.
31. HARAWĪ (mort en 1214), *Kitāb al-išārāt ilä maʿrifat az-ziyārāt*, trad. part. par E. Fagnan, *Extraits inédits relatifs au Maghreb*, Alger, 1924. Nouv. éd. et trad. par J. Sourdel-Thomine, Damas, 1953-1957, 2 vol.
32. ABŪ ṢĀLIḤ (écrit vers 1210), éd. et trad. B. T. A. Evetts, with added notes by A. J. Butler, *The churches and monasteries of Egypt and some neighbouring countries, attributed to Abū Ṣāliḥ the Armenian*, Oxford, 1895.
33. YĀQŪT (écrit en 1225) *Muʿǧam al-buldān*, éd. F. Wüstenfeld, *Geographisches Wörterbuch aus den Handschriften zu Berlin, Sanct-Petersburg und Paris*, Leipzig, 1866-1873, 6 vol. Trad. part. par C. Barbier de Meynard, *Dictionnaire géographique, historique et littéraire de la Perse et des contrées adjacentes, extrait de Yacout*, Paris, 1861.
   Nouv. éd. (anon.), Beyrouth, 1374-1376/1955-1957.
34. — *al-Muštarik*, éd. F. Wüstenfeld, *Lexique d'un géographe anonyme*, Göttingen, 1846.
35. ʿABD AL-LATĪF (1162-1231), éd. et trad. S. de Sacy, *Relation de l'Égypte par Abd-Allatif...*, Paris, 1810.
36. ḤARĪZĪ (début XIIIe siècle). Cf. M. Schwab, « El-Harizi et ses pérégrinations en Terre Sainte vers 1217 », dans *Archives de l'Orient latin*, I, 1881, pp. 231-244.
37. IBN SAʿĪD (XIIIe siècle), *al-Muġrib fī aḫbār al-Maġrib*, trad. M. Amari, *B.A.S.*, app., Turin, 1889. *Kitāb al-Maġrib*, éd. et trad. Tallquist, Leyde, 1899. Éd. et comm. B. Moritz, « Ibn Saʿīd's Beschreibung von Sicilien », *Centen. della nascita di M. Amari*, I, pp. 292-305.

38. QAZWĪNĪ (1203-1283) *'Aǧā'ib al-maḫlūqāt*, éd. F. Wüstenfeld, *Al-Cazwini's Kosmographie*, I, Göttingen, 1848. Trad. H. Ethé, Leipzig, 1868.

39. — *Āṯār al-bilād*, éd. F. Wüstenfeld, *al-Cazwini's Kosmographie*, II, Göttingen, 1849. Trad. part. par G. Jacob, *Ein arabischer Berichterstatter...*, Berlin, 1896.

40. ABDARĪ (fin XIIIe siècle), « Notices et extraits du voyage d'El-Abdéry à travers l'Afrique septentrionale, au VIIe siècle de l'Hégire », trad. par M. Cherbonneau, dans *Journal asiatique*, 1854, 5e série, t. IV.

41. WAṬWĀṬ (mort en 1319), *Manāhiǧ al-fikar wa mabāhiǧ al-'ibar*, trad. E. Fagnan, *Extraits inédits relatifs au Maghreb*, Alger, 1924.

42. DIMAŠQĪ (ABŪ'ABD ALLĀH MUḤAMMAD AD) (écrit vers 1300), *Kitāb nuḫbat ad-dahr fī-'aǧā'ib al-barr wa l-baḥr*, éd. M. Frähn et A. F. Mehren, *Cosmographie...*, Saint-Pétersbourg, 1866. Trad. par A. F. Mehren, *Manuel de la cosmographie du Moyen Age*, Copenhague, 1874.

43. TIĞĀNĪ (début du XIVe siècle), *Riḥla*, éd. W. Marçais, Tunis, 1345/1927. Trad. A. Rousseau, « Voyage du sheikh et-Tidjani dans la régence de Tunis pendant les années 760, 707 et 708 de l'Hégire (1306-1309) », dans *Journal asiatique*, 4e série, t. XX, 1852, 2e et 5e série, t. I, 1853.

44. ABŪ L-FIDĀ' (écrit en 1321), *Taqwīm al-buldān*, éd. M. Reinaud et M. G. de Slane, Paris, 1837-1841. Trad. M. Reinaud et S. Guyard, *La géographie d'Aboulféda*, Paris, 1848-1883, 3 vol. Autre édition, Le Caire, 1325/1907, 4 vol.

45. 'ABD AL-MU'MIN B. 'ABD AL-ḤAQQ (mort en 1339), *Marāṣid al-iṭṭilā'* (abrégé du *Mu'ǧam al-buldān* de Yāqūt), éd. T. W. Juynboll, Leyde, 1851-1864, 4 vol.

46. IBN FADL ALLĀH AL-'UMARĪ (1301-1349), *Masālik al-abṣār fī mamālik al-amṣār*, éd. par Zaky Pacha, t. I, Le Caire, 1924. Trad. part. par M. Gaudefroy-Demombynes, *Voyages des yeux dans les royaumes des différentes contrées. L'Afrique (moins l'Égypte)*, Paris, 1927, et quelques passages relatifs au Maroc dans *Mémorial Henri Basset*, Paris, 1928, t. I, pp. 269-280. Autres extraits dans E. Fagnan, *Extraits inédits relatifs au Maghreb*, pp. 69-120. Éd. et trad. M. Amari, « Al'Umari, condizioni degli stati cristiani dell' Occidente secundo una relazione di Domenichino Doria da Genova », dans *Memorie della Reale Accademia dei Lincei*, 1882-1883, série 3a, vol. 11.

47. IBN BAṬṬŪṬA (écrit en 1355), *Kitāb tuḥfat an-nuẓẓār fī garā'ib al-amṣar*, éd. et trad. C. Defrémery et B. R. Sanguinetti, *Voyages d'Ibn Batouta*, Paris, 1853-1858, 4 vol. Trad. part. par H. A. R. Gibb, *Travels in Asia and Africa*, Londres, 1929 ; H. von Mžik, *Die Reise des Arabers Ibn Baṭūṭa durch Indien und China*, Hambourg, 1911.
   Nouv. éd. (anon., préf. de K. al-Bustānī), Beyrouth, 1379/1960. Nouv. trad. angl. par H. A. R. Gibb (en cours), Cambridge, 1958 et suiv. Rééd. texte et trad. Defrémery avec préface et notes de V. Monteil, Paris, 1969.
48. NĀBULSĪ (XIVe siècle), *Kitāb ta'rīḫ al-Fayyūm*, éd. B. Moritz, *Histoire du Fayoum au VIIe siècle de l'Hégire*, Le Caire, 1899. Trad. part. par G. Salmon, « Répertoire géographique de la province du Fayyoum... », dans *Bulletin de l'Institut français d'Archéologie orientale* du Caire, t. I, 1901, pp. 27-77.
49. QALQAŠANDĪ (mort en 1418), *Ṣubḥ al-a'šä fī sinā'at al-inšā'*, éd. du Caire, 1913-1919, 14 vol. Trad. part. par F. Wüstenfeld, « Die Geographie und Verwaltung von Ägypten... », dans *Abhandlungen der königlichen Gesellschaft der Wissenschaften*, Göttingen, t. XXV, 1879.
50. IBN DUQMĀQ (écrit vers 1400), *Kitāb al-intisār li wāsiṭat 'iqd al-amṣār*, éd. C. Vollers, *Description de l'Égypte*, Le Caire, 1893, 2 vol.
51. BĀKUWĪ (écrit en 1403), trad. J. de Guignes, « Exposition de ce qu'il y a de plus remarquable sur la terre et des merveilles du Roi tout-puissant, par Abdorraschid, fils de Saleh, fils de Nouri, surnommé Yakouti », dans *Notices et extraits des manuscrits de la bibliothèque du Roi*, t. II, 1789, pp. 386-545.
52. MAQRĪZĪ (mort en 1442), *Kitāb al-mawā'iẓ wa l-i'tibār fī ḏikr al-ḫiṭaṭ wa l-āṯār*, éd. G. Wiet, dans *Mémoires de l'Institut français d'Archéologie orientale*, Le Caire, t. XXX, XXXIII, XLVI, XLIX, LIII, 1911 et suiv. Trad. U. Bouriant et P. Casanova, « Description topographique et historique de l'Égypte », dans *Mémoires de la Mission française*, 1re et 2e parties, t. XVII, 1893-1895, et *Mémoires de l'Institut français d'Archéologie orientale*, 3e partie, t. III, 1906 ; 4e partie, t. IV, 1910.
53. — *Šuḏūr al-'uqūd fī ḏikr an-nuqūd*, éd. et trad. A. L. Silvestre de Sacy, *Traité des monnoies musulmanes...*, et *Traité des poids et mesures légales des Musulmans*, Paris, an V (1797) et an VII (1799), 2 vol.

54. IBN AL-WARDĪ (mort en 1446), *Kitab ḫarīdat al-ʿaǧāʾib wa farīdat al-garāʾib*, éd. du Caire, 1316/1891. Trad. de Guignes, « Perles des merveilles. Mélanges de géographie et d'histoire naturelle... », dans *Notices et extraits des manuscrits de la bibliothèque du Roi*, t. II, 1789, pp. 19-59. Trad. part. par C. M. Frähn, *Aegyptus, auctore Ibn al-Vardi...*, Halae, 1804 ; F. Taeschner, « Der Bericht des arabischen Geographen Ibn al-Wardī über Konstantinopel », dans *Beiträge zu historischen Geographie, Kulturgeographie, Ethnographie und Kartographie vornehmlich des Orients...*, publ. par H. von Mžik, Leipzig, 1929.

55. ḪALĪL AẒ-ẒĀHIRĪ (écrit entre 1438 et 1453), *Kitāb zubdat kašf al-mamālik*, éd. P. Ravaisse, *Tableau politique et administratif de l'Égypte, de la Syrie et du Ḥidjāz sous la domination des Sultans mamloūks du XIII*e *au XV*e *siècle*, Paris, 1894. Trad. part. par R. Hartmann, *Die geographischen Nachrichten über Palästina und Syrien...*, Tübingen, 1907. Trad. par Venture de Paradis (XVIIIe s.), éd. J. Gaulmier, Damas, 1950.

56. ʿABD AL-BĀSIṬ (1440-1514) et ADORNE (Anselme) (1424-1483), *Deux récits de voyage inédits en Afrique du Nord au XV*e *siècle : Abdalbāsit et Adorne* (ce dernier en latin), éd. et trad. R. Brunschvig, Paris, 1936.

57. IBN IYĀS (écrit en 1516), *Badāʾiʿ aẓ ẓuhūr, fī waqaʿiʿad-duhūr* Le Caire 1311-1892. Trad. française du chapitre sur les crues du Nil par le prince Omar Toussoun, « Mémoire sur les branches du Nil. Époque arabe », dans *Mémoires de l'Institut d'Égypte*, IV, 2e partie, 1923, pp. 147-170.

58. ʿAYYĀŠĪ (mort en 1679), *Rihla*, trad. A. Berbrugger, *Voyages dans le Sud de l'Algérie et des États barbaresques, par El-Aïachi et Moula Ahmed*, Paris, 1846.

Texte arabe édité à Fès, 1316/1898, 2 vol. Autre trad. part. en français, par Motylinski, *Itinéraires entre Tripoli et l'Égypte*, Alger, 1900.

59. ZAYYĀNĪ (1734-1833), éd. Coufourier, « Une description géographique du Maroc d'Ez Ziyani », dans *Archives marocaines*, t. VI, 1906, pp. 436-456.

60. TŪNISĪ (mort en 1857), trad. Perron, *Voyage au Ouadāy du cheikh et - Tounessy*, Paris, 1851.

61. (*) JACOB (J.), *Studien in arabischen Geographen*, Berlin, 1891-1892, 1 vol. en 4 fasc.

62. (*) BLACHÈRE (R.), *Extraits des principaux géographes arabes du Moyen Age*, Paris, 1932. 2e éd. (R. Blachère et H. Darmaun), Paris, 1957.

EN ARMÉNIEN :

63. PSEUDO-MOÏSE DE KHOREN (VIIIe siècle), trad. A. Soukry, *Géographie de Moïse de Khoren*, Venise, 1882.

EN HÉBREU :

64. AHIMA'AS D'ORIA (écrit vers 1054-1060), « Sefer Yuḥasin », éd. A. Neubauer, dans *Mediaeval Jewish Chronicles*, Oxford, 1895, Trad. M. Salzman, *The Chronicle of Ahimaaz*, New York, 1924.
65. ABRAHAM HALEVI BEN DAVID (écrit vers 1161), « Sefer ha Kabbalah », éd. A. Neubauer, dans *Mediaeval Jewish Chronicles*, Oxford, 1895.
66. BENJAMIN DE TUDÈLE (voyage entre 1166 et 1171), *Massaot*, éd. et trad. M. N. Adler, *The itinerary of Benjamin of Tudela*, Londres, 1907. Éd. et trad. Komroff, New York, 1928.
67. PETACHIA DE RATISBONNE (voyage entre 1170 et 1180)., trad. A. Benisch, *Travels of Rabbi Petachia of Ratisbon...*, Londres, 1856. Trad. française dans *Journal asiatique*, 1831, et tiré à part.

EN ITALIEN :

68. LÉON L'AFRICAIN (écrit vers 1519), nouv. éd. de la trad. de Jean Temporal par Ch. Schefer, *Description de l'Afrique...*, Paris, 1896-1898, 3 vol. Trad. fr. A. Epaulard, Paris, 1956. Éd. de l'original italien par A. Codazzi, en préparation.

EN PERSAN

69. *Shahristānehā ī Ērānshahr* (« Les villes du royaume iranien »). (époque sassanide ; rédigé postérieurement), éd. G. Messina dans *Analecta Orientalia*, III, Rome, 1931. Trad. J. Markvart, *A catalogue of the Provincial Capitals of Eranshahr*. Cf. également J. C. Tavadia dans *Orientalistische Literaturzeitung*, 1926, p. 883 et suiv.
70. *Ḥudūd al-ʿālam* (anon. ; écrit en 982), publ. en fac. sim. d'après le man. Toumansky, avec intr. et index, par W. Barthold, Leningrad, 1930. Trad. anglaise par V. Minorsky, *The regions of the world. A Persian geography, 372 A.H./982 A.D.*, Londres, 1937 ; « Une nouvelle source persane sur les Hongrois au Xe siècle », dans *Nouvelle Revue de Hongrie*, avril 1937, pp. 305-312.

71. NĀṢIR-I-ḪUSRAW (écrit en 1047), *Safernāmè*, trad. Ch. Schefer, *Safer Nameh. Relation du voyage de Nassiri Khosrau en Syrie, en Palestine, en Égypte, en Arabie et en Perse pendant les années de l'Hégire 437-444 (1035-1042)*, Paris, 1881. Trad. anglaise part. (Syrie et Palestine) par G. Le Strange, *Palestine Pilgrims' Text Soc.*, IV, 1893.

72. QAZWĪNĪ (écrit vers 740/1339), *Nuzhat al-qulūb*, éd. et trad. angl. par E. Le Strange, *The geographical Part of the Nuzhat al-Qulūb*, Londres-Leyde, 1915-1918. *Mesopotamia and Persia under the Mongols in the fourteenth century A.D. from the Nuzhat al-Kulūb of Hamd-Allāh Mustawfi*, Londres, 1903.

(*) 73. HUART (C.), « Documents persans sur l'Afrique », dans *Recueil de mémoires orientaux... publiés par les professeurs de l'École des Langues Orientales Vivantes à l'occasion du XIV*e *Congrès des Orientalistes réuni à Alger*, Paris, 1905.

CARTES :

74. RÖHRICHT (R.), « Karten und Pläne zur Palästinakunde vom siebenten bis sechszehnten Jahrhunderte », dans *Zeitschrift des deutschen Palästinavereins*, 1891, 1892, 1895.

75. MILLER (K.), *Mappae mundi. Die ältesten Weltkarten herausgegeben und erläutert*, Stuttgart, 1895-1898 (comprend entre autres la *Mappemonde de l'Anonyme de Ravenne* — VIIe siècle —) et *la carte du monde par Beatus* — 776 —).

76. BEAZLEY, « Carte de Saint-Sever (1030-1050 ?) », dans *Journal of the Royal Asiatic Society*, t. XIV, 1899, p. 627.

77. MILLER (K.), *Mappae arabicae. Arabische Welt- und Länderkarten des 9-13. Jahrhunderts im arabischer Urschrift, lateinischer Transkription und Übertragung in neuzeitliche Kartenskizzen*, Stuttgart, 1926-1927, 3 vol. Comprend entre autres : *Le cours du Nil d'après Huwārizmī* (821), I, fasc. 1 ; *Carte du monde par Idrīsī* (1154), I, fasc. 2 ; *Petite carte d'Idrīsī* (1192), I, fasc. 3.

78. YOUSSOUF KEMAL, *Monumenta cartographica Africae et Aegypti*, pour : t. II (Ptolémée et époque gréco-romaine), fasc. 2 à 4, Leyde, 1932-1933, pp. 234-480 et A 1 — A 130 ; t. III (époque arabe), fasc. 1 à 3, Leyde, 1932-1933, pp. 481-824.

79. JOMARD (E. F.), *Les monuments de la géographie ou recueil d'anciennes cartes européennes et orientales... publiées en fac-similés de la grandeur des originaux*, Paris, s.d.

2. *DESCRIPTIONS ET HISTOIRES DE VILLES*

En arabe :

80. IBN ABĪ ṬĀHIR ṬAYFŪR (819-893), *Kitāb Baġdād*, 6e vol. seul conservé, autographié et trad. par H. Keller, *Sechster Band des Kitāb Baġdād von Ahmad ibn Abī Ṭāhir Taifūr*, Leipzig, 1908, 2 vol.
81. HĀRŪN IBN YAḤYĀ (avant 903), trad. A. A. Vasiliev, *Harun ibn Yahia and his description of Constantinople*, dans *Seminarium Kondakorianum*, V, 1932.
82. IBN AL-QALĀNISĪ (1073-1160), *Ḏayl ta'rīḫ Dimasq*, éd. H. F. Amedroz, *History of Damascus*, Leyde, 1908. Trad. part. H. A. R. Gibb, *The Damascus chronicle of the Crusades. Extracted and translated from the chronicle of Ibn al-Qalānisī*, Londres, 1932.
83. ŠAQUNDĪ (début XIIIe siècle), « Risāla fī faḍl al-Andalus », éd. dans *Analectes*, t. II, pp. 126-150. Trad. esp. par E. Garcia Gomez, *Elogio del Islam español*, Madrid - Grenade, 1934.
84. IBN AL-'ADĪM (mort en 660/1262), *Zubdat al-ḥalab fī ta'riḫ Ḥalab*, trad. E. Blochet, « Histoire d'Alep », dans *Revue de l'Orient latin*, t. III, IV, 1895-1898, et à part.
    Nouv. éd. par S. Dahan, Damas, 1951-1954, 2 vol.
85. IBN ŠADDĀD (mort en 684/1285), éd. M. Sobernheim, *Ibn Shaddāds Darstellung der Geschichte Baalbeks im Mittelalter*, Palerme, 1910. Cf. également D. Sourdel, *La description d'Alep d'Ibn Šaddād*, Damas, 1953. S. Dahan, *Description de Damas*, Damas, 1956.
86. IBN AL-ḪAṬĪB (mort en 1374), *Mufāḫara Mālaqa wa Salā*, éd. J. Müller, « Wettstreit zwischen Malaga und Salé », dans *Beiträge zur Geschichte der westlichen Araber*, t. I, 13. Trad. d'après cette éd. par E. Garcia Gómez, « El Parangon entre Málaga y Salé », dans *al-Andalus*, t. II, 1934, fasc. 1, pp. 184-196.
87. 'ALĪ AL-ĞAZNĀ'Ī (XIVe siècle), *Zahrat al-ās*, éd. et trad. A. Bel, *La fleur de myrte traitant de la fondation de la ville de Fès*, Alger, 1923.
88. IBN YAḤYĀ (mort après 1436), *Ta'riḫ Bayrūt*, annot. L. Cheikho, *Histoire de Beyrouth par Salih Ibn Yahya*, Beyrouth, 1902. 2e éd., 1927. Compléter avec corrections de J. Sauvaget dans *Bulletin d'Études orientales*, VII-VIII, 1937-1938, pp. 65-82.

89. ANṢĀRĪ (xve siècle), *Iḫtiṣār al-aḫbār*, éd. E. Lévi-Provençal, « Une description de Ceuta musulmane au xve siècle », dans *Hesperis*, t. XII, fasc. 2, 1931, pp. 145-176.

90. ABŪ L-BAQĀ' (xve siècle), *Nuzhat al-anām fī mahāsin aš-Šām*, Le Caire, 1341/1922.

91. IBN AŠ-ŠIḤNA (xve siècle), *ad-Durr al-muntaḫab fī ta' riḫ mamlakat Ḥalab*, éd. L. Cheikhs, Beyrouth, 1909. Trad. J. Sauvaget, *Les perles choisies d'Ibn ach-Chihna. Matériaux pour servir à l'histoire de la ville d'Alep*, t. I, Beyrouth, 1933.

92. ABŪ MAḪRAMA (mort en 1497), *Ta'riḫ ṯaġr 'Adan*, éd. O. Löfgren, *Arabische Texte zur Kenntniss der Stadt Aden im Mittelalter : Abu Maḫrama's Adengeschichte*, Leipzig-Upsal-La Haye, 1936-1950, 2 t. en 3 fasc.

93. MUĞĪR AD-DĪN (écrit vers 1496), éd. du Caire, 1283/1866, trad. part. par H. Sauvaire, *Histoire de Jérusalem et d'Hébron depuis Abraham jusqu'à la fin du XVe siècle*, Paris, 1876.

94. 'ABD AL-BĀSIṬ (mort en 1514), *ar-Rawḍ al-bāsim*, éd. G. Levi della Vida, « Il regno di Granata nel 1465-66 nei ricordi di un viaggiatore egiziano », dans *al-Andalus*, t. I, 1933, fasc. 2, pp. 307-334.

95. NU'AYMĪ (mort en 1521), éd. H. Sauvaire, dans *Journal asiatique*, 1894 à 1896. Nouv. éd. par Ğ. al-Ḥasanī, Damas, 1948-1951, 2 vol.

96. 'ABD AL-BĀSIṬ (mort en 1573), trad. H. Sauvaire, « Description de Damas d'Abd al-Baset », dans *Journal asiatique*, 1894, t. I, II ; 1895, t. I, II ; 1896, t. I.

97. (*) GUIDI (I.), éd. « Una descrizione araba di Antiochia » (époque indéterminée), dans *Rendiconti della Reale Accademia dei Lincei, Classe di scienze mor., stor. e filol.*, série 5a, vol. VI, 1897, fasc. 3-4, pp. 137-161.

98. (*) DOZY (R.), *Scriptorum Arabum loci de Abbadidis*, Leyde, 1846-1863, 3 vol.

99. (*) KURD 'ALĪ (M.), *Kitāb ḫiṭaṭ aš-Šām*, vol. IV et VI, Damas, 1345/1926 et 1347/1928.

EN PERSAN :

100. NARŠAḪĪ (mort en 959), trad. angl. R. N. Frye, *The History of Bukhara translated from a Persian abridgment of the Arabic original by Narshakhī*, Cambridge, 1954.

3. *HISTORIENS, CHRONIQUEURS ET BIOGRAPHES*

EN ARABE :

101. IBN ʿABD AL-ḤAKAM (mort en 871), *Futūḥ Miṣr wa l-Maġrib wa l-Andalus*, éd. Ch. C. Torrey, *The history of the conquest of Egypt, North Africa and Spain...*, New Haven, 1922. Éd. H. Massé, *Le livre de la conquête de l'Égypte, du Maghreb et de l'Espagne*, Le Caire, 1914. Éd. et trad. A. Gateau, *Futūḥ Ifrīqiya wa l-Andalus. Conquête de l'Afrique du Nord et de l'Espagne*, Alger, 1942.
102. BALĀḎURĪ (mort vers 892), *Kitāb futūḥ al-buldān*, éd. M. J. de Goeje, *Liber expugnationis regionum...*, Leyde, 1866. Trad. F. C. Murgotten et P. K. Hitti, *The origins of the Islamic States*, New York, 1916-1924.
103. — *Ansāb al-ašrāf*, éd. S. D. F. Goitein, *The Ansāb al-Ashrāf...*, Jérusalem, 1936.
104. DĪNAWARĪ (mort vers 895), *Kitāb al-ahbār aṭ-ṭiwāl*, éd. V. Guirgass, Leyde, 1888 ; préface, index et variantes par I. J. Kratchkovsky, Leyde, 1912.
105. IBN ṢAĠĪR (écrit vers 912), éd. et trad. A. de Motylinski, « Chronique d'Ibn Ṣaġīr sur les imams Rostémides de Tahert », dans *Actes du XIV*e *Congrès international des Orientalistes*, 1907, III, 2e partie, pp. 3-132.
106. TABARĪ (839-923), *Kitāb aḫbār ar-rusul wa l-mulūk*, éd. M. J. de Goeje, *Annales quos scripsit Abu Djafar Mohammed ibn Djarir at-Tabari*, Leyde, 1879-1901, 15 vol. ʿARĪB B. SAʿD, *Tabari continuatus quem edidit, indicibus et glossariis instruxit* M. J. de Goeje, Leyde, 1897. Trad. H. Zotenberg, Paris, 1867-74. (Rééd. phot. Paris, 1958, 4 vol.) Trad. part. all., T. Nöldeke, Leyde, 1879.
107. EUTYCHIUS (SAʿID B. AL-BIṬRĪQ) (écrit vers 938), *Annales*, éd. L. Cheikho, B. Carra de Vaux et H. Zayyat, dans *Corpus scriptorum christianorum orientalium. Scriptores arabici*, série III, vol. 6, Paris, 1906. Éd. et trad. par I. Kratchkovsky et A. Vasiliev, dans *Patrologia Orientalis*, XVIII (1924), 5, XXIII (1932), 3.
108. ĠAHŠIYĀRĪ (mort en 942), *Kitāb al-wuzarā'*, éd. fac-sim. H. von Mžik, Leipzig, 1926. Nouv. éd. Le Caire, 1357/1938. Public. part. par D. Sourdel, dans *Mélanges Massignon*, Damas, t. III, 1957, pp. 271-299.

109. ṢŪLĪ (mort vers 946), *Aḫbār ar-Rāḍī wa l-Muttaqī lillāh*, éd. J. H. Dunne, Le Caire, 1935. Trad. française par M. Canard, Alger, 1946-1950, 2 fasc.
110. AḤMAD B. AD-DĀYA (mort en 951), *Kitāb al-mukāfa'a*, éd. A. 'Abd al-'Aziz, Le Caire, 1914.
111. KINDĪ (écrit vers 951), *Kitāb al-umarā'* (*al-wulāt*) et *Kitāb al-qudāt*, éd. R. Guest, *The governors and judges of Egypt...*, Leyde, 1912.
112. ḤAMZA AL-IṢFAHĀNĪ (écrit en 961), *Ta'riḫ sinī mulūk al-arḍ wa l-anbiyā'*, éd. et trad. lat. par I. M. E. Gottwald, Saint-Pétersbourg, Leipzig, 1844-1848, 2 vol.
Réimpr. Beyrouth, 1961, Trad. angl. part. par U. M. Daudpota, dans *Journal Cama Oriental Institute*, t. XXI, 1932, pp. 58-120.
113. ḪUŠANĪ (vers 900-971), éd. et trad. esp. par J. Ribera, *Aljoxani historia de los jueces de Córdoba*, Madrid, 1914. Voir également à : ABU L-'ARAB, *infra*, nº 222.
114. IBN AL-QŪṬIYYA (mort en 977), *Ta'rīḫ iftitāh al-Andalus*, Madrid, 1868. Trad. J. Ribera y Tarragò, *Historia de la conquesta de España de Abenelcotia el Cordobès...*, Madrid, 1926. Éd. et trad. E. Houdas, Paris, 1889.
115. AGAPIUS DE MANBIĞ (écrit au xᵉ siècle, « Kitāb al-'unwān », éd. et trad. A. A. Vasiliev, dans *Patrologia Orientalis*, t. V-VIII, 1912.
116. *Ta'rīh ğazīrat Ṣiqilliyya* (fin du xᵉ siècle), éd. B. Lagumina, *La crónica siculo-saracenia di Cambridge, con doppio testo greco... con accompagnamento del testo arabico*, Palerme, 1890.
117. IBN AL-FARADĪ (mort en 1013), *Ta'rīḫ 'ulamā al-Andalus*, éd. F. Codera et J. Ribera, Madrid, 1891.
118. SEVERE D'AŠMŪNAYN (SEVERUS B. AL-MUQAFFA') (écrit vers 1010), éd. et trad. B. Evetts, « History of the Patriarchs of the Coptic church of Alexandria », dans *Patrologia Orientalis*, t. V, fasc. 1, Paris, 1910.
119. *Nihāyat al-arab fī aḫbār al-Furs wa l-'Arab* (vers 1025 ; anon.). Résumé et extraits par E. G. Brown, dans *Journal of the Royal Asiatic Society*, 1899, pp. 51-53, 1900, pp. 195-209.
120. IBN ḤAZM (mort après 1027), « Risāla fī faḍl al-Andalus wa ḏikr riğālihā », dans R. Dozy, G. Dugat, C. Krehl et W. Wright, *Analectes sur l'histoire et la littérature des Arabes d'Espagne...*, Leyde, 1855-1861, 5 vol., t. II, pp. 109-121.
121. MISKAWAYH (mort en 1030), « Tağārib al-umam », éd. et trad. H. F. Amedroz et D. S. Margoliouth, dans *The Eclipse of the Abbasid Caliphate*, Oxford, 1920-1921, t. IV et V.

122. ṮA'ĀLIBĪ (écrit vers 1021), *Ġurar as-siyar*, éd. et trad. Zotenberg, *Histoire des rois de Perse*, Paris, 1900.
123. BĪRŪNĪ (mort vers 1050), *al-Aṯār al-bāqiya 'an al-qurūn al-ḫāliya*, éd. E. Sachau, Leipzig, 1878 ; trad. par le même, *The Chronology of ancient nations*, Londres, 1879.
124. HILĀL AṢ-ṢĀBI' (mort en 1056), *Kitāb ta'rīḫ al-wuzarā'*, éd. H. F. Amedroz, *The historical remains of Hilāl al-Ṣābi'. First part of his Kitāb al-Wuzarā'...*, Beyrouth, Leyde, 1903.
125. *Aḫbār maǧmū'a* (ouvrage anon. du XIe siècle), éd. et trad. E. Lafuente y Alcantara, *Ajbar Machmuā (Coleccion de tradiciones), crónica anónima del siglo XI...*, Madrid, 1867.
126. JEAN D'ANTIOCHE (YAḤYĀ B. SA'ĪD AL-ANṬĀKĪ) (écrit au XIe siècle), *Continuation de la chronique d'Eutychius*, éd. L. Cheikho, dans *Corpus scriptorum christianorum orientalium. Scriptores arabici*, série III, vol. 7, Paris, 1909. Éd. et trad. fr. par. A. A. Vasiliev, dans *Patrologia Orientalis*, t. XVIII, 5, 1924.
127. SA'ĪD AL-ANDALUSĪ (mort en 1070), *Tabaqāt al-umam*, éd. L. Cheikho, Beyrouth, 1912. Trad. R. Blachère, Paris, 1935.
128. IBN HAYYĀN (mort en 1076), *al-Muqtabis fī ta'rīḫ al-Andalus*, t. I, éd. E. Lévi-Provençal et 'A. H. al-Abbādī, Paris, 1950 ; t. II, éd. M. M. Antuña, Paris, 1937, t. III, éd. E. Garcia Gómez, *Annales Palatinos*, Madrid, 1950.
129. LÉVI-PROVENÇAL (E.), *Fragments d'une chronique des Mulūk aṭ-Ṭawā'if* (XIe siècle), éd. dans IBN 'IDARI, *al-Bayān al-muġrib...*, t. III, 1930, pp. 289-316. Trad. du même, dans R. DOZY, *Histoire des Musulmans d'Espagne*², 1932, t. III, app. II, pp. 215-235.
130. 'ABD ALLĀH AZ-ZĪRĪ (seconde moitié du XIe siècle), éd. et trad. part. par E. Lévi-Provençal, « Un texte inédit sur l'histoire de l'Espagne musulmane dans la seconde moitié du XIe siècle : les Mémoires de 'Abd Allāh, dernier roi ziride de Grenade », dans *al-Andalus*, vol. III, fasc. 2, 1935, pp. 233-344, vol. IV, fasc. 1, 1936, pp. 29-145.
131. ABŪ ZAKARIYYĀ AL-WARĞILĀNĪ (fin XIe ou début XIIe siècle), *as-Sīra wa ahbār al-a'imma*, trad. part. par E. Masqueray, *Chronique d'Abou Zakaria*, Alger, 1878.
132. ABU BAKR AṬ-ṬURṬŪŠĪ (IBN ABĪ RANDAQA) (mort en 1126 ou 1131), *Sirāǧ al-mulūk*, Le Caire, 1319/1901. Trad. M. Alarcón, *Lampara de los principes*, Madrid, 1930-1931.
133. HIĞĀRĪ (écrit vers 1135), *al-Mushib fī fadā'il al-Maġrib*. Extraits dans Maqqarī, éd. R. Dozy, G. Dugat, C. Krehl

et W. Wright, *Analectes sur l'histoire et la littérature des Arabes d'Espagne*, Leyde, 1856-1861, 5 vol. en 2 t., t. II, p. 506.

134. IBN BASSĀM (mort vers 1147), *ad-Ḏahīra fī mahāsin ahl al-Ğazīra*, cf. E. Lévi-Provençal, dans *Hespéris*, t. XVI, 1933, pp. 158-161, t. XVIII, 1934, pp. 197-198.
Éd. des volumes I, II et VII de la *Ḏaḫīra*, Le Caire, 1939, 1940 et 1947.

135. AL-MĀKIN B. AL-ʻAMĪD (XIIe siècle), *La « Chronique des Ayyoubides », d'al-Mākin b. al-ʻAmīd (XIIe siècle)*, éd. C. Cahen, dans *Bulletin d'Études orientales* de l'Institut français de Damas, t. XV, 1955-1957.

136. ḌABBĪ (ABŪ ĞAʻFAR) (XIIe siècle), *Buġyat al-multamis fī ta'rīh riğāl ahl al-Andalus*, éd. F. Codera et J. Ribera, Madrid, 1885.

137. MĀRĪ IBN SULAYMĀN (écrit au XIIe siècle), *Le livre de la Tour*, éd. et trad. Gismondi, *Maris, Amri et Slibae De Patriarchis Nestorianorum Commentaria*, Rome, 1896-1899.

138. SAMʻĀNĪ (XIIe siècle), *Kitāb al-ansāb*, éd. fac-sim. D. S. Margoliouth, Leyde, 1912.

139. IBN AL-ĞAWZĪ (mort en 1200), *al-Kitāb fī-aḫbār al-aḏkiyā'*, trad. O. Rescher, Galata 1925.

140. ʻABD AL-WĀḤID AL-MARRĀKUŠĪ (né en 1185), *al-Muʻğib fī talḫiṣ aḫbār ahl al-Maġrib*, éd. R. Dozy, Leyde, 2e éd., 1881. Éd. du Caire, 1324/1906. Trad. E. Fagnan, *Histoire des Almohades*, Alger, 1893 (*Revue africaine*, 1891-1893).

141. IBN ḤAMMĀD (écrit en 1220), *Ahbār mulūk Banī ʻUbayd wa sīratuhum*, trad. M. Cherbonneau, « Histoire des Obeïdites », dans *Journal asiatique*, 1852, t. II. Éd. et trad. M. Vonderheyden, *Histoire des Rois ʻObaïdides* (*les Califes Fatimides*), Alger-Paris, 1927.

142. NUWAYRĪ (mort vers 1231-1233), *Nihāyat al-ʻArab fī funūn al-adab*, Le Caire, 1924 et suiv. Trad. part. par G. de Slane, « Histoire de la province d'Afrique et du Maghrib... », dans *Journal asiatique*, 3e série, t. XI, 1841, pp. 97 et 557, t. XII, 1841, p. 441, t. XIII, 1842, p. 49. G. Remiro, *Historia de los musulmanes de España y Africa...*, Grenade, 1917-1919, 2 vol., et dans *Revista del centro de estudios historicos de Granada*, 1915 et suiv.

143. IBN AL-AṮĪR (1160-1233), *al-Kāmil fī t-ta'rīḫ*, éd. C. J. Tornberg, *Chronicon quod perfectissimum inscribitur...*, Leyde, 1851-1876, 14 vol. Trad. part. par E. Fagnan, *Annales du Maghreb et de l'Espagne*, Alger, 1901.

144. IBN AL-QIFṬĪ (mort en 1248), *Ta'rīḫ al-ḥukamā'*, éd. J. Lippert, Leipzig, 1903. Autre éd., Le Caire, 1326/1908.

145. IBN AZ-ZUBAYR (XIIIe siècle), *Ṣilat aṣ-ṣila*, éd. part. E. Lévi-Provençal, *Ṣilat aṣ-ṣila, répertoire biographique andalou du XIIIe siècle, dernière partie publiée d'après un manuscrit de la Bibliothèque Kattaniya à Fès*, Rabat, 1938.

146. IBN AL-ABBĀR (mort en 1260), *Kitāb al-ḥulla as-siyarā'*, fragments édités par R. Dozy, *Notices sur quelques manuscrits arabes*, Leyde, 1847-1851, et par M. J. Müller, *Beiträge zur Geschichte der westlichen Araber*, Munich, 1866-1878.

147. — *at-Takmila li Kitāb aṣ-ṣila*, éd. F. Codera, Madrid, 1887-1890.

148. PETRUS (BUṬRUS) IBN AR-RĀHIB (mort après 1282), *Chronicon orientale*, éd. et trad. lat. par L. Cheikho, Beyrouth, 1903, 2 vol. (*Corpus scriptorum christianorum orientalium. Scriptores arabici*, série III, t. I).

149. BARHEBRAEUS (mort en 1286), *Muḫtaṣar ta'rīḫ ad-duwal*, éd. et trad. lat. par E. Pococke, *Historia dynastiarum*, Oxford, 1663-1672. Éd. A. Ṣāliḥānī, Beyrouth, 1890.

150. IBN AT-ṬIQṬAQĀ (écrit en 1301-1302), éd. H. Derenbourg, *Histoire du khalifat et vizirat depuis leurs origines jusqu'à la chute du khalifat abasside de Baghdad, avec des prolégomènes sur les principes du gouvernement*, Paris, 1895. Trad. E. Amar, *Histoire des dynasties musulmanes depuis la mort de Mahomet jusqu'à la chute du Khalifat 'Abbâsîde de Baghdâd (11-656 de l'Hégire ; 632-1258 de J.-C.)*..., Paris, 1910.

151. IBN 'IḎĀRĪ (écrit en 1306), *Kitāb al-bayān al-muġrib fī aḫbār al-Andalus wa l-Maġrib*, éd. R. Dozy, Leyde, 1848-1851, 2 vol. Trad. E. Fagnan, *Histoire de l'Afrique et de l'Espagne...*, Alger, 1901-1904, 2 vol. T. III, éd. E. Lévi-Provençal, Paris, 1930. Trad. part. par E. Lévi-Provençal dans R. Dozy, *Histoire des Musulmans d'Espagne*² t. III, pp. 185-214.

152. IBN ABĪ ZAR' AL-FĀSĪ (écrit en 1325-1326), *Rawḍ al-qirṭās*, éd. et trad. lat. C. J. Tornberg, *Annales regum Mauritaniae*, Upsal, 1843-1846, 2 vol. Trad. française, par A. Beaumier, *Histoire des souverains du Maghreb (Espagne et Maroc) et Annales de la ville de Fez*, Paris, 1860.

153. IBN AL-ḪAṬĪB (mort en 1374), *A'mal al-a'lām fī man būyi'a qabl al-ihtilām*, éd. E. Lévi-Provençal, *Histoire de l'Espagne musulmane extraite du Kitab A'mal al-A'lām*, Rabat, 1934.

154. *al-Ḥulal al-mawšiyya fī ḏikr al-aḫbār al-Marrākušiyya* (écrit en 1381), éd. I. S. Allouche, Rabat, 1936.
Trad. par A. Huici Miranda, Tétouan, 1951.

155. IBN AL-AḤMAR (mort en 1404), *Rawdat an-nisrīn fī ahbār Banī 'Abd al-Wād wa Banī Marīn*, éd. et trad. G. Bouali et G. Marçais, Paris, 1917.

156. IBN ḪALDŪN (1332-1406), *Kitāb al-'ibar...*, Le Caire (Būlāq), 1284/1867, 7 vol. Éd. et trad. part. G. de Slane, *Histoire des Berbères et des dynasties musulmanes de l'Afrique septentrionale*, Alger, 1852-1856, 2 vol. de texte et 4 vol. de trad. Nouv. éd. par P. Casanova, Paris, 1925 et suiv., 3 vol. parus. Nouv. trad. angl. par F. Rosenthal, Londres, 1958.

157. — *al-Muqaddima* (Prolégomènes), éd. E. M. Quatremère, Paris, 1858-1868, 3 vol. Trad. G. de Slane, Paris, 1862-1868, 3 vol. Reprod. photoméc. avec préface de G. Bouthoul, Paris, 1934-1938, 3 vol. Trad. portug. de J. et A. B. Khoury, *Os prolegomenos ou Filosofia social*, Sao Paulo, 1958-1959, 2 vol. Trad. part. par G. H. Bousquet, *Les textes économiques de la Mouqaddima*, Paris, 1961. *Les textes sociologiques et économiques de la Mouqaddima*, Paris, 1965. Trad. nouv. avec préface et notes par V. Monteil, *Discours sur l'Histoire universelle*, Beyrouth, 1967, 3 vol.

158. IBN 'ABD AL-MUN'IM AL-ḤIMYARĪ (écrit vers 1397), *Kitāb ar-rawḍ al-mi'ṭār...*, éd. et trad. E. Lévi-Provençal, *La péninsule ibérique au Moyen Age...*, Leyde, 1938.

159. *Ḥawādiṯ ad-duhūr fī madā l-ayyām wa š-šuhur* (XVe siècle) (I : années 845-856 H/1441-1452 J.-C.), éd. W. Popper, Berkeley, 1930.

160. ABŪ L-MAḤĀSIN IBN TAĠRĪ BIRDĪ (mort vers 1469-1470), *an-Nuǧūm az-zāhira fī mulūk Miṣr wa l-Qāhira*, éd. Juynboll et Matthes, continuée par W. Popper, *Annales...*, Leyde, 1855-1861, 2 vol., et Berkeley, 1909. Autre éd., Le Caire, 1929. Trad. part. par E. Fagnan, « Extraits relatifs au Maghreb », dans *Recueil des notices et mémoires de la Société archéologique de Constantine*, XL, 1907, pp. 269-282.

161. IBN AL-ĞAY'ĀN (mort en 1480), *at-Tuḥfa as-saniyya*, Le Caire, 1898.

162. SUYŪṬĪ (écrit en 1470), *Ḥusn al-muḥāḍara*, Le Caire, 1321/1903.

163. — *Ta'rīḫ al-ḫulafā'*, Le Caire, 1305-1888. Trad. angl. par H. S. Jarrett, Calcutta, 1881.

164. ZARKAŠĪ (mort après 1477), *Ta'rīḫ ad-dawlatayn al-Muwaḥḥidiyya wa l-Hafṣiyya*, Tunis, 1289/1872. Trad. E. Fagnan, dans *Recueil des notices et mémoires de la Société archéologique de Constantine*, XXIX, 1895.

165. *Kitāb al-ʿAdwānī* (xve-xvie siècles ?), trad. L. Féraud, « Kitab al-Adouani ou le Sahara de Constantine et de Tunis », dans *Recueil des notices et mémoires de la Société archéologique de Constantine*, 1868.
166. IBN IYĀS (écrit en 1516), *Badaʾiʿ az-zuhūr fī waqaʾiʿ ad-duhūr*, Le Caire, 1311/1892. Éd. et trad. part. par R. L. Devonshire, dans *Bulletin de l'Institut français d'Archéologie orientale du Caire*, XXXIV, 1934, pp. 1-29. Trad. G. Wiet, t. I, *Histoire des Mamlouks Circassiens*, Le Caire, 1945 ; t. II, *Journal d'un bourgeois du Caire*, Paris, 1955 ; t. III *Journal d'un bourgeois du Caire* (suite), Paris, 1960.
167. MAQQARĪ (mort en 1632), *Nafḥ aṭ-Ṭib*, éd. R. Dozy, G. Dugat, L. Krehl et W. Wright, *Analectes sur l'histoire et la littérature des Arabes d'Espagne*, Leyde, 1855-1861, 5 vol. Trad. par P. de Gayangos, *The history of the Mohammedan dynasties in Spain...*, Londres, 1840-1843, 2 vol.
168. ŠAMS AD-DĪN MUḤAMMAD B. ABĪ S-SURŪR AL-BAKRĪ AṢ-ṢIDDĪQĪ (écrit au xviie siècle), trad. par A. I. Silvestre de Sacy, « Le livre des étoiles errantes, qui contient l'histoire de l'Égypte et du Caire... », dans *Notices et extraits des manuscrits de la Bibliothèque du Roi*, t. I, 1787, pp. 165 à 280.
169. IBN AL-MUʾAYYAD BILLĀH (YAHYÄ B. AL-ḤUSAYN) (mort en 1679), *Anbāʾaz-Zaman fī aẖbār al-Yaman*. Ext. édités par M. Madi, *Anfänge des Zaiditentums in Yemen, Studien zur Geschichte und Kultur des islamischen Orients*, Berlin-Leipzig, 1936.
170. IBN ABĪ DĪNĀR AL-QAYRAWĀNĪ (écrit vers 1681-1698), *al-Mūnis fī aẖbār Ifrīqiya wa Tūnis*, 2e éd., Tunis, 1350/1931. Trad. fr. Pellissier et Rémusat, dans *Exploration scientifique de l'Algérie*, t. VII, Paris, 1845.
171. AḤMAD AN-NĀṢIRĪ (mort en 1897), *Kitāb al-istiqṣāʾ li aẖbār duwal al-Maġrib al-aqṣä*, trad. A. Graulle, Paris, 1923.
172. (*) AMARI (M.), *Bibliotheca arabosicula*, Leipzig, 1857-1872, 2 vol. Version italienne, Turin-Rome, 1880-1889, 4 vol.
173. (*) FAGNAN (E.), *Extraits inédits relatifs au Maghreb*, Alger, 1929.
174. (*) LÉVI-PROVENÇAL (E.), *Extraits des historiens arabes du Maroc*, Paris, 2e éd., 1929.
175. (*) LÉVY (R.), *A Baghdad Chronicle*, Cambridge, 1929.
176. (*) LÉVI-PROVENÇAL (E.), « Notes d'histoire almohade, III : un nouveau fragment de la chronique anonyme (avec index) », dans *Hespéris*, t. X, 1930, fasc. 1, pp. 49-90.

177. (*) CANARD (M.), *Sayf al-daula, recueil de textes*, Alger, 1934.
178. (*)*M afāẖir al-Barbar*, éd. E. Lévi-Provençal, *Fragments historiques sur les Berbères au Moyen Age*, Rabat, 1934.
179. (*) VASILIEV (A.), *Byzance et les Arabes*, éd. M. Canard et H. Grégoire, Bruxelles, 1935-1950, 2 vol.

EN ARMÉNIEN :

180. SEBEOS (écrit au VIIe siècle), *Histoire d'Héraclius*, trad. Macler, Paris, 1904.
181. PSEUDO MOÏSE DE KHOREN (VIIIe siècle), éd. et trad. V. Langlois, dans *Collection des historiens anciens et modernes de l'Arménie*, Paris, II, 1869, p. 82 et suiv. Autre éd., Beyrouth, 1958.
182. GHEVOND (LEONTIUS) (écrit dans la seconde moitié du VIIIe siècle), trad. V. Chahnazarian, *Histoire des guerres et des conquêtes des Arabes en Arménie*, Paris, 1856.
183. ASOGHIK DE TARON (début du Xe siècle), trad. E. Dulaurier, Paris, 1883, et F. Macler, *Histoire universelle d'Asoghik de Taron*, Paris, 1917. Trad. allem. par H. Gelzer et A. Burckhardt, Munich, 1907.
184. THOMAS ARDZROUNI (début Xe siècle), *Histoire d'Arménie*, trad. Brosset, dans *Collection d'historiens arméniens*, Saint-Pétersbourg, t. I, 1874.
185. JEAN CATHOLICOS (Xe siècle), *Histoire de l'Arménie des origines à 925*, trad. V. de Saint-Martin, Paris, 1841.
186. MATHIEU D'ÉDESSE (XIIe siècle), *Chronique*, trad. E. Dulaurier, Paris, 1858. V. Langlois, *Collection des historiens anciens et modernes de l'Arménie*, Paris, 1867-1869, 2 vol.
187. VARDAN (écrit avant 1271), *Histoire universelle*, Venise, 1862-1863. Trad. russe Emin, Moscou, 1861. Trad. française part. par J. Muyldermans, *La domination arabe en Arménie, extrait de l'Histoire Universelle de Vardan*, Paris, 1927.

EN CHINOIS :

188. CHAVANNES (E.), *Les pays d'Occident d'après le Heou-Han-Chou*, extr. du *T'oung Pao*, Leyde, 1907.
189. — *Les pays d'Occident d'après le Weï Lio*, extr. du *T'oung Pao*, série II, vol. 6, Leyde, 1905.
190. TCHAO JOU-KOUA (XIIIe siècle), *Tchou-fan-tche*, éd. et trad. F. Hirth et W. W. Rockhill, Saint-Pétersbourg, 1911-Tokyo, 1914 ; 2e éd., Amsterdam, 1966.

EN GÉORGIEN :

191. (*) BROSSET (M. F.), *Histoire de la Géorgie depuis l'Antiquité jusqu'au XIX*e *siècle,* éd. et trad. Saint-Pétersbourg, 1849-1858, 5 vol.

EN HÉBREU :

192. JOSIPPON BEN GORION (milieu ou fin du xe siècle), *Des Joseph ben Gorion (Josippon) Geschichte der Juden...,* New York, sans date.
193. *Chronique samaritaine* (en samaritain, mais écrite en hébreu, vers 1149), éd. A. Neubauer, dans *Journal asiatique,* 6e série, XIV, 1869, pp. 385-470.

EN PERSAN :

194. BAL'AMĪ (écrit vers 963), *Ta'rīḫ-i Tabarī,* trad. H. Zotenberg, Paris, 1869, 4 vol.
195. GARDĪZĪ (écrit vers 1049-1052), *Zayn al-aḫbār,* texte persan et trad. russe par W. Barthold, dans *Otčet o poezdke v Srednuyu Aziyu, Zap-Imp.* Akad. Nauk, po Ist.-Phil. Otd., t. I, 4, Saint-Pétersbourg, 1897, pp. 78-126.
196. IBN AL-BALḪĪ (début XIIe siècle), *Fārsnamè,* éd. G. Le Strange et R. A. Nicholson, *The Farsnámá of Ibnu'l Balkhi,* Londres, 1921.
197. *Muğmil at-tawārīḫ* (en 1126 ; anon.), éd. et trad. J. Mohl, dans *Journal asiatique,* 3e série, t. XI, XII, XIII, XIV, 4e série t. I.
198. IBN ISFENDIYĀR (début du XIIIe siècle), trad. E. G. Browne, *Histoire du Tabaristan,* Londres, 1905.
199. MĪR ZĀHIR AD-DĪN MAR'AŠĪ (né vers 1412), *Ta'rīḫ Ṭabaristan,* éd. B. Dorn, *Histoire du Ṭabaristān, du Rūyān et du Māzandarān,* Saint-Pétersbourg, 1850.
200. MĪR ḪWOND (MĪR ḪĀWAND) (mort en 1498), *Rawḍat aṣ-Safā',* éd. Defrémery, *Histoire des Sāmānides,* Paris, 1845.
201. (*) NIZAMUDDIN (M.), *Introduction to the Jawāmi' ul-Ḥikāyāt of Muhammad 'Awfī,* Londres, 1929.

EN SYRIAQUE :

202. ZACHARIE DE MYTILÈNE (VIe siècle), trad. F. J. Hamilton et E. W. Brooks, *The Syriac Chronicle known as that of Zachariah of Mytilene,* Londres, 1899. Trad. K. Ahrens et

G. Krüger, *Die sogennante Kirchengeschichte des Zacharias...*, Leipzig, 1899.

203. PSEUDO-DENYS DE TELL-MAHRÉ (écrit vers 775, par un moine du monastère de Zoukenin), éd. et trad. J. B. Chabot, *Chronique de Denys de Tell-Mahré*, Paris, 1895.

204. JÉSUDENAH DE BASRAH (écrit à la fin du VIIIe siècle), éd. et trad. J. B. Chabot, *Le livre de la chasteté, composé par Jésudenah, évêque de Basrah*, Rome, 1896.

205. THOMAS DE MARGĀ (écrit vers 840), éd. et trad. E. A. W. Budge, *The book of Governors, being the Historia Monastica of Thomas, bishop of Margā, A.D. 840*, Londres, 1893, 2 vol.

206. ÉLIE DE NISIBE (écrit en 1018), éd. et trad. E. W. Brooks et J. B. Chabot, *Chronographie d'Elias Bar Schinaya, métropolitain de Nisibe*, dans *Corpus scriptorum christianorum orientalium. Scriptores Syri*, série III, vol. 7, Paris, 1909-1910.

207. MICHEL LE SYRIEN (mort en 1199), éd. et trad. J. B. Chabot, *Chronique de Michel le Syrien, patriarche jacobite d'Antioche (1166-1199)*, Paris, 1899-1911, 4 vol.

208. BARHEBRAEUS (mort en 1286), *Chronicon syriacum*, éd. et trad. lat. P. I. Bruns et C. G. Kirsch, Leipzig, 1789, 2 vol. Autre éd. par P. Bedjan, Paris, 1890.

Éd. et trad. par E. W. Budge, Oxford-Londres, 1932, 2 vol.

209. — *Chronicon ecclesiasticum*, éd. et trad. lat. J. B. Abbeloos et L. Lamy, Louvain, 1872-1877, 3 vol.

4. *JURISTES*

En arabe :

210. MĀLIK B. ANAS (mort en 795), trad. F. Peltier, *Le livre des ventes du Mouwatta de Mālik ben Anas*, Alger, 1911.

211. ABŪ YŪSUF YA'QŪB (mort en 798), *Kitāb al-ḫarāǧ*, éd. du Caire, 1885. Trad. E. Fagnan, *Le livre de l'impôt foncier*, Paris, 1921.

212. YAḤYĀ B. ĀDAM (mort en 818), *Kitāb al-ḫarāǧ*, éd. T. W. Juynboll, *Le livre de l'impôt foncier de Yahya Ibn Adam...*, Leyde, 1896. Nouv. éd., Le Caire, 1847/1928-9.

Nouv. éd. et trad. par S. D. Goitein, t. I, Leyde, 1958.

212 a. SAḤNŪN (mort en 854), *Mudawwana*, t. III, 46. Extr. publ. et trad. par R. Brunschvig, « Un texte arabe du IXe siècle intéressant le Fezzan », *Revue africaine*, 1945, pp. 21-25.

213. MĀWARDĪ (mort en 1058), *Kitāb al-aḥkām as-sulṭāniyya*, Le Caire, 1881. Trad. E. Fagnan, Alger, 1915 ; L. Ostrorog, *Le droit du califat*, Paris, 1925.

5. *TRAITÉS TECHNIQUES OU SPÉCIALISÉS ET RÉPERTOIRES*

En arabe :

214. ĞĀBIR B. ḤAYYĀN (seconde moitié du VIIIe siècle), *Alchimie*, éd. E. J. Holmyard, *The Arabic Works*, vol. I, part. 1, Paris, 1928.

215. IBN WAḤŠIYYA (vers fin IIe ou fin IIIe siècle), *al-Filāḥa an-Nabaṭiyya*. Sur cette œuvre, cf. A. Gutschmid, dans *Zeitschrift der deutschen morgenländischen Gesellschaft*, XV, p. 1 et suiv. ; E. Renan, dans *Mémoires de l'Académie des Inscriptions*, XXIV, 1, p. 152 ; S. Munk, *Observations relatives au mémoire de M. Renan sur le traité de l'agriculture nabatéenne*, Paris, 1862 ; M. Steinschneider, « Die arabischen Übersetzungen... », dans *Zeitschrift der deutschen morgenländischen Gesellschaft*, I, pp. 352-354, et, de façon générale, réf. bibl. dans *Encyclopédie de l'Islam*[1], t. II, Leyde, 1927, p. 453, et C. BROCKELMANN, *Geschichte der arabischen Literatur*, Suppl., I, Leyde, 1937, p. 430.
M. Plessner, dans *Zeitschrift für Assyriologie*, 1928 ; M. ash-Shihabi, « Filāḥa », dans *Encyclopédie de l'Islam*[2], t. II, pp. 920-921.

216. 'ALĪ (B. SAHL RABBAN) AṬ-ṬABARĪ (mort en 860), *Firdaws al-ḥikma*, éd. M. Z. Siddiqi, *Firdausu 'l-Ḥikmat or Paradise of wisdom*, Berlin, 1928.

217. ĞĀḤIẒ (pseudo), *Kitāb at-tabaṣṣur bi t-tiǧāra*, éd. H. H. 'Abd al-Wahhāb, Damas, 1932. Trad. française par Ch. Pellat, dans *Arabica*, t. I, 1954, pp. 153-165.

218. DĪNAWARĪ (mort vers 895), *Kitāb an-nabāt*. Anal. par B. Silberberg, « Das Pflanzenbuch... », dans *Zeitschrift für Assyriologie*, t. XXIV, 1910, pp. 225-265 (et à part, thèse, Breslau, 1910), t. XXV, 1911, pp. 39-88. Éd. part. B. Lewin, dans *Uppsala Universitets Arsskrift*, t. X, 1953.

219. MUBARRAD (mort en 898), *al-Kāmil fī l-adab*, Le Caire, 1308/1890.

220. ṮĀBIT B. QURRA (mort en 901), éd. et trad. K. Gabers, *Ein Werk über ebene Sonnenuhren*, Berlin, 1936.

221. RĀZĪ (mort vers 925), trad. latine : *De aluminibus et salibus*, (XIIIe siècle). Éd. et trad. par J. Ruska, *Das Buch der Alaune und Sälze...*, Berlin, 1935.

222. ABŪ L-ʿARAB (mort en 945), *Ṭabaqāt ʿulamāʾ Ifrīqiya*, éd. et trad. M. Ben Cheneb, *Classes des savants de l'Ifriqiya, Tabaqāt ʿolamā Ifriqiya de Abū l-ʿArab et de al-Khochanī*, Paris, 1915-1920, 2 vol.

223. FĀRĀBĪ (mort en 950), *Kitāb iḥṣāʾ al-ʿulūm*, éd. et trad. par A. González Palencia, *Alfarabi-Catalogo de las ciencias* (comprend également la trad. lat. médiévale de Gérard de Crémone), Madrid, 1932.
Nouv. éd. par ʿUṯmān Amīn, Le Caire, 1931-1948.

224. *Calendrier de Cordoue* (écrit en arabe et latin en 961), éd. R. Dozy, *Le calendrier de Cordoue de l'année 961. Texte arabe et ancienne traduction latine*, Leyde, 1873. Nouv. éd. et trad. par Ch. Pellat, Leyde, 1961.

225. ḪUWĀRIZMĪ (écrit vers 976-991), *Kitāb mafātīh al-ʿulūm*, éd. G. van Vloten, Leyde, 1895.

226. IBN AN-NADĪM (écrit en 987-988), *Fihrist*, éd. G. Flügel, J. Roediger et A. Müller, Leipzig, 1871-1872, 2 vol. Trad. part. de G. Flügel, *Mani, seine Lehre und seine Schriften*, Leipzig, 1862.

227. ABŪ BAKR AL-KALĀBĀḎĪ (écrit un peu avant 995), *Kitāb at-taʿarruf li maḏhab ahl at-taṣawwuf*, trad. A. J. Arberry, *The doctrine of the Sûfîs*, Cambridge, 1935.

228. IBN KUŠĀǦIM (Xe siècle), *Kitab al-Bazyarah*, éd. D. C. Phillott et R. F. Azoo, « Chapters on hunting dogs and cheetas, being an extract from the *Kitab al-Bazyarah*, a treatise of falconry », in *Journal and Proceedings of Asiatic Soc. of Bengale*, t. III, 1907.

229. AVICENNE (IBN SĪNĀ) (mort en 1037), *Kitāb aš-šifāʾ*, texte arabe (avec trad. angl.) et latin éd. par E. J. Holmyard et D. C. Mandeville, *Avicennae de congelatione et conglutinatione lapidum, being sections of the Kitāb ash-Shifāʾ...*, Paris, 1927.

230. BĪRŪNĪ (mort vers 1050), *Kitāb aṣ-ṣaydala*, éd. et trad. part. par M. Meyerhof, « Das Vorwort zur Drogenkunde », dans *Quellen und Studien zur Geschichte der Naturwissenschaften und der Medizin*, Berlin, t. III, 3 (1932), pp. 1 et suiv.

231. — *Kitāb at-tafhīm li awāʾil ṣināʿat at-tanǧīm*, éd. et trad. R. Ramsay Wright, *The Book of instruction in the elements of the Art of Astrology*, Londres, 1934.

232. ABŪ L-FAḌL AD-DIMAŠQĪ (milieu XIe siècle), *al-Išāra ilä mahasin at-tiǧāra,* éd. et trad. H. Ritter, « Ein arabisches Handbuch der Handelswissenschaft », dans *Der Islam,* t. VII, 1917, pp. 1 et suiv. Trad. part. par E. Wiedemann, dans *Beiträge zur Geschichte der Naturwissenschaften,* dans *Sitzungsberichte der physik. - mediz. Soz. in Erlangen,* XXX, t. 44, 1912, XXXII, t. 45, 1913 ; et dans *Archiv für Geschichte der Naturwissenschaft und Technik,* t. V, 1913, p. 60.
Étude par C. Cahen, dans *Oriens,* t. XV, 1962, pp. 160-171.

233. IBN SĪDA (mort en 1066), *Kitāb al-muḫaṣṣas,* Le Caire (Būlāq), 1316-1321/1898-1903, 17 vol.

234. IBN WĀFID (mort en 1074), *Kitāb al-filāḥa,* trad. J. M. Millás Vallicrosa, « La traduccion castellana del Tratado *de Agricultura* de Ibn Wafid », dans *al-Andalus,* t. VIII, 1943, 1, pp. 281-332.

235. BUḪTĪŠŪ' ('UBAYD ALLĀH B. ĞIBRĪL) (seconde moitié du XIe siècle), *ar-Rawḍa aṭ-ṭibbiyya,* éd. P. Sbath, Le Caire, 1927.

236. *'Umdat al-Kuttāb* (XIe-XIIe siècles), analyse par J. von Karabaček, *Das arabische Papier...,* Vienne, 1887.

237. ĠAZĀLĪ (mort en 1111), *Tahāfut al-falāsifa,* éd. M. Bouyges, Beyrouth, 1927.

238. IBN 'ABDUN (début du XIIe siècle), éd. E. Lévi-Provençal, « Un document sur la vie urbaine et les corps de métiers à Séville au début du XIIe siècle : le traité d'Ibn 'Abdūn... », dans *Journal asiatique,* t. CCXXIV, 1934, pp. 177-299. Trad. E. Lévi-Provençal, *Séville musulmane au début du XIIe siècle : le traité d'Ibn 'Abdūn...,* Paris, 1947.
L'éd. a été reprise dans E. Lévi-Provençal, *Documents arabes inédits...,* I, *Trois traités hispaniques de « ḥisba »,* Le Caire, 1947.

239. ĞAWĀLĪQĪ (ou IBN AL-ĞAWĀLĪQĪ) (mort en 1144), *Kitāb al-mu'arrab,* éd. E. Sachau, Leipzig, 1867.

240. IBN AṢ-ṢAYRAFĪ (mort en 1147), *Qānūn dīwān ar-rasā'il,* trad. H. Massé, « Code de la Chancellerie d'État », dans *Bulletin de l'Institut français d'Archéologie orientale* du Caire, XI, 1914, pp. 65-120.

241. ŠAHRASTĀNĪ (mort en 1153), *Kitāb al-milal wa n-niḥal,* éd. Cureton, *Book of religions and philosophical sects,* Londres, 1846, 2 vol. Trad. T. Haarbrücker, *Religionsparteien und Philosophenschulen,* Halle, 1850-1851, 2 vol.

242. — *Nihāyat al-iqdām fī ʿilm al-Kalām*, éd. et trad. A. Guillaume, *The Summa philosophiae...*, Oxford-Londres, 1934.

243. NABRĀWĪ (XIIe siècle), *Nihāyat ar-rutba fī talab al-ḥisba*, éd. Bernhauer, « Manuel de ḥisba », dans *Journal asiatique*, 1860-1861.

Éd. A. Arīnī, Le Caire, 1946 (avec, comme nom d'auteur, ŠAYZARĪ).

244. SAQAṬĪ (XIIe siècle), éd. G. S. Colin et E. Lévi-Provençal, *Un manuel hispanique de « ḥisba ». Traité sur la surveillance des corporations et la répression des fraudes en Espagne musulmane*, t. I, Paris, 1931.

245. IBN ḪAYR (mort en 1174), *Fahrasa mā rawāhu ʿan šuyūhihi min ad-dawāwīn al-muṣannafa fī ḍurūb al-ʿilm wa anwāʿ al-maʿarif*, éd. J. Ribera Tarragó, *Index librorum de diversis scientiarum ordinibus quos a magistris didicit*, Saragosse, 1894-1895.

246. IBN RUŠD (AVERROÈS) (mort en 1198), *Tafsīr mā baʿd aṭ-ṭabīʿa*, éd. et trad. par C. Quiros Rodriguez, *Compendio de metafisica*, s.d.

Autres éd. par M. Horten, *Die Metaphysik des Averroes*, Halle, 1912, et M. Bouyges, Beyrouth, 1928, 3 vol.

247. IBN AL-ʿAWWĀM (fin XIIe siècle), *Kitāb al-filāha*, éd. et trad. par J. A. Banqueri, Madrid, 1802., 2 vol ; J. J. Clément-Mullet, *Le livre de l'agriculture*, Paris, 1864-1867, 2 t. en 3 vol.

248. IBN MAMMĀṬĪ (mort en 1209), *Qawānīn ad-dawāwīn*, Le Caire, 1299/1882.

Nouv. éd. par A. S. Atiya, Le Caire, 1943.

249. NĀBULUSĪ (début XIIIe siècle), *Lumaʿ al-quawānīn al-muḍiyya fī dawāwīn ad-diyār al-Miṣriyya*, rés. et trad. part. par C. Cahen, dans *Bulletin de la Faculté des Lettres de Strasbourg*, t. XXVI, 1948, pp. 97-118. Nouv. éd. par C. Becker et C. Cahen, dans *Bulletin d'Études Orientales* de l'Institut français de Damas, XVI, 1958-1960, pp. 119 et suiv.

250. YĀQŪT (mort en 1229), *Muʿǧam al-udabāʾ*, éd. D. S. Margoliouth, *Yāqūt's Dictionary of learned men*, Leyde, 1907-1931, 6 vol.

251. IBN AL-BAYṬĀR (mort en 1248), *Ǧāmiʿ mufradāt al-adwiya wa l-aġḏiya*, Le Caire (Būlāq), 1291/1875. Trad. L. Leclerc, « Traité des simples », dans *Notices et extraits des manuscrits de la Bibliothèque Nationale*, Paris, t. XXIII, 1 (1877), t. XXV, 1 (1881), t. XXVI, 1 (1883), 3 vol.

252. TĪFĀŠĪ (mort en 1253), *Kitāb azhār al-afkār fī ǧawāhir al-aḥǧār*, trad. A. R. Biscia, *Fior di pensieri sulle pietre preziose*, Florence, 1818, Bologne, 1906.

253. IBN ABĪ UṢAYBI'A (mort en 1270), *'Uyūn al-anbā' fī ṭabaqāt al-aṭibbā'*, éd. A. Müller, Le Caire, 1299/1882, préface, Königsberg, 1884.

254. NAWAWĪ (mort en 1277), trad. W. Marçais, « Le Taqrīb d'En-Nawawī », dans *Journal asiatique*, mars-avril 1901 ; et à part, Paris, 1902.

255. IBN ḪALLIKĀN (mort en 1282), *Kitāb wafāyāt al-a'yān*, éd. F. Wüstenfeld, *Ibn Challikan vitae illustrium virorum*, Göttingen, 1835-1843. Trad. G. de Slane, *Biographical Dictionary*, Paris-Londres, 1842-1871, 4 vol.

256. IBN AL-UḪUWWA (né en 1250), *Ma'ālim al-qurba fī aḥkām al-ḥisba*, éd. R. Levy, Cambridge - Londres, 1938.

257. IBN MANẒŪR (mort en 1311), *Lisān al-'Arab*, Le Caire (Būlāq), 1299-1308/1882-1890, 20 vol.

258. AKFANĪ (mort en 1348) « Nuḫab aḏ-ḏaḫā'ir fī aḥwāl al-ǧawāhir », éd. L. Cheikho, dans *al-Mašriq*, XI, 1908, pp. 751-765.

259. MUḤAMMAD IBN MANKALĪ (mort en 1382), *Ins al-malā fī waḥš al-falā*, trad. par F. Pharaon, *Traité de vénerie*, Paris, 1880.

260. DAMĪRĪ (mort en 1405), *Ḥayāt al-ḥayawān*, trad. part. par A. S. G. Jayakar, *ad-Damīrī's Hayat al-Hayawan. A zoological lexicon*, Londres-Bombay, 1906-1908, 3 vol. Éd. du Caire, 1353/1934.

261. FĪRŪZĀBĀDĪ (mort en 1414), *al-Qāmūs al-mūḥīṭ*, Le Caire, 1319-1901, 4 vol.

262. MAQRĪZĪ (mort en 1442), *Nubḏa al-'uqūd fī umūr an-nuqūd*, trad. française d'A. I. Silvestre de Sacy, *Traité des monnaies musulmanes*, Paris, 1797. Nouv. éd. par le même (posthume), sous le titre *an-Nuqūd al-qadīma wa l-islāmiyya*, Istanbul, 1298/1881.

263. *Le livre des perles enfouies et du mystère précieux au sujet des indications des cachettes, des trouvailles et des trésors* (XVe-XVIe siècles), publ. et trad. Ahmed Bey Kamal, Le Caire, 1907, 2 vol. Trad. part. par G. Daressy, « Indicateur topographique du *Livre des perles enfouies et du mystère précieux* », dans *Bulletin de l'Institut français d'Archéologie orientale* du Caire, XIII, 1917, pp. 175-230, XIV, 1918, pp. 1-32.

264. HĀǦǦĪ ḪALĪFA (mort en 1657), *Kašf aẓ-ẓunūn*, éd. G. Flügel, Leipzig, 1835-1858, 7 vol.

265. *Tuḥfat al-aḥbāb* (début XVIIIe siècle ?), éd. et trad. H. P. J. Renaud et G. S. Colin, *Glossaire de la matière médicale marocaine*, Paris, 1934.

266. ZABĪDĪ (mort en 1791), *Tāǧ al-ʿarūs*, Le Caire (Būlāq), 1307-1308/1889-1890, 10 vol.

267. BUṬRUS AL-BUSTĀNĪ (mort en 1883), *Muḥīṭ al-muḥīṭ*, Beyrouth, 1286/1869, 2 vol.

En copte :

268. *Papyrus médical copte* (IXe-Xe siècles), éd. et trad. E. Chassinat, *Un papyrus médical copte...*, dans *Mémoires de l'Institut français d'Archéologie orientale* du Caire, t. XXXII, 1921.

En persan :

269. ABŪ MANSŪR AL-MUWAFFAQ B. ʿALĪ AL-HARAWĪ (composé entre 967 et 976), éd. F. R. Seligmann, *Liber fundamentorum pharmacologiae*, Vienne, 1859.

269 bis. NIZĀM AL-MOLK (ABŪ ʿALĪ ḤASSĀN) (vizir de 1063 à 1092), éd. et trad. Ch. Schefer, *Siasset Naméh*, traité de gouvernement composé pour le sultan Melik-Châh par le vizir Nizam oul-Moulk, Paris, 1891, 2 vol.

270. ABŪ L-MAʿĀLĪ (écrit en 1092), *Kitāb-i bayān al-adyān*, éd. Ch. Schefer, *Chrestomathie persane*, t. I, pp. 131-171. Trad. ital. par F. Gabrieli, dans *Rendiconti della Accademia Nazionale dei Lincei*, Cl. sc. mor., stor. e filol., Rome, 1932.

271. QAZWĪNĪ (écrit vers 740/1339). *Nuzhat al-qulūb*, éd. et trad. part. par J. Stephenson, « The zoological section of the Nuzhatul-Qulub... », dans *Isis*, XI, 2, 36, 1928, pp. 285 et suiv.

6. *SOURCES LITTÉRAIRES, ENCYCLOPÉDIES ET CORRESPONDANCES*

En arabe :

272. AʿŠĀ (mort vers 629), *Dīwān*, éd. Geyer, Londres, 1928.

273. ABŪ MIḤǦĀN (première moitié du VIIe siècle), *Dīwān*, éd. L. Abel, Leyde, 1887.

274. ḤASSĀN IBN ṮĀBIT (VIIe siècle), *Dīwān*, éd. Barqūqī, Le Caire, 1347/1929.

275. IBN AL-MUQAFFAʿ (mort vers 757), *ad-Durra al-yatīma*, Le Caire, 1331/1913.

276. ABU DULĀMA (mort vers 777-787), *Dīwān*, éd. et trad. M. Ben Cheneb, Alger, 1922.

277. ABŪ NUWĀS (mort vers 806-814), *Dīwān*, éd. W. Ahlwardt, 1 vol. paru, Greifswald, 1861 ; lithogr., Le Caire, 1277/1860 ; impr., Beyrouth, 1301-1884. Éd. Iskender Āṣaf, avec notes de M. Effendi Wāṣif, Le Caire, 1898-1905. Trad. A. von Kremer, *Dîwân des Abû Nowâs, des grössten lyrischen Dichter der Araber*, Vienne, 1855. Éd. M. Kāmil Farīd, Le Caire, 1351/1932.

278. MUSLIM IBN AL-WALĪD (mort en 823), *Dīwān*, éd. M. J. de Goeje, Leyde, 1875.

279. ABŪ TAMMĀM (mort vers 845), *Dīwān*, Beyrouth, 1323/1905, éd. et trad. lat. (part.) par G. E. Freytag, *Hamasae carmina...*, Bonn, 1828-1847, 2 vol.

280. ǦĀḤIẒ (mort en 868), *Kitāb al-buḫalā'*, Le Caire, 1323/1905. Éd. G. van Vloten, Leyde, 1900. Trad. angl. par H. Walker, dans *Journal of the Royal Asiatic Society*, 1915, pp. 631-697. Nouv. trad. par Ch. Pellat, *Le livre des avares*, Paris, 1951.

281. — *Kitāb al-ḥayawān*, Le Caire, 1322-1325/1904-1907. Éd. et trad. part. par M. Asin Palacios, « El *Libro de los Animales* de Jāḥiz », dans *Isis*, nº 43 (vol. XIV, 1), mai 1930.
Nouv. éd. par A. M. Hārūn, Le Caire, 1356-1364/1938-1945, 7 vol.

282. ǦĀḤIẒ (pseudo), *Kitāb at-tāǧ fī aḫlāq al-mulūk*, éd. A. Zaki Pācha, Le Caire, 1914. Trad. part. par O. Rescher, *Excerpte und Übersetzungen aus den Schriften des Ǧāḥiẓ*, Stuttgart, 1931. Trad. Ch. Pellat, *Le livre de la couronne attribué à Ǧāḥiẓ*, Paris, 1954.

283. IBN QUTAYBA (mort en 889), *Kitāb al-ma'ārif*, éd. F. Wüstenfeld, *Handbuch der Geschichte*, Göttingen, 1850.
Éd. S. 'Ukāša, Le Caire, 1960.

284. — *Kitāb aš-ši'r wa š-šu'arā'*, éd. M. J. de Goeje, Leyde, 1904. Éd. et trad. part. par M. Gaudefroy-Demombynes, *Introduction au Livre de la poésie et des poètes*, Paris, 1947.

285. — *'Uyūn al-aḫbār*, Le Caire, 1343-1349/1925-1930, 4 vol. Éd. C. Brockelmann, I-IV, Berlin-Strasbourg, 1900-1908 ; L. Bodenheimer et L. Kopf, trad. L. Kopf, *The 'Uyun al-akhbār, the natural history section from a IXth century « Book of useful knowledge »*, Paris, 1949.

286. IBN AR-RŪMĪ (mort vers 896), *Dīwān*, extr. par K. Kīlānī, Le Caire, 1342/1924, 3 t. en 1 vol.

287. BUḤTURĪ (mort vers 897), *Dīwān*, éd. R. 'A. al-Lubnānī, Beyrouth, 1911.

288. IBN AL-MU'TAZZ (mort en 908), *Dīwān*, Beyrouth, 1331/1913.

289. BAYHAQĪ (écrit vers 910-930), *Kitāb al-maḥāsin wa l-masāwi'*, éd. F. Schwally, Giessen, 1902 ; index par O. Rescher, Stuttgart, 1923.

290. IBN 'ABD RABBIH (mort en 940), *al-'Iqd al-farīd*, Le Caire (Būlāq), 1293/1873, 3 vol. Trad. part. par Tournel, *Lettres sur l'histoire des Arabes avant l'islamisme*, Paris, 1836, 1837, 1838.

291. MAS'ŪDĪ (écrit en 943), *Murūǧ aḏ-ḏahab*, éd. et trad. par C. Barbier de Meynard et J. Pavet de Courteille, *Les prairies d'or*, Paris, 1861-1877, 9 vol.

Nouv. éd. par Ch. Pellat, en cours de publication, Paris, 1962 et suiv.

292. — *Kitāb at-tanbīh wa l-išrāf*, éd. M. J. de Goeje, Leyde, 1894. Trad. B. Carra de Vaux, *Le livre de l'avertissement et de la révision*, Paris, 1897.

293. SANAWBARĪ (mort en 946), *ar-Rawḍiyyāt*, éd. M. Rāġib aṭ-Ṭabbāḫ, Alep, 1351/1932.

294. MUTANABBĪ (mort en 955), *Dīwān*, Le Caire (Būlāq), 1287/1870, 2 vol. Éd. Barqūqī, Le Caire, 1348/1930. Autre éd., Beyrouth, 1926.

295. *Iḫwān aṣ-Ṣafā'* (xe siècle), *Rasā'il*, Bombay, 1305-1306/1887-1888, 4 vol.

Nouv. éd. Beyrouth, 1376-1377/1957, 4 vol.

296. MUṬAHHAR B. ṬAHIR AL-MAQDISĪ (écrit vers 966), *Kitāb al-bad' wa t-tarīḫ*, éd. et trad. C. Huart, *Le livre de la création et de l'histoire*, Paris, 1903.

297. ABŪ L-FARAG AL-IṢFAHĀNĪ (mort en 967), *Kitāb al-aġānī*, Le Caire, 1905-1906, 21 vol ; index par I. Guidi, *Tables alphabétiques du Kitāb al-Aġānī*, Leyde, 1895-1900, 2 vol.

298. TANŪḪĪ (mort en 994), *Kitāb al-faraǧ ba'd aš-šidda*, Le Caire, 1903-1904.

299. — *Nišwār al-muḥāḍara*, éd. et trad. D. S. Margoliouth, *The table-talk of a Mesopotamian judge, being the first part of the Nishwār al-Muhādarah...*, Londres, 1922-1923, 2 vol. Deuxième partie publ. par le même, dans *Revue de l'Académie arabe de Damas* (X et XII), 1930, 1932 ; trad. dans *Islamic Culture*, IV, 1930-V, 1931.

300. IBRĀHĪM B. WAṢĪF ŠĀH (vers 1000), *Muḫtaṣar al-'aǧā'ib*, trad. B. Carra de Vaux, *L'Abrégé des merveilles*, Paris, 1898. Cf. C. F. Seybold, dans *Orientalistische Literaturzeitung*, I, 1898, pp. 146-150 ; J. Sauvaget, *La Relation de la Chine et de l'Inde* (*Aḫbār aṣ-Ṣin wa l-Hind*), Paris, 1948, p. XXVI.

301. IBN ḤAZM (mort après 1027), *Ṭawq al-ḥamāma fī l-ulfa wa l-ullāf*, éd. D. K. Pétrof, Leyde, 1914. Trad. par A. R. Nykl, *A Book containing the Risâla known as the dove's neck-ring about love and lovers*, Paris, 1931. Trad. L. Bercher, *Le collier du pigeon ou de l'amour et des amants*, Alger, 1949.

302. ṮA'ĀLIBĪ (mort vers 1037-1039), *Laṭā'if al-ma'ārif*, éd. P. de Jong, Leyde, 1867.

303. MU'TAMID (mort en 1095), *Ši'r*, éd. à la suite des poèmes d'Ibn Zaydūn, *Dīwān*, Le Caire, 1351/1932. Trad. D. L. Smith, *The Poems of Mu'tamid King of Seville rendered into English verse, with an introduction*, Londres, 1916.

304. ḤARĪRĪ (mort en 1122), *Maqāmāt*, éd. I. A. Silvestre de Sacy, Paris, 1822 ; 2e éd. revue par M. Reinaud et H. Derenbourg, Paris, 1847-1853. Éd. et trad. part. A. Raux, Paris, 1909. Éd. crit. A. Amer, Stockholm, [1964].

305. IBN ḤAMDĪS (mort en 1132), *Dīwān*, éd. C. Schiaparelli, *Il Canzoniere*, Rome, 1897.

306. AL-FATḤ IBN ḪĀQĀN (mort sans doute en 1134), *Qalā'id al-'iqyān fī maḥāsin al-a'yān*, Marseille-Paris, 1277/1860, Le Caire (Būlāq), 1283/1866.

307. — *Maṭmaḥ al-anfus wa masraḥ at-ta'annus fī mulaḥ alh al-Andalus*, Constantinople, 1302/1885.

308. IBN QUZMĀN (mort en 1160), *Dīwān*, texte publ. en phototypie par D. de Grunzburg, fasc. 1 (seul paru), Berlin, 1896. En transcription, précédé d'une étude et suivi d'une trad. part., par A. B. Nykl, Madrid-Grenade, 1933.

309. USĀMA IBN MUNQIḎ (mort en 1188), *Kitāb al-i'tibār*, trad. H. Derenbourg, *Un émir syrien...*, Paris, 1895.

310. ǦAWBARĪ (début XIIIe siècle), *Kitāb al-muḫtar fī kašf al-asrār wa hatk al-astar*, Le Caire, 1316/1908. M. J. de Goeje, dans *Zeitschrift der deutschen morgenländischen Gesellschaft*, XX, p. 485.

311. ABŪ L-ḤASAN AL-QARṬĀGANNĪ (XIIIe siècle), *al-Qaṣīda al-maqṣūra*, anal. et trad. part. par E. Garcia Gómez, dans *al-Andalus*, I, 1933, fasc. 1, pp. 81-103.

312. IBŠĪHĪ (ou ABŠĪHĪ) (mort après 1446), *al-Mustaṭraf fī kull fann mustaẓraf*, Le Caire, 1330/1912, 2 vol. Trad. française par G. Rat, Paris-Toulon, 1899-1902, 2 vol.

313. (*) LERCHUNDI (J.) et SIMONET (J.), *Crestomatia arábigo-española*, Grenade, 1881.

EN HÉBREU :

314. ŠERIRA GAON (vers 900-1000), éd. et trad. J. Wallerstein, *Sherirae epistolae*, Breslau, 1861. Trad. L. Landau, *Épître historique de R. Sherira Gaon*, Anvers, 1904.

315. ḪASDĀI IBN ŠAPRŪṬ (écrit vers 958), *Lettre au Ḫāqān des Ḫazars*, éd. et trad. dans E. Carmoly, *Itinéraires de Terre Sainte des XIII*e, *XIV*e, *XV*e, *XVI*e *et XVII*e *siècles*, Bruxelles, 1847, p. 38.

EN PERSAN :

316. TANSAR, « Lettre de Tansar au roi de Ṭabaristān (époque sassanide) », texte publ. par J. Darmesteter dans *Journal asiatique*, 1894, I, pp. 200 et suiv., trad. pp. 502 et suiv. Autre éd. par M. Minovi, *Tansar's Epistle to Goshnasp*, Téhéran, 1932.

317. FIRDAWSĪ (mort en 1020), *Šāhnāmè*, éd. et trad. J. Mohl, Paris, 1838-1878. Trad. angl. par A. G. et E. Warner, Londres, 1912-1925. Trad. angl. R. Levy, Londres [1967]. Trad. part. all. F. Rückert, Berlin, 1890-1895.

B. SOURCES D'ARCHIVES

1. *PAPYRUS* (*GRECS, COPTES, ARABES*)

318. ABEL (L.), *Ägyptische Urkunden aus den königliche nMuseen zu Berlin. Arabische Urkunden*, I-II, Berlin, 1896-1900.

319. BECKER (C. H.), « Arabische Papyri des Aphroditofundes », dans *Zeitschrift für Assyriologie*, XX, 1906, pp. 68-104.

320. — « Neue arabische Papyri des Aphroditofundes », dans *Der Islam*, II, 1911, pp. 245-268.

321. — *Veröffentlichungen aus der Heidelberger Papyrus-Sammlung III. Papyri Schott-Reinhardt*, I, Heidelberg, 1906.

322. BELL (H. I.), *Greek Papyri in the British Museum. Catalogue with texts*, vol. IV et V, Londres, 1910-1917.

323. — « Translations of the Greek Aphrodito Papyri in the British Museum », dans *Der Islam*, II, 1911, 1 et 2 ; III, 1912, 3 et 4 ; IV, 1913, 5 ; XVII, 1928.

324. — « The Aphrodito Papyri », dans *Journal of Hellenic Studies*, XXVIII, 1908, pp. 97-120.

325. — « Two official Letters of the Arab Period », dans *Journal of Egyptian Archaeology*, XII, 1926, pp. 265-281.

326. CRUM (W. E.) et G. STEINDORFF, *Koptische Rechtsurkunden des achten Jahrhunderts aus Djeme* (*Theben*), I, Leipzig, 1912.

327. — *The Aphrodito papyri, with an appendix of Coptic papyri*, Londres, 1910.

328. DAVID-WEILL (J.), « Papyrus arabes d'Edfou », dans *Bulletin de l'Inst. français d'Archéol. orientale* du Caire, XXX, 1931, pp. 33-44.

329. ERMAN (A.), *Ägyptische Urkunden aus den königlichen Museen zu Berlin. Koptische Urkunden*, I, Berlin, 1904.

330. FRISK (H.), « Bankakten aus dem Faijum », dans *Göteborg kungl. Vetenskaps-och Vitterhets-Samhälles Handlingar*, V, sér. A, t. 2, n° 2, 1931 [lettre de Korrā ben Šarik au pagarque d'Aphrodito, en 710 : pp. 98-105].

331. GROHMANN (A.), *Corpus papyrorum Raineri Archiducis Austriae*, III, *Series arabica*, Vienne, 1923 et suiv.

332. — *Arabic papyri in the Egyptian Library*, Le Caire, 1934.

333. — « Arabische Papyri aus den staatlichen Museen zu Berlin », dans *Der Islam*, 1934, pp. 1-68.

334. KARABACEK (J. von), *Zur orientalischen Altertumskunde*, II, *Die arabischen Papyrusprotokolle*, Vienne, 1908.

335. KRALL (J.), « Zwei koptische Verkaufsurkunden » [en 759-760], dans *Wiener Zeitschrift für die Kunde des Morgenlandes*, 2, 1888.

336. MARGOLIOUTH (D. S.), « Select Arabic Papyri of the Rylands Collection Manchester », dans *Florilegium Melchior de Vogüé*, Paris, 1909, pp. 407-417.

337. — *Catalogue of Arabic Papyri in the John Rylands Library Manchester*, Manchester, 1933.

338. — et E. J. HOLMYARD, « Arabic documents from the Monneret Collection », dans *Islamica*, IV, 1930, pp. 249-271.

339. MASPERO (J.), *Papyrus grecs d'époque byzantine. Catalogue général des antiquités égyptiennes du Musée du Caire*, I-III, Le Caire, 1911-1916.

340. *Papyrus Erzherzog Rainer. Führer durch die Ausstellung*. Vienne, 1894.

341. REMONDON (R.), « Papyrus grecs d'Apollônos Anô », dans *Documents de fouilles de l'Institut français d'Archéologie orientale* du Caire, XIX, 1953.

342. STERN (L.), « Fajumische Papyri im ägyptischen Museum zu Berlin », dans *Zeitschrift für ägyptische Sprache und Altertumskunde*, 1885, pp. 23-44.

343. ZERETELLI (G.), *Papyri russischer und georgischer Sammlungen*, IV. *Die Kome-Aphrodito Papyri der Sammlung Lichacov*, publ. par P. Jernstedt, Tiflis, 1927.

2. *DOCUMENTS DE GENIZA* (*EN ARABE ET EN HÉBREU*)

(Cf. S. D. GOITEIN, « L'état actuel de la recherche sur les documents de la Gēniza du Caire », *Revue des Études juives*, I (CXVIII), 1959-60, pp. 9-27).

344. ABRAHAMS (I.), « An eighth century Genizah document », dans *Jewish Quarterly Review*, XVII, 1905, pp. 426-230.

345. CHAPIRA, « Fragment de Genizah », dans *Mélanges H. Derenbourg*, 1909, pp. 121-130.

346. GINZBERG (L.), *Geonica* (*Genisa studies*), New York, 1910.

347. GONZALO MAEZO (D.), « Geniza », dans *Miscelánea de Estudios Arabes y Hebraicos. Anual Boletin de la Universidad de Granada*, I, Grenade, 1952.

348. GOTTHEIL (R.), *Fragments from the Cairo genizah in the Freer Collection*, New York, 1927.

349. — « Fragments from an arabic commonplace book », dans *Bulletin de l'Institut français d'Archéologie orientale* du Caire, XXXIV, 1934, pp. 103-128.

350. HALPER (B.), *Descriptive catalogue of manuscripts from the Cairo genizah in Philadelphia*, Philadelphie, 1924.

351. HARKAVY, « Netira und seine Söhne. Eine angesehene jüdische Familie in Bagdad im Anfang des 10. Jahrhunderts », dans *Festschrift A. Berliner*, 1903, partie hébr., pp. 34-43 (fragments de geniza publ.).

352. HIRSCHFELD (H.), « The Arabic portion of the Cairo genizah at Cambridge », dans *Jewish Quarterly Review*, 1903, 1904, 1905.

353. MANN (J.), *The Jews in Egypt and in Palestine under the Fatimid caliphs, a contribution to their political and communal history based chiefly on genizah material hitherto unpublished*, Oxford, 1920-1922, 2 vol.

354. — « Texts and studies in Jewish History and Literature », dans *Hebrew Union College Annual*, X, Cincinnati, 1935.

355. MARGOLIOUTH (G.), « Some British Museum Genizah texts », dans *Jewish Quarterly Review*, XIV, 1902, pp. 14, 303 et 621.

356. WORMAN (E. J.), « Notes on the Jews in Fustat from Cambridge Genizah documents », dans *Jewish Quarterly Review*, XVIII, 1906, pp. 1-39.

3. *DIPLÔMES ET FORMULAIRES (EN GREC, EN COPTE ET EN ARABE)*

357. AIROLDI (A.), *Codice diplomatico di Sicilia sotto il governo degli Arabi*, Palerme, 1789-1792, 6 vol.

358. AMARI (M.), *Diplomi arabi del R. Archivio fiorentino*, Florence, 1833-1867, 2 vol.

359. CUSA (S.), *Diplomi greci ed arabi di Sicilia*, Palerme, 1868.

360. EGIDI (P.), *Codice diplomatico dei Saraceni di Lucera*, Naples, 1917.

361. LAGUMINA (B.), *Codice diplomatico dei Giudei di Sicilia*, Palerme, 1884-1890, 2 vol.

362. RIBERA Y TARRAGÓ (J.), « Formulaires notariaux pour esclaves de Tolède (XIe siècle), de Cordoue (XIe siècle) et d'Algésiras (fin XIIe siècle) », dans *Dissertaciones y opusculos*, I, Madrid, 1928, pp. 175 et suiv.

C. SOURCES ÉPIGRAPHIQUES (*EN ARABE ET EN HÉBREU*)

363. ABBOTT (N.), « The Ḳaṣr Kharāna. Inscription of 92 H. (710 A.D.). A new reading », dans *Ars islamica*, XI-XII, 1947.

364. AMADOR DE LOS RIOS (R.) y RODRIGUEZ DE VILLALTA, *Inscripciones árabes de Córdoba*, 3e éd., Madrid, 1892.

365. — *Inscripciones árabes de Sevilla*, Madrid, 1875.

366. — « Epigrafia arábiga : monumentos sepulcrales de Palma de Mallorca », dans *Bol. soc. arqueol. Lubiana*, oct. déc. 1896.

367. — « Fragmento de la lápida sepulcral (árabe) descubierta en Lorca », dans *Bol. de la Soc. esp. de excursionistas*, oct. nov. 1897.

368. — « Inscripción sepulcral de un cipo (árabe) hallado en Toledo » *ibid.*, avril 1898.

369. — « Epigrafia arábiga. Capitels con inscripciones descubiertos en Córdoba », dans *Rev. de archivos, bibl. y mus.*, 1898.

370. — « Epigrafia arábigo-española : piedras prismáticas tumulares de Almeria », *ibid.*, 1906.

371. AMARI (M.), *Frammenti dell'iscrizione arabica della Cuba*, Palerme, 1877, 1 pl.

372. — *Le epigrafi arabiche di Sicilia, trascritte, tradotte e illustrate da M. Amari*, Palerme, 1879-1885.

373. — *Su le iscrizioni arabiche del palazzo regio di Messina* (*Reale Acad. dei Lincei*, s. III, vol. VII, 1881).

374. ASCOLI (G. I.), *Iscrizioni inedite o mal note greche, latine, ebraiche di antichi Sepolcri gudaici del Napolitano*, Turin, 1880.

375. BARGES (J. J. L.), *Inscriptions arabes qui se voyaient autrefois dans la ville de Marseille, nouvelle interprétation et commentaire*, Paris, 1889.

376. BEL (A.), *Inscriptions arabes de Fès* (*Maroc*), Paris, 1919 (extr. du *Journal asiatique*, 1917-1919).

377. BLOCHET (E.), « Note sur quatre inscriptions arabes des sultans seldjoukides d'Asie Mineure et quatre inscriptions arabes du Sultan Kaïtbay », dans *Revue sémitique*, VI, 1898.

378. « Les inscriptions de Samarkand », dans *Rev. archéologique*, 3e sér., XXX, 1897.

379. BOURILLY (J.) et LAOUST (E.), « Stèles funéraires marocaines », dans *Hespéris*, III, 1927.

380. CANTERA y BURGOS (F.) et MILLAS VALLICROSA (J. M.), *Las inscripciones hebraicas de España*, Madrid, 1956.

381. CANTINEAU (J.), *Inscriptions palmyréniennes*, Damas, 1930.

382. CARDENAS (A.), *Estudio sobre las inscripciones árabes de Granada*, Grenade, 1877.

383. CASANOVA (P.), « Notice sur les stèles arabes appartenant à la Mission du Caire », dans *Mém. publ. par les membres de la Mission archéol. fr. au Caire*, VI, fasc. 2, 1888.

384. CASKEL (W.), *Arabic inscriptions in the coll. of the Hispanic Soc. of America*, transl. from the German by B. Gilman Proske, New York, 1936.

385. CHWOLSON (D.), *Corpus inscriptionum hebraicarum enthaltend Grabschriften aus der Krim und andere Grab- und Inschriften in alter hebraïscher Quadratschrift, sowie auch Schriftproben aus Handschriften von IX-XV. Jahrhundert*, Saint-Pétersbourg, 1882.

386. CLERMONT-GANNEAU (C.), « Note sur une inscription arabe de Bosra relative aux croisades », dans *Journal asiatique*, 7e sér., X, 1877.

387. — « Inscription du calife El-Mahdi relatant la construction de la mosquée d'Ascalon en l'an 155 de l'hégire », dans *Journal asiatique*, 8e sér., IX, 1887.

388. — « L'inscription de Bāniās », dans *Journal asiatique*, 8e sér., X, 1887.

389. — « Notes d'épigraphie et d'histoire arabes. VI. Le pont de Lydda », *ibid.*, 1889.

390. — « Une inscription inconnue du calife ʿAbd el Melik à la Sakhra », dans *Recueil d'archéol. orientale*, II, 1898.

391. — « Une inscription du calife Hichām (110 H.-728 J.-C.) », dans *Recueil d'archéol. orientale*, III, 1900.

392. — « The cufic inscription in the basilica of Constantine and the destruction of the church of the Holy Sepulchre by the caliph Hākem », dans *Quarterly statement of the Palestine Exploration Fund*, 1901.

393. CODERA (F.), « Inscripción árabe de Guardamar », dans *Boletin de la Real Academia de la Historia*, 31, 1898.

394. — « Inscripción sepulcral árabe descubierta en Toledo en enero de 1898 », *ibid.*, 32, 1898.

395. — « Lápida arábiga descubierta en la catedral de Córdoba en el año último » [1896], *ibid.*, 32, 1898.

396. — « Inscripción sepulcral árabe encontrada en Málaga », *ibid.*, 38, 1902.

397. — « Inscripción árabe del Museo de Evora », *ibid.*, 39, 1902.

398. — « Inscripción árabe de Córdoba », *ibid.*, 40, 1902.

399. — « Inscripción sepulcral del Emir Almoravid Sir, hijo de Abubequer », *ibid.*, 41, 1902.

400. — « Fragmento de inscripción árabe », *ibid.*, 46, 1905.

401. — « Inscripción árabe de Agnara », *ibid.*, 60, 1912.

402. — « Inscripción árabe de Trujillo », *ibid.*, 64, 1914.

403. — « Inscripción sepulcral bilingüe de Toledo », *ibid.*, 66, 1915.

404. COLIN (G.), *Corpus des inscriptions arabes et turques de l'Algérie*, Paris, 1901.

405. CORDOBA (F.), « Inscripción árabe del Castillo de Mérida », dans *Bol. de la Real Acad. de la Hist.*, 41, 1902.

406. *Corpus inscriptionum semiticarum.* Pars 5a, Inscripciones Saracenicas continens, t. I, Paris, 1950.

407. DEVERDUN (G.), *Inscriptions arabes de Marrakech*, Rabat, 1956 (Publ. de l'Inst. des Hautes Études marocaines, 60).

408. DOUGHTY (C.), « Documents épigraphiques recueillis dans le nord de l'Arabie », dans *Not. et extr. des Man. de la Bibl. du Roi*, t. 29, 1re part.

409. DUNKEL (F.), « Drei arabische Inschriften aus Jerusalem », dans *Das Heilige Land*, 58, 1914.

410. FITA (F.), « El cementerio hebreo de Barcelona en 1111. Documentos ineditos », dans *Bol. de la Real. Acad. de la Hist.*, XVII, 1890, 190-5.

411. — « Lapidas hebreas y romanas », dans *Bol. de la Real Acad. de la Hist.*, 48, 1906.

412. — « Inscripciones griegas, latinas y hebreas », *ibid.*

413. FLURY (S.), « Das Schriftband an der Türe des Mahmūd von Ghazna (998-1030) », dans *Der Islam*, VIII, 1918.

414. — « The cufic inscriptions of Kisimkasi Mosque, Zanzibar, 500 A. H. (A.D. 1107) », dans *Journ. of the Royal Asiatic Society*, avril 1922.

415. — « Bandeaux ornementés à inscriptions arabes. Amida-Diarbekir, IXe, Xe, XIe siècles », dans *Syria*, I, 1920.

416. — « Un monument des premiers siècles de l'Hégire en Perse. II. Le décor de la Mosquée de Nâyin », *ibid.*, II, 1921.

417. — « Une formule épigraphique de la céramique archaïque de l'Islam », *ibid.*, V, 1924.

418. FREY (J. B.), « Corpus inscriptionum judaicarum, I, Europe », publ. dans *Sussidi allo studio delle antichita cristiane*, I, 1936.

419. GARIADOR (B.), « Une inscription coufique trouvée à Abou-Gosh (Syrie) », dans *Bull. arch. du Com. des trav. hist. et sc.*, 1904.

420. GARRUCCI (R.), « Archeologia. Cimitero ebraico di Venosa in Puglia », dans *La Civilta cattolica*, ser. XII, vol. 1, quad. 786.

421. GIRON (N.), *Notes épigraphiques* (*Damas, Alep, Orfa*), Beyrouth, 1911, 3 pl.

422. — « Notes épigraphiques, 10. Inscriptions arabes », dans *Journal asiatique*, 11e sér., t. 19, 1922.

423. — « Titulus funéraire juif d'Égypte », dans *Annales du Service des Antiquités*, 22, 1922.

424. GODARD (A.) et FLURY (S.), « Ghazni. Le décor épigraphique des monuments de Ghazna », dans *Syria*, VI, 1925.

425. GOLUBOWICH (G.), « Discovery of an important cufic inscription near the church of the Holy Sepulchre », dans *Quarterly Statement of the Palestine Exploration Fund*, 1897.

426. GUEST (A. R.), « Notice of some Arabic inscriptions on textiles at the South Kensington Museum », dans *Journ. of the Royal Asiatic Society*, 1906.

427. HERZFELD (E.), « Eine Bauenschrift von Nizām-al-mulk », dans *Der Islam*, 12, 1921.

428. — *Matériaux pour un Corpus inscriptionum arabicarum*. 2e partie, *Syrie du Nord. Inscriptions et monuments d'Alep*, 2 vol., Le Caire, 1954-1955. (MIFAO, 76 et 78).

429. HOUDAS et BASSET, « Épigraphie tunisienne », dans *Bulletin de correspondance africaine*, I, 1882.

430. HUART (C.), « Épigraphie arabe d'Asie Mineure », dans *La Revue sémitique*, 1894-95.

431. — « Inscription arabe de la mosquée seljoukide de Divriqui (Asie Mineure) », dans *Journal asiatique*, 9e sér., t. 17, 1901.

432. — « Inscriptions arabes de Palmyre », dans *Revue des études islamiques*, 1929, cahier 2.

433. JAUSSEN (J. A.), « Inscription arabe du Khān al-Ahmar à Béïsân (Palestine) », dans *Bull. de l'Inst. fr. d'Archéol. orientale*, 22, 1923.

434. — « Inscriptions arabes de la ville d'Hébron », *ibid.*, 25, 1925.

435. — « Inscriptions arabes de Naplouse », *ibid.*, 27, 1927.

436. — « Inscriptions arabes d'Ortas », dans *Revue biblique*, 33, 1924.

437. KAY (H.), « Arabic inscriptions in Egypt », dans *Journ. of the Royal Asiatic Society*, 1896.

438. — « A Seljukite Inscription at Damascus », *ibid.*, 1897.

439. KUGENER (M. A.), « Note sur l'inscription trilingue de Zébed », dans *Journal asiatique*, 1907.

440. LAGRANGE (M. J.), « L'inscription coufique de l'église du Saint-Sépulcre », dans *Revue biblique*, VI, 1897.

441. LAGUMINA (B.), « Di una iscrizione cufica sepolcrale », dans *Rendic. Acc. Lincei*, 11, 1903.

442. LANE POOLE (S.), « An unpublished inscription of Saladia », dans *Athènes*, 6 août 1898.

443. LE STRANGE (G.), « An inscription in the Aksâ Mosque », dans *Quarterly statement of the Palestine Explor. Fund.*, 1888.

444. LÉVI-PROVENCAL (E.), *Inscriptions arabes d'Espagne*, Leyde-Paris, 1931, 2 vol. (No 86 : arsenal de Tortosa].

445. LITTMANN (E.), « Arabische Inschriften aus Abessinien », dans *Zeitschrift für Semitistik*, III, 1925.

446. LOREY (E. de) et WIET (G.), « Cénotaphes de deux dames musulmanes à Damas », dans *Syria*, II, 1921, pl.

447. LÖYTVED (J. H.), *Konia. Inschriften der seldschukischen Bauten.*, Berlin, 1907, fig.

448. MALMUSI (B.), « Lapidi nella necropola musulmana di Dahlak », dans *Mem. R. Acc. di sc. in Modena,* sér. II, vol. XI, 1895, et sér. III, vol. II, 1900.

449. MARÇAIS, « Six inscriptions arabes du Musée de Tlemcem », dans *Bulletin archéologique,* 1902.

450. MARGOLIOUTH (D. S.), « Two South arabian inscriptions », dans *Mem. publ. by the British Academy,* 1926.

451. MAYER (L. A.), « Arabic inscriptions of Gaza », dans *Journ. of the Palestine Oriental Society,* 3, 1923, pl. et fig.

452. MORITZ (B.), *Arabic palaeography, a collection of Arabic texts from the first century of the Hidjra till the year 1000,* Le Caire, 1905.

453. NALLINO (C. A.), « Di alcune epigrafi sepolcrali arabe trovate nell'Italia meridionale », *Miscellanea di archeologia, di storia e di filologia dedicata al prof. A. Salinas,* Palerme, 1907.

454. NYKL (A. R.), « Arabic inscriptions in Portugal », dans *Ars islamica,* XI-XII, 1947.

455. OPPENHEIM (von), « Inschriften aus Syrien, Mesopotamien und Kleinasien. Arabische Inschriften bearbeitet von Max Van Berchem », dans *Beiträge zur Assyriologie,* VII.

456. RAVAISSE (P.), « Note sur quelques stèles et inscriptions arabes trouvées en Abyssinie », dans *France illustrée,* 1923.

457. COMBE (E.), SAUVAGET (J.) et WIET (G.), *Répertoire chronologique d'épigraphie arabe* publ. par l'Institut français d'Archéologie orientale, Le Caire, 1931 et suiv., *passim.*

458. REVILLA VIELVA (R.), « La colección de epigrafes y epitafios árabes del Museo Arqueológico Nacional », dans *Revista de Archivos, Bibliotecas y Museos,* 28, 1924.

459. RONZEVALLE (S.), « Études d'épigraphie arabe », dans *Al-Machriq,* 1900.

460. ROY (B.) et POINSSOT (P. et L.), *Inscriptions arabes de Kairouan,* Paris, 1950 (Publ. de l'Inst. des Hautes Études de Tunis, vol. 2, fasc. 1).

461. SALMON (G.), « Notes d'épigraphie arabe. Les stèles funéraires d'Assouân », dans *Bull. de l'Inst. fr. d'Archéol. orientale,* II, 1902.

462. SARRE (F.), *Sammlung F. Sarre. Erzeugnisse islamischer Kunst, mit epigraphischen Beiträgen* von Eugen Mittwoch. I. *Metall,* Berlin, 1906. II. *Seldschukische Kleinkunst,* Leipzig, 1909.

463. SAUVAGET (J.), « Une inscription de Badr al-Jamali », dans *Syria*, 10, 1929.

464. — « Inscriptions arabes du temple de Bel à Palmyre », *ibid.*, 12, 1931.

465. — *Quatre décrets seldjoukides*, Beyrouth, 1947.

466. SCHWAB (M.), « Inscriptions hébraïques en France du VIIe au XVe siècle », dans *Bull. arch. du com. des trav. hist. et sc.*, 1897.

467. — *Rapport sur les inscriptions hébraïques de l'Espagne*, Paris, 1907. (Extr. des Nouv. Archives des Missions scientifiques, t. 14.)

468. SOBERNHEIM (M.), *Matériaux pour un corpus inscriptionum arabicarum*, 2e partie, Syrie du Nord, Le Caire, 1909 (MIFAO, 25). [N°s 7 et 8 : bornes milliaires du calife ʿAbd al-Malik.]

469. — *Die Inschriften der Moschee von Ḥimṣ* (*Janus*, Arbeiten zur alten und byz. Geschichte hgg. v. R. Sala, I, 1921, pl.).

470. — « Die Inschriften der Zitadelle von Damaskus », dans *Der Islam*, 12, 1922.

471. — « Die arabischen Inschriften von Aleppo », *ibid.*, 15, 1926.

472. VAN BERCHEM (M.), *Corpus inscriptionum arabicarum. Égypte*, t. I, Le Caire, 1894-1903 (MIFAO, t. 19).

Syrie du Sud : Jérusalem, 3 vol., Le Caire, 1920-1922 (MIFAO, t. 43 à 45).

[N° 1 : inscription du nilomètre (miqyās) de l'île de Rawḍa, à Fusṭāṭ.

N° 10 : inscription de fondation de la mosquée d'Ibn Ṭūlūn à Fusṭāṭ.

N° 18 : titre de propriété d'une boutique à Fusṭāṭ.

N° 35 : droit d'octroi sur les caravanes à la porte Bāb an-Naṣr, au Caire].

473. — « Eine arabische Inschrift aus dem Ostjordanlande mit historischen Erlaüterungen », dans *Zeitschrift des deutschen Palaestinavereins*, 1893, t. 16, fasc. 1 et 2.

474. — « Arabische Inschriften aus Syrien »,

I — *ibid.*, 1896, t. 19.

II — *Mitteilungen und Nachrichten des deutsch. Pal. Vereins*, vol. 9, 1903.

475. — « Épigraphie des Assassins de Syrie », dans *Journal asiatique*, 9e sér., t. 9, 1897.

476. — « Arabische Inschrift aus Jerusalem », dans *Mitt. u. Nachr. des deutsch. Pal. Vereins*, vol. 5, 1897.

477. — « An Arabic inscription near the church of the Holy Sepulchre », dans *Quarterly Statement of the Pal. Expl. Fund*, 1898.

478. — « Épitaphe arabe de Jérusalem (1208) », dans *Revue biblique*, t. 9, 1900.

479. — « Épigraphie palestinienne. Inscription arabe de Banias », dans *Revue biblique*, t. 12, 1903.

480. — « Notes d'archéologie arabe », dans *Journal asiatique*, 1891, 1892, 1904.

481. — « Inscriptions mobilières arabes en Russie », dans *Journal asiatique*, 1909.

482. — *Die muslimischen Inschriften von Pergamon*, Berlin, 1911. (Abhandl. der K. Akad. der Wissenschaften, Phil. hist. Klasse, 7.)

483. — *Amida. Matériaux pour l'épigraphie et l'histoire musulmane du Diyar-Bekr.*, Heidelberg, 1910.

484. — « Arabische Inschriften aus Jerusalem », dans *Palästinajahrhbuch*, 1921.

485. WEILL (J. D.), « Textes épigraphiques (arabes) inédits du Caire », dans *Bull. de l'Inst. fr. d'Archéol. or.*, 28, 1929.

486. WEISSBACH (F. H.), *Die Denkmäler und Inschriften an der Mündung des Nahr el -Kelb*, Berlin, 1922, pl. (Wiss. Veröff. der deutschtürk. Denkmal. Schutzkommandos 6).

487. WIET (G.), « Les inscriptions arabes d'Égypte », dans *Acad. des Inscript. et Belles Lettres*, C. R., 1913.

488. — « Les inscriptions arabes de Damas », dans *Syria*, III, 1922.

489. — « Notes d'épigraphie syro-musulmane », *ibid.*, V, 1924.

490. — « Matériaux pour un corpus inscriptionum Arabicarum. Égypte », t. II, dans *Mém. de l'Inst. fr. d'Arch. or.*, t. 52, Le Caire, 1930. [Nº 11 : waqf de la mosquée al-Azhar au Caire.]

491. — *L'épigraphie arabe de l'Exposition d'art persan du Caire* (extr.), Le Caire, 1934. (Mém. présentés à l'Inst. d'Égypte, XXVI.)

492. WRIGHT (W.), « Cufic tombstones in the British Museum », dans *Proceedings of the Society of Biblical Archaeology*, juin 1887.

493. ZBISS (S. M.), *Corpus des inscriptions arabes de Tunisie. Inscr. de Tunis et de sa banlieue*, 1ere partie, Tunis, 1955.

II — SOURCES BYZANTINES

A. SOURCES NARRATIVES

1. *GÉOGRAPHES ET VOYAGEURS*

494. COSMAS INDICOPLEUSTES (VIe siècle), Χριστιανικὴ Τοπογραφία. Éd, é. O. Winstedt, *The Christian topography of Cosmas Indicopleustes*, Cambridge, 1910. Éd. crit. et trad. W. Wolska-Conus, *Topographie chrétienne*, tome I (liv. I-IV), Paris, 1968.
495. ÉTIENNE DE BYZANCE (VIe siècle), Ἔθνικα, éd. A. Meinecke, *Stephani Byzantini Ethnicorum quae supersunt*, Berlin, 1849.
496. GEORGES DE CHYPRE (début VIIe siècle), éd. H. Gelzer, *Georgii Cyprii descriptio orbis Romani*, Leipzig, 1890 (Bibl. Teubneriana). Éd. E. Honigman, *Le synekdémos d'Hieroklès et l'opuscule géographique de Georges de Chypre*, Bruxelles, 1939 (Forma Imperii Byzantini).
497. ANONYME DE RAVENNE (VIIe siècle), Κοσμογραφιά, éd. Pinder et Parthey, Cosmographia, Berlin, 1860.
498. JEAN PHOCAS (pèlerinage en 1185), Ἔκφρασις, trad. A. Stewart, *The Pilgrimage of Johannes Phocas in the Holy Land...*, Londres, 1896 (Palestine Pilgrim's Text Society, vol. V).

2. *CHRONIQUEURS ET HISTORIENS*

499. NICEPHORE PATRIARCHA (début IXe siècle), *Opuscula historica*, éd. C. de Boor, Leipzig, 1880 (Bibl. Teubner).
500. THÉOPHANE LE CONFESSEUR (écrit entre 811 et 815), *Chronographia*, éd. C. de Boor, Leipzig, 1883-1885, 2 vol. (Bibl. Teubner).
501. GEORGES LE MOINE (écrit entre 842-867), *Chronicon*, éd. C. de Boor, Leipzig, 1904, 2 vol. (Bibl. Teubner).
502. JEAN CAMENIATES (Xe siècle), *Narratio de excidio Thessalonicensi*, éd. et trad. lat. Migne, *P.G.*, t. 109, pp. 526-638.

503. THÉODOSE LE DIACRE (963), *De expugnatione Cretae acroases quinque*, éd. et trad. lat. Migne, *P.G.*, t. 113, pp. 994-1059.

504. *CONTINUATION DE* GEORGES LE MOINE (2e moitié du xe siècle), éd. Migne, *P.G.*, t. CIX et CX.

505. LÉON LE DIACRE (2e moitié du xe siècle), *Histoires*, éd. Migne, *P.G.*, t. CXVII. Éd. Hase (*Corpus Script. Hist. Byz.*, Bonn).

506. SYMEON MAGISTER (2e moitié du xe siècle), *Chronicon*, éd. Migne, *P.G.*, t. CIX.

507. *CONTINUATION DE* THÉOPHANE (fin du xe siècle), éd. J. Bekker, dans *Corpus Script. Hist. Byz.*, Bonn, 1838. Éd. Migne, *P.G.*, CIX.

508. LÉON GRAMMATICOS (écrit en 1013), *Chronographia*, éd. J. Bekker, dans *Corpus Script. Hist. Byz.*, Bonn, 1842.

509. MICHEL PSELLOS (mort en 1079), éd. et trad. E. Renauld, *Chronographie ou histoire d'un siècle de Byzance (976-1077)*, Paris, 1926 (Coll. G. Budé).

510. PSEUDO-NESTOR (vers 1056-vers 1114), « Première chronique ou Livre des Annales (en vieux russe) », dans *Polnae Sobranie Russkikh Letopsei*, I et II, Petrograd, 1923. Trad. angl. S. H. Cross, Cambridge (Mass.), 1930.

511. JEAN ZONARAS (mort vers 1130), *Annales ab Adam... usque... ad initium Alexii Comneni*, éd. Migne, *P.G.*, t. 134 et 135.

512. GEORGES CEDRÊNOS (fin xie siècle-début xiie siècle), *Synopsis historiarum*, éd. J. Bekker dans *Corpus Script. Hist. Byz.*, Bonn, 1838-1839.

3. *SOURCES JURIDIQUES*

513. LÉON III et CONSTANTIN V (viiie siècle), Ἐκλογή, éd. Z. von Lingenthal, dans *Collectio librorum juris graeco-romani ineditorum*, IV, Leipzig, 1856-1869. Trad. E. H. Freshfield, *A manual of Roman law. The Ecloga publ. by the Emperors Leo III and Constantin V of Isauria at Constantinople. A.D. 726*, Cambridge, Univ. Press, 1926.

514. BASILE Ier (867-886), Τα Βασιλικά, Lib. LIV, tit. 16, éd. Heimbach, Leipzig, 1833-70.

515. Νόμος ναυτικός (ixe siècle), éd. J. M. Pardessus dans *Coll. de lois maritimes*, I, Paris, 1828. Éd. angl. W. Ashburner, *The Rhodian Sea-Law*, Oxford, 1909.

516. Νόμος Γεωργικός (IXe siècle), éd. W. Ashburner, dans *Journal of the Hellenic Studies*, XXX (1910), et XXXII (1912).

517. LÉON VI (886-912), *Novelles*, éd. Zacharias von Lingenthal, *Coll. libr. juris graeco-romani ined.*, III, 1857. Trad. C. A. Spulber, *Les Novelles de Léon le Sage*, Cernauti, 1934 (Ét. de droit byzantin, III).

518. CONSTANTIN VII PORPHYROGÉNÈTE (empereur de 912 à 959), *De ceremoniis aulae byzantinae. De Thematibus libri duo. De administrando imperio*, éd. J. Reiske et J. Bekker, dans *Corp. Script. Hist. Byz.*, Bonn, 1829-40. 3 vol. Éd. et trad. A. Vogt, *Le livre des Cérémonies*, 4 vol., Paris, 1967. (Coll. G. Budé). *De administrando imperio*, éd. Gy. Moravcsik, trad. angl. R. J. H. Jenkins, Budapest, 1949.

519. — Ἔπαρχικόν Βιβλίον (Xe siècle), éd. J. Nicole, *Le livre du Préfet*, Genève, 1893 (Mem. Inst. nat. genevois, XVIII. Texte grec et trad. lat.). Trad. française, Genève, 1894.

4. *TRAITÉS TECHNIQUES*

520. CASSIANUS BASSUS (début Xe siècle), *Geoponica*, éd. Needham, 1704.

521. ANONYME HÉRACLIUS (écrit vers 994), éd. A. Ilg, dans *Quellenschriften für Kunstgeschichte*, IV, Vienne, 1873.

5. *SOURCES LITTÉRAIRES ET HAGIOGRAPHIQUES. CORRESPONDANCES*

522. *Vita S. Joannis Episcopi Gothiae* (vers 800), éd. AA. SS. Boll. Jun. VII, pp. 167-171.

523. NICÉTAS DE BYZANCE (IXe siècle), *Laudatio S. Bartholomei*, éd. Migne, *P.G.*, CV.

524. — *Tractatus contra Saracenos*, éd. Migne, *P.G.*, CXL.

525. THÉODOSE LE MOINE (fin IXe siècle), *Lettre*, éd. C. Zuretti, et trad. lat. dans *Centenario della nascita di Michele Amari*, t. I, Palerme, 1910, pp. 167-173.

526. NICOLAS LE MYSTIQUE (Xe siècle), *Epistolae*, éd. Migne, *P.G.*, CXI. Éd. V. N. Zlatarski, « Les lettres de Nicolas Mysticos, patriarche de Constantinople à Syméon, tzar de Bulgarie », dans *Sbornik za Minist. Narodn. Prosv.*, X, 1894 ; XI, 1894 ; XII, 1895 (en bulgare).

527. *Vita S. Nili abb. cryptae Ferratae* (mort en 1005), éd. AA. SS. Boll., Septembris VIII, pp. 262-319.

B. SOURCES D'ARCHIVES

528. DÖLGER (F.), *Regesten der Kaiser Urkunden des Ostromischen Reiches*, éd. F. Dölger :
I. 565-1025 ;
II. 1025-1204,
Munich, Oldenbourg, 1924 (Corpus der griechischen Urkunden des Mittelalters und der neueren Zeit, A, 1).

529. MIKLOSICH (F.) et MÜLLER (J.), *Acta et diplomata graeca medii aevi*, éd. F. Miklosich et J. Müller, Vienne, 1860-1890, 6 vol.

530. ROUILLARD (C.) et COLLOMP (P.), *Archives de l'Athos*, publ. sous la dir. de G. Millet. I. *Actes de Lavra*, éd. C. Rouillard et P. Collomp, t. I (897-1178), Paris, 1937.

531. SPATA (G.), *Le pergamene greche esistenti nel grande archivio di Palermo*, Palerme, 1861.

532. TRINCHERA (F.), *Syllabus graecarum membranarum...*, Naples, 1865.

III — SOURCES OCCIDENTALES

A. SOURCES NARRATIVES

1. *VOYAGEURS*

533. *Itinerarium Antonini Placentini* (VIIe siècle), éd. AA. SS. Boll., maii II, pp. X-XV.

534. ARCULF, (Pèlerinage vers 670, relaté par saint Adamnan, évêque de Hy). Éd. Tobler et Molinier, « Arculfi Relatio de locis sanctis ab Adamnano scripta », dans *Itinera hierosoly-*

mitana, I, Genève, 1879. Trad. J. R. Macpherson, Palestine Pilgrims'Text Society, III, Londres, 1895.

535. SAINT WILLIBALD (écrit vers 754), « Hodoeporicon », éd. J. G. Fick, dans *Itinera hierosolym.*, I, Genève, 1879. Trad. C. Brownlow, Pal. Pilgr. Text Soc., III.

536. BERNARD LE MOINE (Pèlerinage en 870), éd. Tobler et Molinier dans *Itin. hieros.*, I. Trad. J. H. Bernard, Pal. Pilgr. Text Soc., III.

537. LIUTPRAND (c. 920-972), *Relatio de legatione constantinopolitana*, éd. *M.G.H.*, *Scriptores*, III, pp. 347-363.

538. *Vita Ricardi*, abbé de S. Vanne (pèlerinage en 1026-27), éd. Mabillon, AA. O.S.B., Saec. XI, pars I, pp. 528 et suiv., pp.. 549 et suiv

539. *Gesta Lietberti* (Voyage en 1055), éd. *M.G.H.*, *Scriptores*, VII, pp. 489-497 et 535.

540. SAEWULF (Pèlerinage vers 1102-1103), éd. A. Rogers, *Relatio de peregrinatione Saewulfi ad Hierosolymam et Terram Sanctam...*, Pal. Pilgr. Text Soc., IV, Londres, 1896.

541. BERARDO D'ASCOLI (Pèlerinage en 1112-1120), éd. W. A. Neumann, « La Descriptio Terrae Sanctae de Berardo d'Ascoli », dans *Archives de l'Orient latin*, I, 1881.

542. IGOUMÈNE DANIEL (Pèlerinage en 1113-1115), texte russe et trad. A. de Noroff, Saint-Pétersbourg, 1864.

543. FETELLUS (Pèlerinage vers 1130), éd. de Vogüé, *Les églises de la Terre Sainte* (appendice), Paris, 1860, pp. 412-433. Trad. J. R. Macpherson, Pal. Pilgr. Text Soc., V, Londres 1896.

544. JEAN DE WÜRZBURG (Pèlerinage en 1160-1170), trad. Aubrey Stewart, *ibidem*.

545. THEODERICH (Pèlerinage en 1171-1173), trad. A. Stewart, *ibidem*.

546. PIERRE DIACRE (écr. en 1137), « Liber de locis sanctis », éd. P. Geyer, *Itinera hierosolymitana*, Vienne, 1898, pp. 105-121.

547. *Liber Sancti Jacobi, Codex Calixtinus* (XIIe siècle), trad. A. Moralejo, C. Torres et J. Feo, Santiago de Compostela, 1951.

548. MARCO POLO (Voyage en 1271-95), éd. et trad. angl. H. Yule, *The Book of Ser Marco Polo*, rev. par H. Cordier, Londres, 1871-1903, 2 vol. Éd. A. C. Moule et P. Pelliot, *Description of the World*, Londres, 1938, 2 vol. Nouv. éd. L. Hambis, *La description du monde*, Paris, 1955.

549. JACQUES DE VÉRONE (Pèlerinage en 1336 ?), éd. U. Monneret de Villard, *Liber peregrinationis di Jacopo da Verona*, Rome, 1950 (Istituto italiano per il Medio ed Estremo Oriente, I).

550. NICOLAS DE MARTONI (Pèlerinage en 1394-95), éd. L. Legrand, « Relation du pèlerinage à Jérusalem de Nicolas de Martoni, notaire italien », dans *Revue de l'Orient latin*, III, 1895.

551. FÉLIX FABER (P. Félix Schmid) (Pèlerinage en 1480 et 1483), *Evagatorium in Terrae Sanctae, Arabiae et Egypti peregrinationem*, éd. C. D. Hassler, Stuttgart, 1843-49, 3 vol.

2. *CHRONIQUEURS ET ANNALISTES*

552. *Annales Cavenses* (Aa 569-1315), éd. Pertz, *M.G.H.*, *Scriptores*, III, pp. 186-197.

553. *Chronicon Cavense* (Aa 569-1318), éd. Muratori, *Rerum Italicarum Scriptores*, VII, pp. 917-932.

554. *Chronicon Sublacense* (Aa 595-1390), éd. Muratori, *Rer. Ital. Script.*, XXIV, pp. 929-966.

555. *Anonymi Barensis chronicon* (Aa 605-1043), éd. Muratori, *Rer. Ital. Script.*, V, pp. 147-156.

556. *Annales Barenses* (Aa 605-1043), éd. Pertz, *M.G.H.*, *Scriptores*, V, pp. 52-56.

557. *Annales Corbeienses* (a. 658-1148), éd. Pertz, *M.G.H.*, *Scriptores*, III, pp. 1-18.

558. *Chronica Alphonsi III* (Aa 672-866), éd. Z. Garcia Villada, Madrid, 1918.

559. *Chronicon Vulturnense* (Aa. 703-1071), éd. Muratori, *Rer. Ital. Script.*, I, 2, pp. 319-523.

560. *Annales Altahenses majores* (Aa. 708-1073), éd. Giesebrecht, *M.G.H.*, *Scriptores*, XX, pp. 772-824.

561. *Chronique léonaise* (VIIIe-XIe s.), éd. G. Girot, « La chronique léonaise », dans *Bulletin hispanique*, XIII, 1911, pp. 133-156 et 381-439.

562. *Chronica monasterii Casinensis* (Aa 718-1138), éd. Wattenbach, *M.G.H.*, Scriptores, VII, pp. 551-844.

563. *Annales regni Francorum orientalis* (Aa 741-829) (*Annales Fuldenses*), éd. F. Kurze, Hanovre, 1891, (S.R.G.).

564. *Annales Bertiniani* (Aa 741-882), éd. Pertz, *M.G.H.*, *Scriptores*, I, 423-515.

565. *Continuatio Hispana* A. 754. (Chronique mozarabe), éd. Mommsen, *M.G.H.*, *Chronica minora*, Berlin, 1894, II, pp. 323-369 (Auct. antiquissimi, XI).

566. *Chronicon Moissiacense* (VIIIe-IXe siècles), éd. Pertz, *M.G.H.*, *Scriptores*, I, pp. 280-313 ; II, pp. 257-259.

567. EGINHARD (écr. entre 817 et 830), *Vita Caroli Magni*, éd. et trad. L. Halphen, Paris, 1923.

568. THEGAN (écr. en 835), *Vita Hludowici imperatoris*, éd. Pertz, *M.G.H.*, *Scriptores*, II, pp. 585-603.

569. ADON, évêque de Vienne (799-875), *Chronicon*, éd. Migne, *P.L.*, 123, pp. 23-138.

570. *Annales Laurissenses majores* (*sive Einhardi*) (IXe siècle), éd. Pertz, *M.H.G.*, *Scriptores*, I, pp. 134-218.

571. LUPO PROTOSPATA, *Rerum in regno neapolitano gestarum breve chronicon* (Aa 860-1102), éd. Muratori, *Rer. Ital. Script.*, pp. 37-49.

572. *Chronicon Albeldense* (écr. vers 883. Continuation jusqu'à 976), éd. Florez, *España sagrada*, XIII.

573. ERCHEMPERT (écr. après 883), *Historia Langobardorum Beneventanorum* (*Aa. 744-889*), éd. Waitz, *M.G.H.*, *Scriptores rerum Langobardicarum*, pp. 231-264.

574. MOINE DE SAINT-GALL (écr. entre 883 et 887), *De gestis Caroli Magni libri duo*. Éd. Meyer von Knonau, *Monachus Sangallensis (Notkerus Balbulus) de Carolo Magno*, 1918 (St Gallische Geschichtsquellen, VI), et *M.G.H.*, *Scriptores*, II, pp. 726-763.

575. POÈTE SAXON (écr. entre 888 et 891), *Vita Caroli Magni*, éd. Winterfeld, *Poetae saxonis annalium de gestis Karoli Magni imperatoris libri quinque*, *M.G.H.*, *Poetae latini aevi carolini*, IV, pp. 7-71.

576. LIUTPRAND (vers 970-972), *Antapodosis*, éd. *M.G.H.*, *Scriptores*, III, pp. 273-339.

577. *Anonymi Salernitani chronicon* (écr. vers 978), éd. *M.G.H.*, *Scriptores*, III, pp. 467 à 559.

578. WIDUKIND (Xe siècle), *Res gestae Saxonicae*, éd. Waitz, *M.G.H.*, *Scriptores*, III, pp. 408-467.

579. THIETMAR DE MERSEBOURG (976-1019), *Chronicon lib. VIII*, éd. Lappenberg, *M.G.H.*, *Scriptores*, III, pp. 723-871.

580. PELAYO D'OVIEDO, *Chronicon Regum Legionensium* (Aa. 986-1109), éd. Florez, *España sagrada*, XIV, p. 458.

581. RICHER (écr. de 991 à 995), *Historiarum libri IV*, éd. Pertz, *M.G.H.*, *Scriptores*, III, pp. 561-694.

582. *Gesta comitum Barcinonensium* (IXe-XIIIe s.), *Teztes llati i catala editats i anotats* per L. Barrau-Dihigo i J. Massó i Torrents, II, 1925.

583. MARTIN DA CANAL, *La cronique des Veniciens* (*IXe-XIIIe s.*), éd. F. L. Polidori..., dans *Archivio stor. italiano*, sér. 1, t. VIII, 1845, pp. 229-766.

584. *Anonymi monachi Cassinensis rerum in regno neapolitano gestarum breve chronicon* (*1000-1212*), éd. Muratori, *Rer. Ital. Script.*, pp. 55-78.

585. ADÉMAR DE CHABANNES (écr. entre 1029 et 1034), *Chronicon*, éd. Waitz, *M.G.H.*, *Scriptores*, IV, pp. 113-148.

586. RAOUL GLABER (écr. entre 1031 et 1047), *Historiarum libri quinque*, éd. M. Prou, Paris, 1886.

587. LAMBERT DE HERSFELD (écr. en 1074), *Annales*, éd. *M.G.H.*, *Scriptores*, V, pp. 152-263.

588. ADAM DE BRÊME (mort vers 1076), *Gesta Hammenburgensis ecclesiae pontificum*, éd. Lappenberg, *M.G.H.*, *Scriptores*, VII, pp. 80-367.

589. AIMÉ (mort en 1093), *Ystoire de li Normant...*, éd. O. Delarc, Rouen, 1892 (Publ. de la Soc. de l'hist. de Normandie, 27). Nouv. éd. V. de Bartholomaeis, Rome, 1935 (Fonti per la storia d'Italia, 76).

590. COSMAS DE PRAGUE (1045-1125), *Chronicon Boemorum*, éd. Köpke, *M.G.H.*, *Scriptores*, IX, pp. 1-10, 22-31.

591. HUGUES DE FLAVIGNY (1065-v. 1115), *Chronicon*, éd. Pertz, *M.G.H.*, *Scriptores*, VIII, pp. 280-503.

592. JEAN LE DIACRE (XIe siècle), éd. E. Monticolo, *Croniche veneziane antichissime* (*sec. X^{e}-XIe s.*), Rome, 1890.

593. GUILLAUME DE POUILLE (écr. entre 1088-1099 et 1111), *Gesta Roberti Wiscardi*, éd. R. Wilmans, *M.G.H.*, *Scriptores*, IX, pp. 241-298.

594. *Chronicon monasterii Conchensis, sive nomina abbatum conchensium qui fuerunt post destructionem sarracenorum* (XIe siècle), éd. Martène, *Thes. nov. anecdot.* (1717), III, pp. 1386-1389.

595. *Chronicae Polonorum lib. III* (XIe-déb. XIIe s.), éd. I. Szlachtowski et R. Koepke, *M.G.H.*, *Scriptores*, IX, pp. 418-478.

596. *Gesta consulum Andegavensium* (XIIe siècle), éd. P. Marchegay et A. Salmon, *Chroniques des comtes d'Anjou*, Paris, 1856-1871 (Soc. hist. de France).
597. CAFFARO, *Annali genovesi...* (Aa 1099-1286). Nuova ed. L. T. Belgrano et C. Imperiale, Rome, 1890-1901, 2 vol. (Fonti per la storia d'Italia, Scrittori, sec. XI-XIV bis).
598. SIGEBERT DE GEMBLOUX (écr. entre 1100 et 1105), *Chronicon*, éd. Bethmann, *M.G.H.*, *Scriptores*, VI, pp. 300-374.
599. ORDÉRIC VITAL (1075-apr.1143), *Historiae ecclesiasticae libri XIII*, éd. A. Le Prevost, Paris, 1838-1855, 5 vol.
600. *Chronicon monachi Silensis* (écr. vers 1110-1120), éd. Florez, *España sagrada*, XVII, pp. 270-330.
601. *Chronicon s. Petri vivi Senonensis* (écr. en 1108 ou 1109), éd. Waitz, *M.G.H.*, *Scriptores*, XXVI, pp. 30-36.
602. LÉON DE MARSICO (LEO OSTIENSIS) (mort avant 1118), *Chronica Monasterii Casinensis*, éd. Wattenbach, *M.G.H.*, *Scriptores*, VII, pp. 551-727.
603. GUILLAUME DE TYR (mort en 1190), *Historia rerum in partibus transmarinis gestarum a tempore successorum Mohameth usque ad annum Domini 1184...*, Paris, 1844, 1 t. en 2 vol. (Rec. des hist. des croisades, Hist. occ., I).
604. AMBROISE (écrit entre 1192 et 1196), *L'Estoire de la guerre sainte*, éd. G. Paris, Paris, 1897 (Doc. inéd.).
605. GREGORIO DI CATINO (XIIe s.), *Chronicon Farfense*, éd. V. Balzani, Rome, 1903, 2 vol. (Fonti per la stor. d'Italia, Scrittori, sec. IX-XII).
606. *Gesta Treverorum* (XIIe siècle), éd. Waitz, *M.G.H.*, *Scriptores*, VIII, pp. 130-204.
607. FALCANDO (U.) (XIIe siècle), éd. G. B. Siragusa, *La Historia o Liber de Regno Sicilie... di Ugo Falcando*, Rome, 1897. (Fonti per la storie d'Italia, Scrittori, sec. XII).
608. *Historia s. Arnulfi mettensis* (écr. vers le milieu du XIIIe siècle), éd. Waitz, *M.G.H.*, *Scriptores*, XXIV, pp. 527-545.
609. CODAGNELLO (G.) (XIIIe siècle), *Annales Placentini*, éd. O. Holder-Egger, Hanovre, 1901 (S.R.G.).
610. *Primera crónica general de España* (XIIIe s.), éd. R. Menéndez Pidal, Madrid, 1906 (Nueva biblioteca de autores españoles, V).
611. ANDREA DANDOLO (vers 1307-1354), *Chronica*, éd. E. Pastorello, 1941-42.
612. *Portugaliae monumenta historica. Scriptores* (VIIIe-XVe sec.), Lisbonne, 1856.

3. SOURCES LÉGISLATIVES ET ADMINISTRATIVES

613. *Capitularia regum Francorum*, éd. Boretius, *M.G.H.*, *Capitularia*, I, 1883.

614. *Formulae imperiales e curia Ludovici pii*, éd. Zeumer, *M.G.H.*, *Formulae*, pp. 285-328.

615. *Diplomata regum et imperatorum Germaniae*, *M.G.H.*, t. I, *passim* et t. II, nº 29.

616. *Leges Portorii c.a. 906*, éd. *M.G.H.*, *Leges*, III, pp. 480-481.

617. *Instituta regalia et ministeria camere regum Lomgobardorum* [*seu*] *Honorantie civitatis papie* (avant 1024), éd. A. Solmi dans *Bollettino della Società Pavese di Storia Patria*, XXXI, 1931, pp. 20-27.

618. *Usatges de Barcelona* (1060), éd. D. Abadal i Vinyal i Ferran Valls Taberner, *Textes de dret català*. I. *Usatges de Barcelona*, Barcelone, 1913.

619. *Tonlieu de Coblence* (XIe siècle), dans *Hansisches Urkundenbuch*, III, p. 388.

4. TRAITÉS TECHNIQUES

620. ISIDORE DE SÉVILLE (v.560-636), *Etymologiarum sive originum Libri XX*, éd. W. M. Lindsay, Oxford, 1911, 2 vol. (Script-class. Bibliotheca Oxoniensis).

621. *Compositiones ad tingenda musiva, pelles et alia, ad deaurandum ferrum, ad mineralia, ad chrysographiam, ad glutina quaedam conficienda, aliaque artium documenta ante annos nongentos scripta* (IXe siècle). Éd. Muratori, *Antiquitates Italicae*, Milan, 1739, t. II, p. 365.

622. LÉONARD DE PISE (v. 1175-apr. 1240), éd. B. Buoncompagni, *Scritti*. I. *Liber abbaci* (écr. vers 1202), Rome, 1857.

623. MARBODE (v. 1035-1123), *Liber lapidum seu de gemmis*, éd. J. Beckmann, Göttingen, 1799.

624. THÉOPHILE LE MOINE (fin XIe siècle), *Diversarum artium schedula libri III*, éd. et trad. Ch. de l'Escalopier et J. M. Guichard, *Essai sur divers arts...*, Paris, 1843.

5. *SOURCES LITTÉRAIRES ET HAGIOGRAPHIQUES. CORRESPONDANCES*

625. *Epistolae Merowingici et Karolini aevi*, éd. E. Dümmler, *M.G.H.*, *Epistolae*, III.
626. *Vita s. Ansberti* (écr. avant 702), éd. AA. SS. Boll., Febr. II, pp. 348-357.
627. *Translatio s. Mercurii Beneventum* (A. 768), éd. G. Waitz, *M.G.H.*, *Scr. rer. langob*, pp. 576-578.
628. RIANT (Cte), *Inventaire critique des lettres historiques des croisades*, I-II (*768-1100*), Paris, 1880 (Extr. *Arch. de l'Or. lat.*, I, 1881, pp. 1-224).
629. *Vita s. Willibaldi episcopi Eichtetensis* (écr. vers 778), éd. *M.G.H.*, *Scriptores*, XV, 1, pp. 86 à 106.
630. *Liber pontificalis* (VIIIe-IXe siècle), éd. L. Duchesne, 1886-1892, 2 vol.
631. *Codex Carolinus* (VIIIe siècle), éd. Gundlach, *M.G.H.*, *Epistolae*, III, 1892, pp. 469-657.
632. LÉON III, *Lettre à l'archevêque de Vienne* (*800-15 juillet 814*), éd. *M.G.H.*, *Epistolae*, III, p. 97.
633. THÉODULPHE (mort en 821), *Carmina*, éd. Dümmler, *M.G.H.*, *Poetae lat. aevi carol.*, I, pp. 445-581.
634. AGOBARD (779-840), éd. E. Dümmler, *M.G.H.*, *Epistolae*, V, pp. 150-239.
635. *Translatio s. Genesii, Reliquias de Hierosolymis a negotiatoribus adportatas* (écr. entre 822 et 838), éd. *M.G.H.*, *Scriptores*, XV, 1, pp. 169-172.
636. *Miracula s. Bertini Sithiensia* (écr. entre 891 et 900), éd. Holder-Egger, *M.G.H.*, *Scriptores*, XV, pp. 511-522.
637. *Translatio s. Marci evang.* (IXe siècle), éd. AA. SS. Boll., Apr. III, pp. 356-360.
638. *Translatio s. Santini* (IXe siècle), éd. AA. SS. Boll. Oct., V, pp. 600-603. Calmet, *Hist. de Lorraine*, I, p. 28.
639. JEAN DE SAINT-ARNOUL (écr. en 978-984), *Vita Johannis Gorziensis*, éd. *M.G.H.*, *Scriptores*, IV, pp. 335-377
640. *Historia s. Arnulphi Mettensis* (jusque vers 980), éd. *M.G.H.*, *Scriptores*, XXIV, pp. 527 et 545.
641. *Lettre de l'Église de Jérusalem à l'Église romaine*, dans J. HAVET, *Lettres de Gerbert* (*983-987*), Paris, 1889.

642. *Vitae Stephani,* (roi de Hongrie, 979-1038), éd. *M.G.H., Scriptores,* XI, pp. 226 et 242.

643. ANDRÉ DE FLEURI (écr. vers 1040), « Vita Gauslini » (1005-1030), éd. L. Delisle, *Mém. Soc. arch. Orléanais,* II, 1853, pp. 257-322.

644. *Vita Adalberti* auctore Iohanne Canapario (fin xe s.), éd. *M.G.H. Scriptores,* IV, pp. 586-595.

645. *Vita Adalberti* auctore Brunone (déb. xie s.), *ibid.,* pp. 596-612.

646. VICTOR III, *Lettre à l'impératrice Théodora* (1086), éd. Migne, *P.L.,* 149, 961-2.

647. *Carmen in victoriam Pisanorum, Genuensium et aliorum Italorum de Fimino* (prince pirate de Mahdia) (1088), éd. E. Duméril, *Poésies populaires latines du Moyen Age,* Paris, 1847, pp. 289 et suiv.

648. *Vita s. Philareti* auctore Nilo monacho (xie s.), AA. SS. Boll., April I, pp. 606-618.

649. *Vita s. Mariani abb. Ratispon.* (fin xie s.), éd. AA. SS. Boll., Febr. II, pp. 365-372.

650. DONIZO (écr. vers 1114), *Vita Mathildis,* éd. L. Bethmann, *M.G.H., Scriptores,* XII, pp. 348 à 409.

651. *Liber miraculorum sancte Fidis* (début xiie siècle), éd. A. Bouillet, Paris, 1897.

652. *Vita Meinwerci* (écr. entre 1155 et 1160), éd. *M.G.H., Scriptores,* XI, pp. 106-161.

653. *Liber maiolichinus de gestis Pisanorum illustribus, poema della guerra balearica...* (xiie siècle), éd. C. Calisse, Rome, 1904 (Fonti per la stor. d'Ital., Scrittori, sec. XII).

654. *Vita s. Udalrici prioris Cellensis* (xiie siècle), éd. R. Wilmans, *M.G.H., Scriptores,* XII, pp. 249-267.

655. *Vitae sanctorum Siculorum...,* éd. O. Gaetani. Palerme, 1657, 2 t. en 1 v.

B. SOURCES D'ARCHIVES (classement géographique)

1. *ITALIE*

Alba

656. MILANO (E.), *Il « Rigestum Comunis Albe »*, Pignerole, 1903, 2 vol. (Bibl. della Soc. stor. subalpina, 20-21).

Amalfi

657. FILANGIERI DI CANDIDA (R.), *Codex diplomaticus amalfitanus* (907-1332), Naples, 1917-1951, 2 vol.

658. CAMERA (M.), *Memorie storico-diplomatiche dell'antica città e ducato di Amalfi, cronologicamente ordinate...*, Salerne, 1876-1881, 2 vol.

Asti

659. SELLA (Q.), *Codex Astensis qui de Malabayla communiter nuncupatur*, Rome, 1880-87.

Bari

660. NITTI DI VITO (F.), G. B. NITTO DE ROSSI, F. CARABELLESE, etc., *Codice diplomatico Barese* (IXe-XIIIe s.), t. I à X, Trani-Bari, 1900-1927.

Bénévent

661. BORGIA (S.), *Memorie istoriche della pontificia città di Benevento dal secolo VIII al secolo XVIII*, Rome, 1763-1769, 3 vol.

Bobbio

662. SCHIAPARELLI (L.), « Diploma inédito di Berengario I (a. 988) in favore del monastere di Bobbio », dans *Atti Accad. Scien. Torino*, 1895-1896, t. XXXI, pp. 538-550.

Bologne

663. SAVIOLI (L.), *Annali Bolognesi*, Bassano, 1784 et suiv., 3 vol.

Brescia

664. ODORICI (F.), *Storie Bresciane*, Brescia, 1856-1858, 11 vol.

Brindisi

665. LEO (A. de), *Codice diplomatico brindisino*, I (*402-1299*), éd. par G. M. Monti, Trani, 1940.

Calabre

666. BELTRANI (G.), *Documenti longobardi e greci per la storia dell'Italia meridionale nel medio evo*, Roma, 1877.

Cava

667. MORCALDI (M.), *Codex diplomaticus Cavensis (792-1065)*, éd. M. Morcaldi..., Naples, 1873-1893, 8 vol.

Conversano

668. MOREA (D.), *Il Chartulario del monastero di S. Benedetto di Conversano*, Mont-Cassin, 1892, t. I (*815-1266*).

Crémone

669. ASTEGIANO (L.), *Codex diplomaticus Cremonae (715-1334)*, Crémone, 1896 et 1899, 2 vol. (Hist. Patr. Mon. Scr., II, t. XXI-XXII).

Farfa

670. GIORGI (I.) et BALZANI (V.), *Il regesto di Farfa compilato da Gregorio di Catino*, Rome, 1914.

Gaète

671. CODEX DIPLOMATICUS CAJETANUS, éd. cura et studio monachorum S. Benedicti archicoenobii Montis Cassini, Mont-Cassin, 1889-1891, 2 vol.

Gênes

672. BERTOLOTTO (G.), *Nuova serie di documenti sulle relazioni de Genova coll'impero bizantino*, Gênes, 1897 (Atti Lig., XXVIII, fasc. 2).

673. IMPERIALE (C.), *Codice diplomatico della Repubblica di Genova (958-1163)*, I, Rome, 1936 (Publ. de l'Inst. stor. ital. per il medio evo).

Ivrée

674. GABOTTO (F.), *Le carte dello Archivio Vescovile d'Ivrea fino al 1313*, Pignerole, 1900, 2 vol.

Lodi

675. VIGNATI (C.), *Codice diplomatico Laudense*, Milan, 1885, 2 vol.

Lombardie

676. *Codex diplomaticus longobardicus*, Turin, 1873 (Hist. Patr. Mon., XIII).

Lucques

677. *Memorie e documenti per servire alla storia di Lucca*, Lucques, 1813 et suiv.

Modène

678. TIRABOSCHI (G.), *Memorie storiche Modenesi col codice diplomatico*, Modène, 1793-1795, 5 vol.

Naples

679. *Regii Neapolitani archivi monumenta (703-1130)*, Naples, 1845-1861, 6 vol.

680. CAPASSO (B.), *Monumenta ad Neapolitani ducatus historiam pertinentia*, Naples, 1881-1892, 3 vol.

Novalaise

681. CIPOLLA (C.), *Monumenta Novaliciensia vetustiora*, Rome, 1898-1901, 2 vol. (Fonti per la stor. d'Ital., Scrittori, sec. VIII-IX),.

Orvieto

682. FUMI (L.), *Codice diplomatico della città d'Orvieto*, Florence, 1884 (Doc. di stor. ital., VIII).

Padoue

683. GLORIA (A.), *Codice diplomatico padovano (sec. VI-XI)*, Venise, 1877.

Plaisance

684. POGGIALI (C.), *Memorie storiche della città di Piacenza*, Plaisance, 1757-1766, 12 vol.

Pontremoli

685. SFORZA (G.), *Memorie e documenti per servire alla storia di Pontremoli*, Lucques, 1904, 2 vol.

Ravenne

686. FANTUZZI (M.), *Monumenti ravennati de' secoli di mezzo per la maggior parte inediti*, Venise, 1801-1804, 6 vol.

687. TARLAZZI (A.), *Appendice ai Monumenti ravennati*..., Ravenne, 1869.

Rome

688. THEINER (A.), *Codex diplomaticus dominii temporalis S. Sedis*, I, Rome, 1861.

689. FEDELE (P.), « Chartes du monastère des saints Côme et Damien in Mica aurea (Xe-XIe s.) », dans *Archivio della Società romana di storia patria*, XXI, 1898, fasc. 3-4.

690. — « Les chartes de Santa Maria Nova (982-1200) », *ibid.*, XXIII, 1900, fasc. 1-2.

691. FEDERICI (V.), « Inventaire des actes du monastère de Saint-Sylvestre de Capite (VIIIe-XIe s.) », *ibid.*, XXII, 1899, fasc. 1-2.

San Felice di Ammiana

692. LEVI (C. A.), *Bolla e regesto di documenti inediti della distrutta abbazia di S. Felice di Ammiana*, Venise, 1889.

Sardaigne

693. TOLA (P.), *Codex diplomaticus Sardiniae*, I, Turin, 1861 (Hist. Patr. Monum., X).

Sicile

694. GARUFI (C. A.), I. *Documenti inediti dell'epoca normanna in Sicilia*, Palerme, 1899.

695. KEHR (K. A.), *Die Urkunden der normannisch-sicilischen Könige*, Innsbrück, 1902.

696. GRÉGOIRE (H.), « Diplômes de Mazara », *Annuaire de l'Institut de Philologie et d'Histoire orientales*, 1932-33.

Trani

697. PROLOGO (A. di G.), *Le carte che si conservano nello Archivio dell Capitolo metropolitano della città di Trani dal IX sec. fino all'anno 1266)*, Barletta, 1877.

Trente

698. KINK (R.), *Codex Wangianus. Urkundenbuch des Hochstiftes Trient begonnen unter Friedrich von Wangen*, Vienne, 1852 (Fontes rer. austriacarum, Abt. 2, Bd. V).

Venise

699. TAFEL et THOMAS, *Urkunden zur älteren Handels- und Staatsgeschichte der Republ. Venedig*, I (*814-1205*), Vienne, 1856 (Fontes rer. austriacarum, Abt. 2, Dipl., v. XII).

700. BARACCHI, *Le carte del mille e del millecento che si conservano nell'archivio notarile di Venezia* (Archivio Veneto, VI et XXII).

701. TAFEL et THOMAS, *Idem* (Arch. Venet., VIII et IX).

702. MINOTTO (A. S.), *Acta et diplomata e Tabulario Veneto*, Venise, 1870-83, 4 vol.

703. *Bilanci generali della Repubblica di Venezia.* I : *976-1641* Venise, 1912 (R. Commissione per la pubblicazione dei documenti finanziari della Repubblica di Venezia, II).

704. MOROZZO DELLA ROCCA et LOMBARDO (A.), *Documenti del commercio veneziano nei secoli XI-XII*, Rome, 1940, 2 vol.

705. CESSI (R.), *Documenti relativi alla storia di Venezia anteriori al mille.* I : sec. V-IX ; II : sec. IX-X, Padoue, 1942, 2 vol.

(Testi e documenti di storia e letteratura latina medioevale, 1 et 3).

Vérone

706. FAINELLI (V.), *Codice diplomatico veronese. I. Dalla caduta dell'impero romano alla fine del periodo carolingio*, Venise, 1940.

2. *SUISSE*

707. MOHR (Th. v.), *Codex diplomaticus. Sammlung der Urkunden zur Geschichte Cur-Rätiens und der Rep. Graubünden*, Cut, 1848-1854. 2 vol.

3. *ESPAGNE*

Aragon

708. IBARRA Y RODRIGUEZ (E.), *Documentos correspondientes al reinado de Ramiro I (1034-1063).*

709. — *Documentos correspondientes al reinado de Sancho Ramirez (1063-1094). Doc. particulares Pinatenses y Oscenses.*

710. SALARRULLANA DE DIOS (J.), *Documentos correspondientes al reinado de Sancho Ramirez (1063-1094). Doc. reales procedentes de la real Casa y Monasterio de San Juan de la Pena.* (Ces trois derniers vol. appartiennent à la *Colección de documentos para el estudio de la Historia de Aragón*, vol. I, III, IX).

711. BOFARULL Y MASCARO *Colección de documentos ineditos del Archivo general de la Corona de Aragón*, Barcelone, 1847-1876. 40 vol.

712. ALARCÓN Y SANTÓN (M.) et GARCIA LINARES (R.), *Los documentos árabes diplomáticos del Archivo de la Corona de Aragón* (éd. et trad.), Madrid, 1940.

Catalogne

713. D'ABADAL I DE VINYALS (R.), *Catalunya Carolingia*, I et II, Barcelone et Genève, 1926-1952.

Jaca

714. SANGORRIN (D.), *El libro de la Cadena del concejo de Jaca* (Doc. reales, episcopales y municipales de los siglos X, XI, XII, XIII y XIV), Saragosse, 1921 (Col. de doc. para el estudio de la Hist. de Aragon, XII).

Navarre

715. LACARRA (J. M.), *Textos navarros del Códice de Roda*, Saragosse, 1945 (Estud. de Ed. media de la Cor. de Aragon, I, pp. 193-286).

San Cugat del Vallès

716. MAS (J.), « Taula del Cartulari de San Cugat del Vallès », dans *Notes historiques del bisbat de Barcelona*, 1914-15.

San Millán de la Cogolla

717. SERRANO (L.), *Cartulario de San Millán de la Cogolla*, Madrid, 1930.

San Pedro de Arlaya

718. SERRANO (L.), *Cartulario de San Pedro de Arlaya*, Madrid, 1925.

San Juan de la Peña

719. MAGALLÓN (M.), « Colección diplomatica de San Juan de la Peña », dans *Revista de Archivos, Bibliotecas y Museos*, depuis 1902.

Silos

720. FEROTIN (M.), *Recueil de chartes de l'abbaye de Silos*, Paris, 1897.

4. *PORTUGAL*

721. *Portugaliae monumenta historica* (*VIII-XV sec.*). *Diplomata et chartae*, Lisbonne, 1867.

5. *FRANCE*

Bordeaux

722. BRUTAILS (J. A.), *Cartulaire de l'église collégiale de Saint-Seurin de Bordeaux*, Bordeaux, 1897.

Cluny

723. BERNARD (A.) et BRUEL (A.), *Recueil des chartes de l'abbaye de Cluny*, Paris, 1876-1903, 6 vol. (Doc. inéd.).

Conques

724. DESJARDINS (G.), *Cartulaire de l'abbaye de Conques en Rouergue*, Paris, 1879.

Dijon

725. CHEVRIER et CHAUME, *Chartes et documents de Saint-Bénigne de Dijon*, t. II (990-1124), Dijon, 1943.

Gellone

726. ALAUS (P.), CASSAN et E. MEYNIAL, *Cartulaire de Gellone (IXe s.-1236)*, publ. par P. Alaus, l'abbé Cassan et E. Meynial, Montpellier, 1898.

Languedoc

727. DEVIC (C.) et VAISSÈTE, (J.) *Histoire générale de Languedoc*. Pièces justificatives. Rééd. augm., Toulouse, 1872-1892, 15 vol.

Lérins

728. MORIS (H.), *Cartulaire de l'abbaye de Lérins*, Paris, 1883-1905, 2 vol.

Lorraine

729. CALMET (A.), *Histoire de Lorraine...*, Nancy, 1745-1757. Pièces justificatives.

Marseille

730. GUÉRARD (B.), *Cartulaire de Saint-Victor de Marseille*, Paris, 1857, 2 vol. (Doc. inéd.).

731. BLANCARD (L.), *Documents inédits sur le commerce de Marseille au Moyen Age*, Marseille, 1884-1885, 2 vol.

Provence

732. POUPARDIN (R.), *Recueil des actes des rois de Provence (855-928)*, Paris, 1920.

Saint-Benoît-sur-Loire

733. PROU (M.) et VIDIER (A.), *Recueil des chartes de Saint-Benoît-sur-Loire*, t. I et II, Paris, 1907-1932.

Sorde

734. RAYMOND (P.), *Cartulaire de l'abbaye de Saint-Jean-de-Sorde*, Paris-Pau, 1873.

INDEX ALPHABÉTIQUE DES SOURCES NARRATIVES

Les noms des auteurs sont imprimés en romain.
Les titres des ouvrages anonymes sont imprimés en italique.

MONNAIE ET HISTOIRE
D'ALEXANDRE A MAHOMET

I

CADRES GÉNÉRAUX ET ESPRIT DE L'ÉTUDE

L'historien, quel qu'il soit, a toujours tendance à projeter dans le passé les préoccupations de l'époque où il vit. Petit-Dutaillis et les savants de sa génération, qui assistèrent à la naissance de la Troisième République au moment où ils prenaient position et instauraient les cadres de leur activité scientifique future, se tournèrent tout naturellement vers les questions d'histoire politique et institutionnelle. Pour les contemporains des deux guerres mondiales et des crises de l'entre-deux-guerres, le problème était de trouver les causes et de déterminer les conséquences économiques de ces bouleversements, d'étudier l'évolution sociale, la structure et la conjoncture, et c'est l'histoire économique et sociale qui prime à l'heure actuelle.

Il existe au moins trois façons de projeter dans le passé les problèmes qui nous étreignent dans le présent, qu'ils concernent l'histoire politique ou institutionnelle, économique ou sociale : l'histoire neutre d'abord, ou événementielle, qui raconte *ad narrandum* ; l'histoire partisane ensuite, qui distribue le blâme et l'éloge, histoire partiale, *ad probandum* ; l'histoire scientifique enfin, *ad explicandum*, qui veut expliquer en faisant appel à tous les éléments d'explication possibles. J'en donnerai pour exemple les études d'histoire économique qui n'examinent pas seulement des faits économiques, mais s'attachent aussi à des faits politiques, militaires, religieux et psychologiques, sociaux, géographiques, etc. Il existe une interaction constante des faits économiques, sociaux, géographiques, et il faut rejeter un étroit déterminisme économique, social, géographique. Notre étude est celle de l'homme, l'homme dans son cadre normal : la nature.

Ainsi, le déterminisme géographique n'est ni absolu ni général. On peut définir une série de déterminismes particuliers, locaux, régionaux, variant selon les pays et aussi dans le temps, suivant la plus ou moins grande prise de l'homme sur la nature. Le milieu physique est plus déterminant pour la vie de l'homme dans la grande forêt tropicale que dans nos régions exploitées, modifiées depuis longtemps par l'action humaine. Il l'est moins de nos jours, cependant, qu'à l'époque préhistorique ou dans l'Antiquité. Le rapport entre le cadre naturel et l'action humaine varie constamment. Avoir le sens de cette évolution, c'est avoir l'esprit historique. Acquérir la connaissance des différentes étapes, ou de quelques étapes, tel est l'objet de la science historique.

Les économistes ont élaboré des théories d'économie politique, dont les résultats peuvent paraître le fruit du travail de deux écoles : celle des observateurs, l' « école historique », qui rassemble les faits économiques, et celle des théoriciens déductifs, qui veut définir une théorie pure. Voyons d'un peu plus près leurs méthodes.

Les économistes de l' « école historique » estiment à un demi-siècle, ou à un siècle en arrière, la portion du passé dont seule importe la connaissance pour l'intelligence du présent. En d'autres termes, ils ne font appel qu'aux faits les plus récents et toutes leurs méthodes sont applicables à cette portion de l'histoire qu'on nomme histoire contemporaine. Remarquons que c'est là reconnaître implicitement le cadre particulier que représente cette période historique par rapport à celles qui l'ont précédée. L'objet de l'économie politique étant l'étude du monde économique actuel, cette limitation aux faits immédiatement antérieurs est défendable, quoique contestable.

Mais alors pourquoi les « économistes politiciens » croient-ils licite de projeter dans un passé plus lointain leurs théories, ces lois et ces formules qu'ils ont établies en se fondant uniquement sur des faits contemporains ? Pourquoi croient-ils pouvoir faire des allusions — qui corroboreraient leurs théories actuelles — à des faits de l'histoire ancienne, du Moyen Age ou des XVIe-XVIIIe siècles ? A des faits qu'ils ne connaissent la plupart du temps que de seconde main ? Pourquoi, dans ces travaux d'économistes (purs ou observateurs), une histoire — en quelques pages ! — de la monnaie ou du système capitaliste que les uns font commencer au XVIe siècle, après l'afflux des métaux précieux du Nouveau Monde, et les autres dans les villes italiennes des XIIe-XIIIe siècles, après les croisades ?

Je citerai un exemple, qui va nous ramener à notre propos. Pour les économistes « monétaristes », le facteur monétaire est primordial dans l'histoire, il est à l'origine de tout. Voici un de ces essais de *Periodisierung* : aux IVe-Ve siècles, il n'y a plus de monnaie, l'or s'est enfui de l'Empire romain, vers l'Orient, pour solder ses besoins en marchandises de luxe, et on assiste par conséquent à la chute de l'Empire, suivie du sombre Moyen Age, agricole et féodal. Aux XVe-XVIe siècles, l'afflux de métal précieux, après la découverte de l'Amérique et l'exploitation de ses richesses en or et en argent, donne le départ à une nouvelle ère économique, celle des capitaux, du grand commerce, des échanges, de l'essor industriel, etc. Ainsi les deux bornes du Moyen Age seraient la fuite, puis l'afflux de l'or.

Je ne nierai pas que ces deux facteurs aient pu exercer une action ; je dirai même qu'elle est probable. Mais, dans la bouche de certains, ne s'agit-il pas plutôt d'un simple acte de foi, d'un credo, de la projection d'une doctrine toute faite, dans le passé ? C'est lui attribuer une vertu d'explication pour des faits lointains et certainement complexes qu'on ne connaît pas historiquement, c'est-à-dire dans leur cadre, qui n'est pas seulement économique, mais encore social, géographique, psychologique... Dans cette façon de traiter le Moyen Age, en bloc, de la fin de l'Empire romain aux grandes découvertes, il y a une absence complète de connaissance. Et l'on passe sous silence un fait monétaire capital, l'arrivée de l'or du Soudan, au IXe siècle, dans l'économie méditerranéenne. Fait qui, pour l'époque, a eu une influence économique aussi grande que l'afflux des métaux américains au XVIe siècle. Et combien d'autres problèmes qui ne sont pas même soulevés : cet or romain dont la disparition provoque la chute de l'Empire, d'où venait-il ? et où allait -il?

Répondre à ces questions, les poser même, c'est le travail de l'historien. Pour déterminer la place tenue par les faits économiques dans l'histoire, ou, d'une façon plus précise, les rapports entre les faits monétaires et l'histoire, il est nécessaire de commencer par une étude historique de la période qui va d'Alexandre à Mahomet : façon concise et imagée d'évoquer les temps allant des conquêtes d'Alexandre et de la formation d'un vaste monde hellénistique aux conquêtes islamiques et à la formation d'un monde musulman plus vaste encore.

Nous ne devons pas projeter les doctrines monétaires des économistes contemporains dans un passé qui a eu peut-être des lois économiques différentes des nôtres, et auquel les modernes équations et formules ne s'appliqueraient peut-être pas. Je dis *peut-être*, et c'est l'attitude de l'historien. Sans essayer de plier les sources peu nombreuses dont nous disposons à ces théories toutes faites, nous allons nous poser, à propos d'un passé lointain, les problèmes dont ces théories sont les solutions provisoires, valables pour l'époque contemporaine. Autrement dit, ces doctrines seront pour nous des *hypothèses de travail*, qu'il conviendra de vérifier, de rejeter ou d'infléchir suivant les données du réel ; alors seulement, nous pourrons conclure — si nous pouvons fournir une conclusion positive, et non pas un procès-verbal d'impuissance, ce qui est aussi une conclusion — à l'existence de lois générales, ou à celle de règles seulement applicables à certaines structures et conjonctures économiques ou historiques, à certains moments de l'histoire, et encore, dans une aire géographique donnée, à l'application de la théorie quantitative de la monnaie, de la loi de Gresham, de la formule de Fisher. Nous garderons toujours présent à l'esprit l'aspect proprement historique — l'évolution dans le temps —, et l'aspect géographique — la répartition dans l'espace — sans oublier que différentes économies monétaires coexistent dans l'espace et coexistent aussi avec des économies non monétaires.

Voilà ainsi défini l'esprit de notre enquête, de la série d'enquêtes, plutôt, que recouvre le titre *Monnaie et histoire, d'Alexandre à Mahomet*. Le phénomène monétaire devra être à la fois extrait pour étude, de son cadre historique général, et replacé ensuite dans ce cadre, pour explication.

D'Alexandre à Mahomet : cela indique que nous tenterons de mener notre enquête non seulement du côté occidental, dans le monde méditerranéen, en Europe et en Afrique, mais aussi du côté de l'est, dans le monde de l'océan Indien, en Asie centrale et en Extrême Orient.

II

LES ÉCONOMIES MONÉTAIRES Á LA VEILLE DES CONQUÊTES D'ALEXANDRE (MILIEU DU IVe SIÉCLE AV. J.-C.)

I. ÉCONOMIE-NATURE ET ÉCONOMIE-ARGENT

Il est nécessaire de jeter un coup d'œil d'ensemble pour essayer de déterminer, d'une part, les conditions monétaires et économiques dans lesquelles vont commencer et se dérouler les conquêtes d'Alexandre ; d'autre part, les véritables conséquences de ces conquêtes dans le domaine économique et monétaire. En d'autres termes, il nous faut poser deux questions :

Les facteurs d'ordre monétaire, au sens large du mot, ont-ils tenu une place — et laquelle — dans la genèse de la conquête de l'Orient par les rois de Macédoine (Alexandre ne faisant que réaliser et amplifier les projets de son père, Philippe) ? Question du même ordre que celle qui se pose à propos de l'élément moteur des grandes découvertes du XVe siècle : facteurs religieux ? scientifiques ? économiques ? comme, par exemple, la recherche de nouvelles sources d'or, pour une économie où la carence de métaux précieux se faisait de plus en plus sentir.

La conquête d'Alexandre, la création d'un monde hellénistique, l'ouverture à la Grèce de l'Asie, de ses trésors et de ses mines, ont-elles eu, sur l'économie et l'histoire des IVe-IIIe siècles avant J.-C., une influence du même ordre, *mutatis mutandis*, que, par exemple, la découverte du Nouveau Monde et l'afflux des métaux précieux d'Amérique sur l'économie et l'histoire du XVIe siècle, influence dégagée par les travaux d'Earl Hamilton [1] et les synthèses de Fernand Braudel [2] ? Ou, pour prendre le terminus de cette présente enquête,

1. Earl J. HAMILTON, *American Treasure and the Price Revolution in Spain, 1501-1650*, Cambridge, Mass., 1934.

2. F. BRAUDEL, « Monnaies et civilisations : de l'or du Soudan à l'argent d'Amérique. Un drame méditerranéen », *Annales E.S.C.*, I, 1946, pp. 9-22 ; *La Méditerranée et le monde méditerranéen à l'époque de Philippe II*, Paris, 1966, I, pp. 433 et suiv.

une influence semblable à celle que les conquêtes musulmanes et le nouvel afflux d'or qui en est résulté, ont eue sur l'économie et l'histoire des VIIIe-IXe siècles ?

En somme, notre enquête est comparable, par son but, à celle qu'avait menée François Simiand [1] sur les modalités et les conséquences économiques et sociales du brusque afflux de métaux précieux dans la circulation monétaire, pendant la seconde moitié du XIXe siècle, après les découvertes des gisements aurifères de Californie, d'Australie et d'Afrique du Sud. Comparable par son but, et non par ses moyens, hélas !

Nos sources, en effet, sont réduites : séries monétaires, avec ce que peuvent révéler le métal, l'aloi, les dimensions, le système des poids, la transmission des types ; répartition géographique des trouvailles monétaires, témoignant des espèces et de l'influence économique ; écrits sur les questions monétaires (Aristote, Platon) ; allusions à des faits économiques glanés dans des œuvres de géographes et d'historiens de l'Antiquité ; documents d'archives, très peu nombreux, inscriptions, fragments de papyrus égyptiens, conservés grâce à la sécheresse du climat. Il ne s'agit là, en général, que de renseignements discontinus, permettant de jalonner une courbe, mais non de la chiffrer. Nous n'avons pas d'éléments statistiques, mais seulement des ordres de grandeur ; pas de données quantitatives, mais seulement des données qualitatives. Et surtout, notre étude se place à une échelle toute différente, dans un climat psychologique difficile à saisir, dans des conditions physiques, humaines et techniques, historiques en un mot, infiniment éloignées de celles que l'enquête de Simiand eut à connaître et dont elle a rendu compte.

Nous tracerons donc d'abord un tableau d'ensemble des économies monétaires à la veille des conquêtes d'Alexandre, un tableau explicatif englobant le monde grec, l'Empire perse achéménide avec une ouverture sur le domaine de l'océan Indien, la zone phénicienne et carthaginoise, avec un regard sur l'Afrique intérieure, l'Occident et le Nord barbares où pénètrent les monnaies et les influences grecques et puniques.

Quelques définitions d'abord pour éclairer notre propos. Précisons ce qu'il faut entendre par *économie monétaire*. Il est classique d'opposer économie-nature à économie-argent. La première est définie par le troc, l'échange de marchandises en nature, sans passer par la monnaie ; le paiement des services ou des redevances a lieu également en nature. Dans la seconde, les transactions, les paiements, les redevances se font par l'intermédiaire de la monnaie, médium des échan-

1. F. SIMIAND, *Inflation et stabilisation alternées : le développement économique des États-Unis* (*des origines coloniales au temps présent*), Paris, 1934.

ges. Aussi les premières limites qu'il faut tracer pour dresser une carte monétaire à la veille des conquêtes d'Alexandre, doivent-elles distinguer les régions à économie-nature de celles à économie-argent.

Dans la réalité, les choses sont moins simples. Marc Bloch [1] a relevé le pseudo-dilemme où nous enferme cette opposition. L'historien cherche à atteindre la réalité des choses, et non pas à bâtir une construction théorique. Or, dans des économies encore assez primitives comme celles du monde méditerranéen et oriental du IVe siècle, la réalité, c'est la coexistence des deux systèmes : les échanges en nature et les paiements en nature sont pratiqués en même temps qu'une économie-argent. Souvent même, lorsque nous trouvons mention de paiements en argent, il s'agit en réalité de paiements en nature, opérés en se référant à une unité monétaire, mais sans intervention réelle de monnaie ; ici, la monnaie n'intervient que comme la commune mesure des valeurs payées en nature. Ainsi, au Moyen Age, les redevances de certains manses au seigneur seront spécifiées en monnaie dans les terriers ; mais les vingt deniers à payer à telle époque le seront sous forme de produits du sol représentant une valeur de vingt deniers. De même, dans la campagne athénienne du IVe siècle, quand il est question de paiements d'un talent d'or, par exemple, c'est plutôt à des paiements effectués en bœufs qu'il faut penser, suivant l'équivalence sur laquelle nous reviendrons : un bœuf = deux drachmes attiques d'or = une darique d'or = un talent. Les habitudes sociales, le cadre mental interviennent donc ici, et nous ne devons pas les négliger pour pouvoir faire la critique de nos documents ; Marc Bloch a nettement insisté sur la critique interne des sources économiques.

Quand nous disons donc : zones d'économie monétaire, nous voulons simplement signifier : zones où circulent des monnaies, par opposition aux zones d'économie-nature, où l'institution du monnayage est inconnue, sans perdre de vue que, dans les aires monétaires, de nombreuses et très larges régions existent, où domine une pure économie de troc. La monnaie, en effet, peut être employée par les marchands, et ignorée par les paysans vivant à l'écart des grandes routes commerciales, comme il y a peu de temps encore, la monnaie scripturale (chèques et virements) était utilisée par le milieu des affaires et peu répandue parmi les autres couches de la population ; au lendemain de la deuxième guerre mondiale, les paiements par chèques et virements étaient plus employés aux États-Unis qu'en Angleterre, et en Angleterre qu'en France.

Les grandes cités marchandes phéniciennes : Tyr, Sidon, Carthage,

1. M. Bloch, « Le problème de l'or au Moyen âge », *Annales d'histoire économique et sociale*, V, 1933, pp. 1-34.

ne sont venues que tardivement, vers la fin du ve siècle, à la frappe de la monnaie, les villes grecques depuis le VIIe siècle, les Perses achéménides à partir du VIe siècle. L'Égypte, quant à elle, ne frappera monnaie qu'après la conquête d'Alexandre. Dans notre description explicative des aires monétaires, il nous faudra donc tenir compte non seulement des aires de circulation, mais aussi de l'intensité de celle-ci, de la densité en profondeur, du degré d'ancienneté plus ou moins grand de l'institution monétaire, bref, de l'emprise plus ou moins forte de la monnaie sur les habitudes et les idées économiques de la société parmi ses différentes classes ; car la monnaie est un fait économique, mais aussi un fait social.

L'extension des aires monétaires et le volume de la circulation des monnaies sont en rapport : d'abord avec l'extension ou la restriction du réseau des relations commerciales. Les Barbares sans monnayage indigène s'habituent peu à peu aux pièces de monnaie introduites par les marchands étrangers ; la circulation se fait le long des itinéraires commerciaux, puis rayonne autour de certains points importants, étapes, relais, croisements, ruptures de charge ; enfin, apparaissent des imitations barbares de ces pièces étrangères. Par exemple, les monnaies gauloises d'argent au type des drachmes d'argent de Marseille, ou les monnaies gauloises d'or au type des statères d'or de Philippe de Macédoine (tête de profil à l'avers, bige au revers). Les régions abandonnées par le grand commerce retournent au troc : ainsi, l'Occident après les invasions barbares. Aires et circulation monétaires sont aussi en étroit rapport avec l'extension ou la restriction des possibilités de frapper des monnaies, faits qui sont en relation avec l'extraction du métal monétaire, avec les nouvelles découvertes ou l'épuisement des gisements, avec les techniques, enfin, de la mine et du traitement du minerai. Deux facteurs sont donc essentiels pour le commentaire de la carte monétaire à la veille des conquêtes d'Alexandre : d'une part les voies de commerce, et de l'autre, les mines de métaux monétaires et leur exploitation.

2. Les routes de commerce

Où en sont, au milieu du IVe siècle, à la veille des conquêtes d'Alexandre, la diffusion de la pratique du monnayage (localisation des centres émetteurs et extension des différentes espèces monétaires), la diffusion, la répartition et les rapports entre eux des différents systèmes monétaires, la répartition des étalons-monétaires (étalon-or, étalon-argent), l'évolution et la répartition géographique, enfin, du rapport or-argent ?

Au milieu du IVe siècle, le moment où la monnaie a été inventée, et — ce qui nous importe surtout — où elle s'est suffisamment répandue pour qu'on puisse parler d'économie monétaire, est encore relativement proche : il y a deux siècles à peine pour les cités commerçantes grecques et l'empire achéménide et une cinquantaine d'années pour les villes marchandes de Phénicie ; en Égypte, on ne la connaît pas encore. Cependant, le commerce à longue distance existe depuis longtemps déjà : trafic de l'ambre, de la soie, de l'ivoire ou de l'or. Ce grand commerce primitif est troc ou échange au moyen d'une marchandise-type, prise comme référence.

Dans l'Antiquité préhistorique, la circulation commerciale s'établit selon trois grandes directions : l'Asie, l'Europe et l'Afrique, dessinant de grands courants pérennes, dont l'itinéraire de détail varie, mais dont les faisceaux, s'élargissant là où plusieurs cheminements sont possibles, s'étranglent aux points de passage obligatoires : oasis, cols, gués, ponts... On observe donc une variation dans le temps, entre ces points fixes, des tracés, abandonnés au profit d'autres, puis repris. Parfois encore, deux itinéraires sont concomitants : entre le coude de l'Euphrate et Alep (Beroia), les chameaux suivent le tracé de plaine, de terre meuble, et les mulets le tracé rocailleux de montagne.

Il existe des routes de la soie, des épices, de l'or, de l'ivoire, de l'ambre, de l'étain. La géographie économique varie sans cesse, en même temps que les centres de production et de consommation, la puissance relative des différentes zones économiques, les valeurs de position, l'importance des produits ou les moyens de transport ; mais les grandes directions des routes commerciales ne varient pour ainsi dire pas. Une route, une fois reconnue, est parcourue, elle ne s'efface pas ; son tracé peut divaguer dans le détail, elle persiste dans son dessin général [1].

a) *Les routes du commerce grec*

Au milieu du IVe siècle, Athènes est toujours la première ville de commerce du monde grec, malgré les défaites sévères de la guerre du Péloponnèse et le désastre de 404 (prise de la ville par Lysandre), malgré la désorganisation politique et sociale de la cité. Le Pirée n'a jamais connu une aussi grande prospérité commerciale. Son rayonnement se développe le long de toutes les routes, tandis que la seconde confédération maritime athénienne manifeste des buts encore plus commerciaux que la première. Corinthe, la grande dominatrice du commerce avant la période athénienne, ne peut rétablir sa situation perdue. Quant à Rhodes, elle n'est pas encore une rivale dangereuse :

1. Voir le croquis 1.

son synoecisme, son accession au rang de ville importante, n'interviennent qu'en 408. La grande période rhodienne est l'époque hellénistique. Délos, enfin, est encore dans l'étroite dépendance d'Athènes. Avec ses foires, son marché d'esclaves, elle ne jouera le premier rôle qu'à l'époque romaine. Évoquons les principales routes qui convergent vers Athènes.

Vers le nord-est, le courant qui se dirige vers les côtes de Macédoine, la Thrace, le Bosphore, le Pont-Euxin et les colonies grecques de la mer Noire, est peut-être le plus important. Les plaines de Macédoine, de Thrace, du Pont, de Bithynie, de Russie du Sud assurent le ravitaillement en denrées alimentaires, en matières premières et en esclaves, ces derniers jouant alors un rôle comparable au combustible dans nos industries mécanisées.

Le blé vient des plaines de la Russie du Sud, cultivées par les tribus barbares de l'intérieur, par les Scythes laboureurs. Les tanneurs grecs reçoivent les peaux de leurs troupeaux. Des bouches du Borysthène (Dniepr) et de la Propontide (mer de Marmara), où sont les pêcheries les plus productives, viennent les poissons salés, base de la nourriture, avec le pain. Les forêts de Bithynie et la vallée du Danube envoient les bois de construction — et surtout de navires —, la poix et le charbon de bois ; les bords du Pont-Euxin, le lin, le chanvre et les esclaves scythes, qui donnent à Athènes sa police d'archers (*toxótai*). En échange, la Grèce exporte son huile, des objets de bronze, du vin surtout ; dans les *kourganes*, *tumuli* de la Russie méridionale, des objets grecs font partie du matériel trouvé. Les portes du Pont-Euxin sont contrôlées par Byzance, après les dominations successives de Milet, jusque vers 500, d'Égine, puis d'Athènes, de Sparte et à nouveau d'Athènes, et la menace perse du début du IVe siècle.

La mer Noire est le terme de plusieurs grandes routes commerciales. Celle d'Asie centrale, de l'Oural, de la Caspienne apporte l'or. Venue de la Baltique, la route de l'ambre suit les fleuves russes, et l'on retrouve jusqu'en Prusse (Samland) les monnaies et l'orfèvrerie grecques. Vers le fond de l'Adriatique, le Danube est une voie de pénétration des influences grecques en Europe centrale ; le monde celtique imitera les monnaies d'or de Philippe de Macédoine.

Vers l'est et le sud-est, la route royale d'Asie Mineure conduit d'Éphèse à Sardes, puis en Mésopotamie et en Susiane, les hommes et les choses du monde grec : marchandises, objets d'art, ambassadeurs, marchands, mercenaires ; en sens inverse, elle fait affluer l'or et les dariques du Grand Roi. D'autre part, les routes maritimes relient Athènes à Délos, Rhodes, et au delà, à Chypre, riche de son cuivre et de ses étoffes, à la Phénicie qui exporte la pourpre, à l'Égypte qui, par Naucratis, envoie le blé, le papyrus, le lin, des tapisseries,

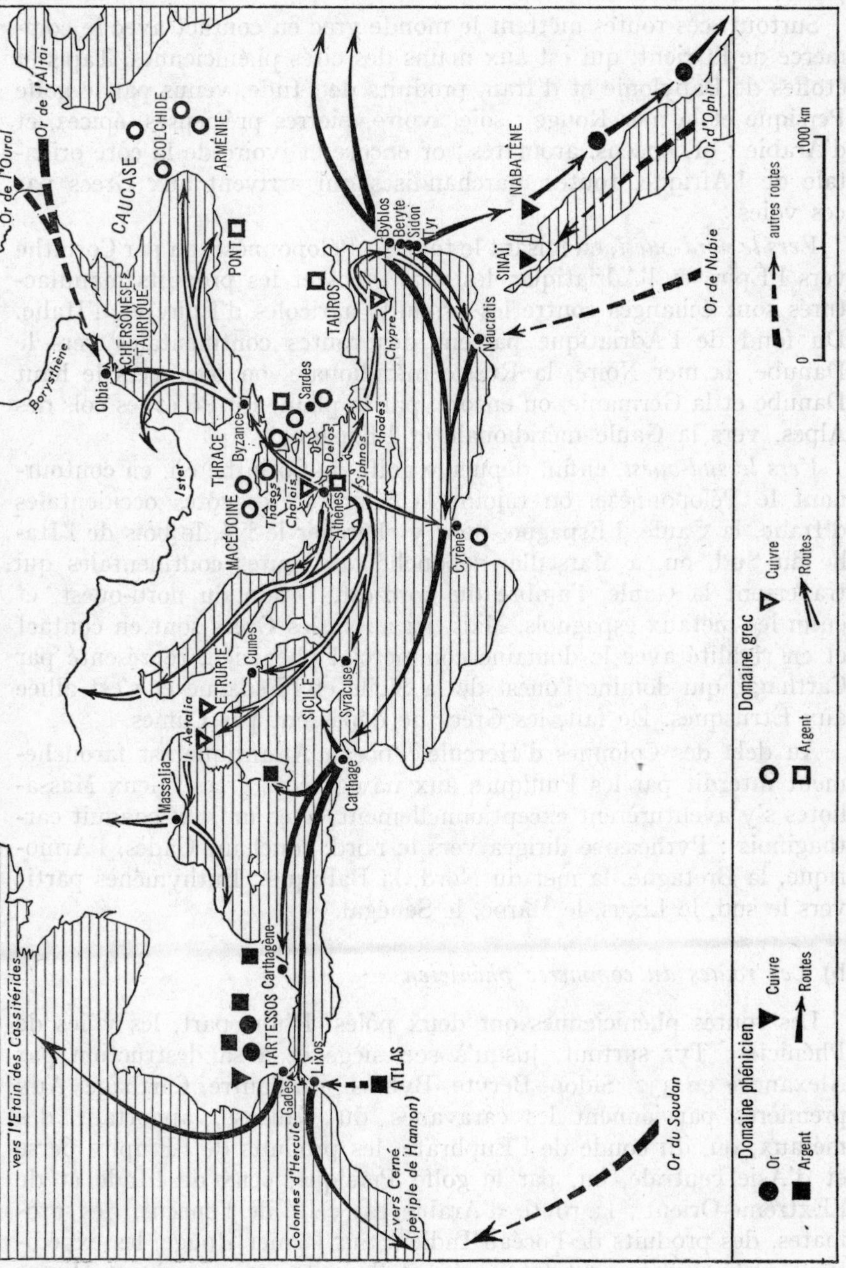

I. MÉTAUX MONÉTAIRES ET ROUTES DE COMMERCE GRECQUES ET PHÉNICIENNES

des flacons d'albâtre, à Cyrène, enfin, productrice de *silphium*, une plante médicinale.

Surtout, ces routes mettent le monde grec en contact avec le commerce de l'Orient, qui est aux mains des cités phéniciennes. Tapis et étoffes de Babylonie et d'Iran, produits de l'Inde, venus par le golfe Persique et la mer Rouge : soie, ivoire, pierres précieuses, épices, et d'Arabie : or, encens, aromates ; or encore et ivoire de la côte orientale de l'Afrique, toutes marchandises qui arrivent aux Grecs par ces voies.

Vers le nord-ouest, en faisant le tour du Péloponnèse, ou par Corinthe vers l'Épire et l'Adriatique, les vins grecs et les produits manufacturés sont échangés contre les produits agricoles d'Épire et d'Italie. Du fond de l'Adriatique partent des routes continentales vers le Danube, la mer Noire, la Russie méridionale, ou bien vers le haut Danube et la Germanie, ou encore, par la plaine du Pô et les cols des Alpes, vers la Gaule méridionale et l'Espagne.

Vers le sud-ouest, enfin, depuis le golfe de Corinthe où, en contournant le Péloponnèse, on rejoint la Sicile et les côtes occidentales d'Italie, la Gaule, l'Espagne, pour y chercher le blé, le bois de l'Italie du Sud, ou, à Marseille, débouché des routes continentales qui traversent la Gaule, l'ambre du nord-est, l'étain du nord-ouest, et enfin les métaux espagnols. Mais, ici aussi, les Grecs sont en contact et en rivalité avec le domaine commercial phénicien, représenté par Carthage, qui domine l'ouest de la Sicile et l'Espagne et s'est alliée aux Étrusques. De fait, les Grecs ne dépassent pas Cumes.

Au delà des Colonnes d'Hercule, l'océan Atlantique est farouchement interdit par les Puniques aux navigateurs grecs ; deux Massaliotes s'y aventurèrent exceptionnellement, avec un sauf-conduit carthaginois : Pythéas se dirigea vers le nord, touchant Gadès, l'Armorique, la Bretagne, la mer du Nord, la Baltique ; Euthyménès partit vers le sud, le Lixus, le Maroc, le Sénégal.

b) *Les routes du commerce phénicien*

Les routes phéniciennes ont deux pôles. D'une part, les villes de Phénicie : Tyr surtout, jusqu'à son siège et à sa destruction par Alexandre en 332, Sidon, Beryte, Byblos ; de l'autre, Carthage. Aux premières parviennent les caravanes du Caucase, apportant des métaux, ou, du coude de l'Euphrate, les produits de l'Empire perse et d'Asie centrale, ou, par le golfe Persique, ceux de l'Inde et de l'Extrême-Orient ; la route d'Arabie est celle de l'encens, des aromates, des produits de l'océan Indien. Sur la mer Rouge, les expéditions phéniciennes sont fréquentes, telle celle que montèrent Hiram de Tyr et Salomon, depuis Ezion-Gaber près d'Eilat, vers Saba et

Ophir. Les villes phéniciennes sont donc le terminus du grand commerce de l'océan Indien sur la Méditerranée. Carthage reçoit les métaux de l'Espagne, et, par l'Atlantique, l'étain de l'Armorique et des Cassitérides ; d'Afrique occidentale lui parviennent l'or, l'ivoire et les esclaves.

Ainsi, aux Grecs les routes continentales du nord, aux Phéniciens les routes continentales et maritimes de l'est, du sud-est et du nord-ouest. Les villes phéniciennes sont situées dans les frontières de l'Empire perse achéménide. Quant à Carthage, ses intérêts commerciaux sont étroitement confondus avec ceux de son ancienne métropole, Tyr, et des autres cités de la côte phénicienne ; sa lutte contre le commerce grec s'appuie sur les Phéniciens à l'est et sur les Étrusques au nord pour lui interdire la pénétration de la zone réservée : Espagne, Maroc, l'au-delà des Colonnes d'Hercule, l'étain de l'Europe du nord-ouest, l'argent d'Espagne, l'or du Soudan. Au monde phénicien et achéménide s'oppose le monde grec et macédonien.

Tandis qu'à l'ouest la résistance victorieuse des Puniques à l'expansion commerciale grecque rend le domaine carthaginois imperméable, à l'est la pénétration grecque est de plus en plus profonde ; elle s'exerce vers l'Égypte (Naucratis, Cyrène), vers Chypre et surtout vers l'Asie Mineure et l'Empire achéménide, par la route royale ; des villes grecques de la côte, retombées, depuis la paix d'Antalkidas, en 386, sous la domination perse, la route s'étire par Sardes et le plateau de Phrygie et de Cappadoce (Ancyre, Comana du Pont), à travers l'Anti-Taurus (Mélitène) jusqu'en Mésopotamie ; elle suit la vallée du Tigre (Amida), puis le pied du Zagros (Arbèles) pour pénétrer dans les vallées intérieures, entre les chaînons longitudinaux, et rejoindre enfin Suse.

3. Les mines de métaux monétaires

La zone grecque et la zone phénicienne forment donc deux grandes aires commerciales rivales qui se partagent la Méditerranée et l'Orient, et où aboutissent toutes les grandes routes du trafic lointain de l'hinterland asiatique, européen et africain. Cherchons comment se répartissent les ressources en métaux monétaires entre ces deux zones commerciales : or et argent, et subsidiairement cuivre et étain.

a) *Gisements de la zone grecque*

Nous envisagerons ici les mines de métaux monétaires situées dans la zone commerciale grecque, ainsi que les mines plus lointaines dont la production finissait par aboutir dans cette zone.

1° L'or

Considérons tout d'abord le monde égéen. Dans sa *Géographie*, Strabon affirme que les richesses de Tantale et des descendants de Pélops trouvaient leur origine dans les mines d'or de Phrygie et du mont Sipyle qui domine Smyrne. Celles de Cadmos avaient leur source dans les mines d'or de Thrace, surtout du mont Pangée, qui domine le Strymon, et dans l'île de Thasos sur la côte de Thrace. La légende de Cadmos le Phénicien, qui aurait introduit l'alphabet en Grèce, illustre un moment où le commerce phénicien domine la mer Égée, et où les Grecs ne s'y sont pas encore lancés : Thasos aurait eu un fondateur phénicien, selon une tradition conforme à la quête de métaux précieux menée par ce peuple.

Quant aux richesses du roi de Troie, Priam, elles naissaient des mines d'or d'Astyra, dans le voisinage d'Abydos. Celles de Midas, roi de Phrygie, s'alimentaient au mont Bermios, en Macédoine, et surtout au Pactole et à l'Hermos, qui charriaient des paillettes d'or arrachées aux montagnes voisines du Sipyle et du Tmolos. Ses successeurs, Gygès, Alyatte, Crésus, devaient les leurs aux mines de Lydie. Du temps de Strabon, toutes ces exploitations de filons ou de laveries d'or avaient disparu, sauf les mines de Thrace dont Philippe de Macédoine avait réussi à s'emparer, en 357, éliminant ainsi la concurrence des Athéniens ; procédant à une nouvelle fondation de la petite ville du district minier, Crenidès, le roi lui donna son propre nom : Philippes. Les ressources de ces mines lui permirent la frappe de pièces d'or, les *philippes*, qui concurrencèrent les dariques perses dans l'achat des mercenaires et des consciences.

Au milieu du IVe siècle, l'or du monde égéen est produit dans deux grands centres : d'une part dans les mines de Thrace et de Macédoine ainsi qu'à Thasos ; de l'autre, en Asie Mineure, au Tmolos, au Sipyle, dans les rivières qui en descendent, l'Hermos et le Pactole, et près d'Abydos. L'or d'Asie Mineure est un or blanc, l'électrum, alliage d'or et d'argent ; c'est de lui qu'était fait le monnayage de Lydie, des villes grecques d'Ionie, et, au IVe siècle encore, de Lampsaque.

En dehors du monde égéen, dans l'hinterland asiatique, relié au monde grec par des routes de caravane, existent également plusieurs centres de production importante. Le premier est celui du Caucase et de l'Arménie, proche de cette Colchide où les Argonautes de Jason allèrent quérir la toison d'or, prouvant ainsi que les Grecs aussi cherchaient le métal précieux. Strabon rapporte [1] que les torrents du pays des Soanes, la Swanétie actuelle, charriaient des sables

1. XI, 2, 19.

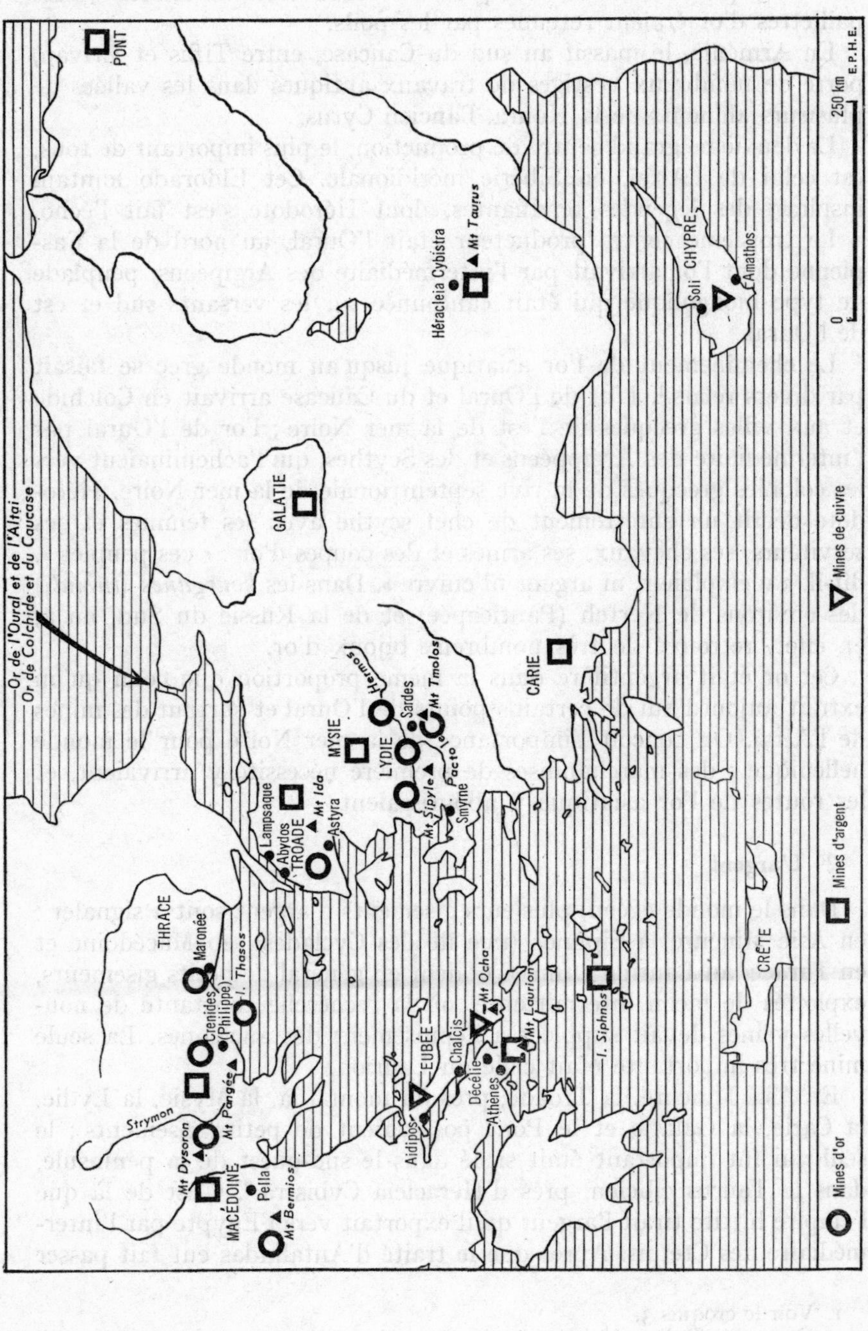

2. MÉTAUX MONÉTAIRES DANS LE MONDE ÉGÉEN

aurifères, qu'on lavait sur des planches recouvertes de toisons où les paillettes d'or étaient retenues par les poils.

En Arménie, le massif au sud du Caucase, entre Tiflis et Érivan, porte de nombreux vestiges de travaux antiques dans les vallées de plusieurs affluents de la Koura, l'ancien Cyrus.

Le deuxième grand centre de production, le plus important de tous, est celui de l'Altaï, en Sibérie méridionale. Cet Eldorado lointain inspirait des légendes terrifiantes, dont Hérodote s'est fait l'écho.

Le troisième centre producteur était l'Oural, au nord de la Caspienne dont l'or arrivait par l'intermédiaire des Argipéens, peuplade de type mongolique qui était cantonnée sur les versants sud et est de l'Oural.

Le cheminement de l'or asiatique jusqu'au monde grec se faisait par divers relais [1]. L'or de l'Oural et du Caucase arrivait en Colchide et aux villes grecques de l'est de la mer Noire ; l'or de l'Oural par l'intermédiaire des Argippéens et des Scythes, qui l'acheminaient vers les colonies grecques de la rive septentrionale de la mer Noire. Hérodote décrit un enterrement de chef scythe avec ses femmes et ses serviteurs, ses chevaux, ses armes et des coupes d'or : « ces peuples », dit-il, « n'emploient ni argent ni cuivre ». Dans les *kourganes* (*tumuli*) des environs de Kertch (Panticapée) et de la Russie du Sud, on a, en effet, retrouvé de très nombreux bijoux d'or.

Cet or était argentifère dans la même proportion que celui qu'on extrait aujourd'hui de certains points de l'Oural et surtout des mines de l'Altaï. On conçoit l'importance de la mer Noire pour le monde hellénique : des marchandises de première nécessité y arrivaient, et les routes de l'or asiatique y aboutissaient.

2° L'argent

Dans le monde égéen, plusieurs gisements d'argent sont à signaler : en Asie Mineure, à Siphnos (une île des Cyclades), en Macédoine et en Thrace, au Laurion enfin. C'étaient en général de petits gisements, exploités de façon intermittente, où la recherche constante de nouvelles veines devait suppléer à l'épuisement des anciennes. La seule mine très importante était celle du Laurion.

En Asie Mineure, la Troade, près du mont Ida, la Mysie, la Lydie, la Carie, la Galatie et le Pont possédaient de petits gisements ; le seul qui fût important était situé dans le sud-ouest de la péninsule, dans le Taurus cilicien, près d'Heracleia Cybistra [2]. C'est de là que l'empire hittite tirait l'argent qu'il exportait vers l'Égypte par l'intermédiaire des Crétois. Après que le traité d'Antalkidas eut fait passer

1. Voir le croquis 3.
2. Ce sera le Bulġār Ma'den des textes arabes.

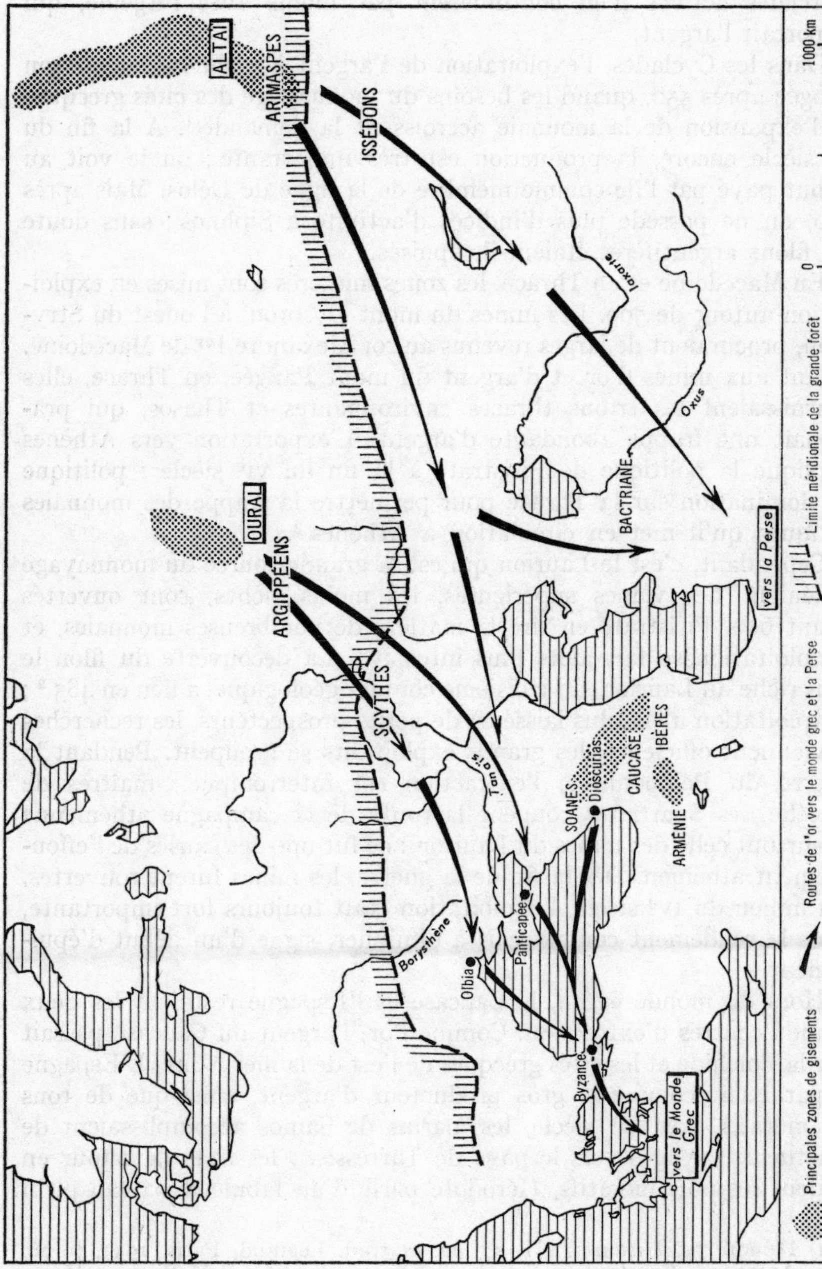

3. L'OR D'ASIE DANS L'ANTIQUITÉ

l'Asie Mineure sous la domination du Grand Roi, des relations commerciales actives n'en continuèrent pas moins avec l'Égéide, qui importait l'argent.

Dans les Cyclades, l'exploitation de l'argent à Siphnos connaît son apogée après 550, quand les besoins du monnayage des cités grecques et l'expansion de la monnaie accroissent la demande [1]. A la fin du ve siècle encore, la production est très importante ; on le voit au tribut payé par l'île comme membre de la ligue de Délos. Mais après 400, on ne possède plus d'indices d'activité à Siphnos ; sans doute les filons argentifères étaient-ils épuisés.

En Macédoine et en Thrace, les zones minières sont mises en exploitation autour de 500. Les mines du mont Dysoron, à l'ouest du Strymon, procuraient de larges revenus au roi Alexandre Ier de Macédoine. Quant aux mines d'or et d'argent du mont Pangée, en Thrace, elles fournissaient les tribus thraces environnantes et Thasos, qui pratiquait une frappe abondante d'argent. L'exportation vers Athènes explique la politique de Pisistrate à la fin du VIe siècle : politique de domination sur la Thrace pour permettre la frappe des monnaies attiques qu'il met en circulation à Athènes [2].

Cependant, c'est le Laurion qui est la grande source du monnayage athénien. Les veines supérieures, les moins riches, sont ouvertes avant 600. Pisistrate en tire la matière de nombreuses monnaies, et l'exploitation se fait alors plus intensive. La découverte du filon le plus riche du Laurion, au troisième contact géologique, a lieu en 483 [3] ; l'exploitation n'est plus laissée à de petits prospecteurs, les recherches deviennent officielles, les grands exploitants se groupent. Pendant la guerre du Péloponnèse, l'extraction est interrompue ; maîtres de Décélie, les Spartiates coupent la route de la campagne athénienne et surtout celle des mines du Laurion : ce fut une des causes de l'effondrement athénien. Dès la fin de la guerre, les mines furent rouvertes. Au milieu du IVe siècle, l'exploitation était toujours fort importante, mais le rendement commençait à diminuer, signe d'un début d'épuisement.

Hors du monde égéen, le Caucase et l'Espagne restaient les deux grands centres d'extraction. Comme l'or, l'argent du Caucase passait par la Colchide et les cités grecques de l'est de la mer Noire. L'Espagne apparaissait comme le gros producteur d'argent, ainsi que de tous les métaux. Au VIIe siècle, les marins de Samos accomplissaient de fructueux voyages vers le pays de Tartessos : les frets de retour en étaient les plus lucratifs, Hérodote parle d'un fabuleux bateau plein

1. HÉRODOTE, *Histoires*, III, 57, éd. et trad. Legrand, Paris, 1939, p. 78.
2. ARISTOTE, *Constitution d'Athènes*, XV, 2, éd. et trad. Mathieu et Haussoullier, Paris, 1941, p. 16.
3. *Ibid.*, XXII, 7, et trad., p. 25.

d'argent. Au début du VIe siècle, ce sont les Phocéens qui servent de relais. Corinthe frappe en argent espagnol, qu'elle achète à ses alliés de Samos et de Phocée, les « pégases » rivaux des « tortues » d'Égine.

Le commerce grec avec l'Espagne et l'importation directe d'argent cessent après 550. L'Espagne devient un domaine carthaginois farouchement gardé et son argent, un monopole punique défendu contre les Grecs de l'est et aussi de l'ouest (Phocéens) grâce à une entente avec les Étrusques. L'afflux d'argent espagnol dans le monde grec ne cesse pas pour autant, mais il se fait par l'intermédiaire des Carthaginois. C'est en argent espagnol que sont frappées les belles monnaies de Sicile et de Grande Grèce qui commencent à apparaître dans la seconde moitié du VIe siècle.

Au milieu du IVe siècle, l'argent d'Espagne et du Maroc est toujours un monopole carthaginois, puisque tous les pays du couchant restent terres réservées du commerce punique. Celui-ci joue un rôle fructueux d'intermédiaire vers les côtes du monde grec, dont les besoins en argent vont croissant avec l'extension du monnayage des villes.

3º Le cuivre

Dans le monde grec, Chypre et l'Eubée sont les deux plus gros producteurs. Les premiers exploitants des mines de Chypre, à Tamassos, Amathos, Soli, centre d'origine phénicienne, ont été les Phéniciens. L'Eubée a des mines dans l'intérieur de l'île, au sud, au mont Ocha, et au nord, à Aidipos ; c'est aussi un marché du cuivre, tant pour Chypre que pour les autres petits gisements d'Asie Mineure, et un grand centre d'industrie du cuivre : Chalcis a le monopole commercial du cuivre dans le monde grec, ce qui n'est pas sans exercer une influence sur le système monétaire euboïque.

Hors du monde grec, les consommateurs sont tributaires, comme pour l'argent ou l'étain, du commerce phénicien : le cuivre de Syrie, du Sinaï et surtout d'Espagne, passe nécessairement par des mains phéniciennes.

b) *Gisements de la zone phénicienne*

La vocation première des Phéniciens a été le commerce des métaux précieux. Un poème exhumé des ruines de Ras Shamra (Ugarit, en Phénicie du Nord) chante la soif de l'or et le commerce au IIe millénaire avant notre ère[1]. Les expéditions des Phéniciens au pays

1. Sur le poème phénicien de « la naissance des dieux gracieux et beaux », cf. R. DUSSAUD dans *C. R. de l'Acad. des Inscr. et B.L.*, 1933, pp. 375-376.

d'Ophir que mentionne la Bible, ne sont que la reprise d'une tradition inaugurée mille ans plus tôt, à travers la Mésopotamie, vers l'Iran et l'argent ou l'or d'Asie centrale, vers le golfe Persique et l'or indien, vers la mer Rouge, le pays de Saba et l'or d'Afrique orientale, vers Thasos. Les routes de l'or et de l'argent les entraînent vers l'ouest, en Espagne, vers le Maroc et en Afrique occidentale. Le mot qui désigne en grec l'or : χρυσος, vient du phénicien *charutz*. La Grèce archaïque a eu connaissance du métal jaune par l'intermédiaire des Phéniciens, transmettant l'or des lointaines contrées productrices aux centres de consommation, des vieilles civilisations de l'Asie antérieure au monde hellénique. Carthage a relayé, dans ce rôle, Sidon et Tyr.

1º L'or

C'est d'abord celui de l'Inde. Dans le nord, au Tibet et sur le rebord de l'Himalaya, une légende, rapportée par Hérodote [1], voulait qu'il fût extrait de la terre par des fourmis géantes ; une fois par an, les Indiens faisaient une grande expédition pour aller recueillir le métal ainsi extrait par les « fourmis » ; ils l'emportaient aux bouches de l'Indus d'où il était expédié vers le golfe Persique. En sanscrit, le mot *pipīla* ou *pipīlaka* désigne à la fois les fourmis, foreuses de galeries, et l'or qu'elles sont censées ramasser.

Dans l'Inde méridionale, des mines d'or étaient exploitées dans le centre du plateau du Dekkan, dans la région de Maïssour ; acheminé vers la côte de Malabar, le métal partait vers le golfe Persique ou vers la mer Rouge. Aujourd'hui encore, la principale exploitation aurifère est située à Maïssour (Mysore).

Au sud du plateau d'Iran, la Carmanie (Kirman) produisait aussi de l'or ; citant Onésicrite, Strabon [2] parle d'un fleuve de ce pays qui roule des paillettes d'or.

L'or de Saba [3] était extrait dans de nombreux petits gisements, du Yémen au Hedjaz, peut-être aussi dès cette époque dans la région des Grands Lacs de l'Est africain (le pays d'Ophir) [4].

L'or venait aussi de Nubie et d'Éthiopie. Il avait donné son nom, *nub* en égyptien, à la Nubie ; on l'extrayait dans l'Etbaye, à Kordofan, Fāzōghlū, Senaar. Diodore de Sicile [5] décrit le travail dans les

1. III, 102-105. — Cf. C. de La Roncière, *La découverte de l'Afrique au Moyen Âge*, Le Caire, 1924-1925, tome I, pp. 94-95.
2. XV, 2, 14.
3. I, *Rois*, 10.
4. Le pays d'Ophir, endroit où se rendaient les navires du roi de Tyr, Hiram, pour y chercher l'or, l'ivoire, les pierres et les bois précieux, était le Yémen, l'Afrique australe ou les côtes de l'Inde.
5. III, 12-14.

mines, et au VIe siècle, Cosmas Indicopleustès[1] rapporte comment se pratiquait le troc muet de l'or entre les orpailleurs de Nubie et l'envoyé du roi d'Axoum : «Arrivée dans le pays de *Sasou*, la caravane s'arrête dans une vaste plaine. On ramasse dans les forêts des arbrisseaux à épines pour former une haie carrée, derrière laquelle on puisse se mettre à l'abri. On tue le bétail, on le découpe et on l'expose, ainsi que le fer et le sel, en petits morceaux devant la haie et l'on se retire au dedans. Les indigènes s'approchent des marchandises qui sont étalées en apportant des grains d'or... Aussitôt qu'ils se sont éloignés, le marchand revient à son tour. » Si la valeur de l'or déposé lui convient, il l'ôte et laisse la viande, le sel ou le fer : sinon, il ne touche ni aux marchandises ni à l'or. Aussitôt que le marchand s'est retiré, les indigènes reviennent et tantôt ils ajoutent quelques grains, tantôt ils enlèvent leur or, et le marché se trouve rompu. »

Par la vallée du Nil, cet or arrive à Syène (Assouan), à la première cataracte ; Syène est le grand entrepôt égyptien de l'or de Nubie et d'Éthiopie. D'énormes quantités d'or ont été thésaurisées par les Pharaons, car l'or n'a pas été frappé en Égypte avant l'époque hellénistique. Un autre grand entrepôt de l'or en Égypte est la colonie phénicienne de Saïs.

A côté de cet or oriental, transmis par le commerce phénicien, un autre courant vient de l'ouest, d'Espagne et du Soudan.

L'or espagnol est recueilli dans les sables aurifères du Bétis (Guadalquivir) ; c'est la région de Taršiš pour la Bible et les Phéniciens, de Tartessos pour les Grecs, de Turdetanie pour Strabon. La plus ancienne colonie de Tyr a été installée sur la côte atlantique, au delà des colonnes de Melqart (Melek Qarta) c'est-à-dire des colonnes d'Héraklès : c'est Gadir (Gadès, plus tard Cadix) qui va lutter contre les gens de Taršiš pour la domination de la région aurifère et aussi des mines d'argent.

Un peu après sans doute, au VIIe siècle avant J.-C., le Liks (Lixus, oued Lukkes près de Larache) devient le point de départ, sur la côte marocaine, des navires phéniciens vers les plages où les nègres apportaient l'or du Soudan. Comme en Afrique orientale, l'or est apporté à dos d'homme jusqu'à la côte et troqué de la même manière.

Voici comment Hérodote[2] décrit l'opération : « Les Carthaginois racontent encore ceci ; il existe au delà des colonnes d'Héraklès un pays habité par des hommes chez lesquels ils se rendent. Ils débarquent leurs marchandises et les exposent en ordre sur le bord de la côte, puis ils regagnent leurs vaisseaux et font de la fumée pour

1. *Topographia christiana* (écr. vers 535). Cité par C. de LA RONCIÈRE, *op. cit.*, I, p. 96.

2. IV, 196. — Cf. St. GSELL, *Textes relatifs à l'histoire de l'Afrique du Nord*, fasc. I, Hérodote, Alger, 1916, p. 239, n. 7.

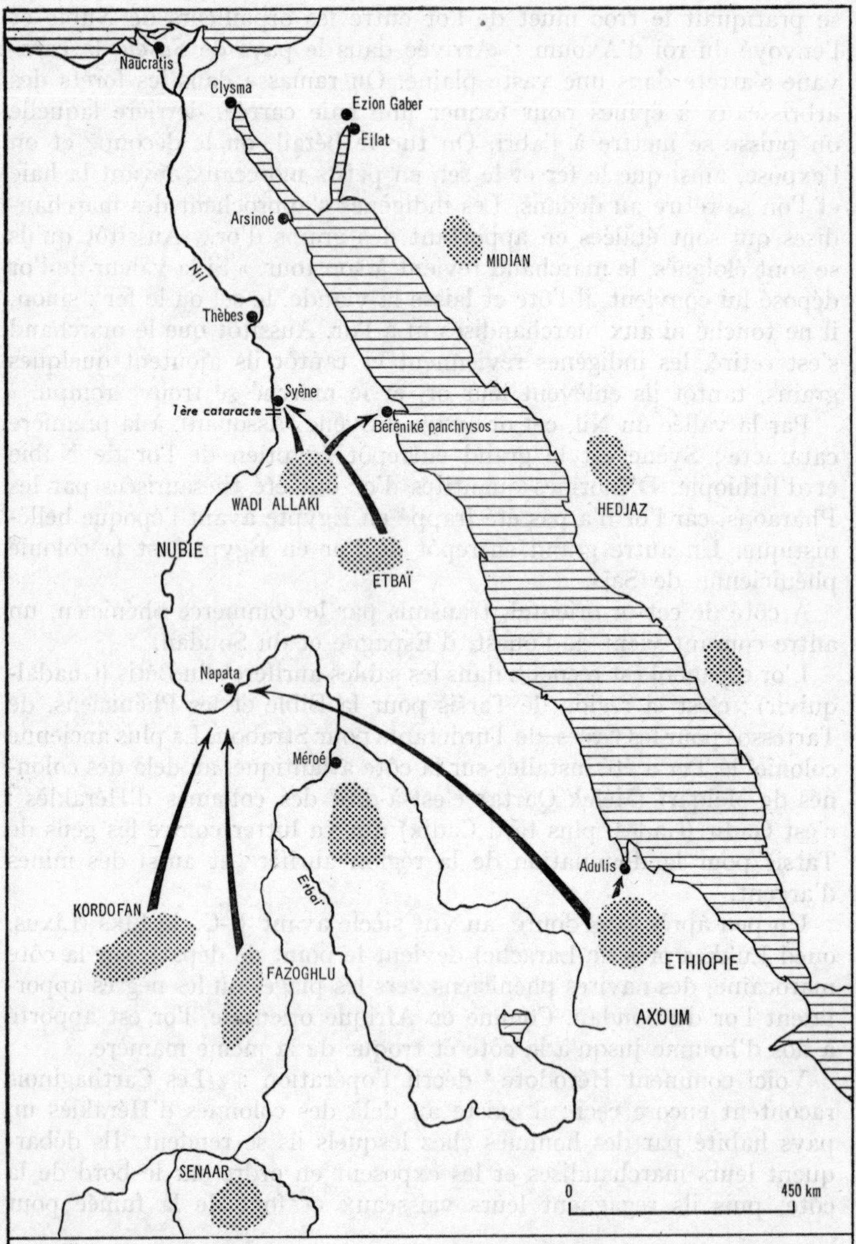

4. L'OR DE NUBIE DANS L'ANTIQUITÉ

avertir les indigènes. Ceux-ci, voyant la fumée, s'approchent de la mer, placent à côté des marchandises l'or qu'ils offrent en échange et se retirent. Les Carthaginois redescendent à terre et examinent ce qu'ils ont laissé. S'ils jugent que la quantité d'or répond à la valeur des marchandises, ils l'emportent et lèvent l'ancre. Sinon, ils retournent à leur navire et attendent. Les indigènes revenant à leur tour ajoutent de l'or jusqu'à ce que les Carthaginois soient satisfaits. On ne se fait réciproquement aucun tort. Les uns ne touchent pas à l'or avant que la quantité déposée leur paraisse en rapport avec leurs marchandises ; les autres ne touchent pas aux marchandises avant que les Carthaginois aient pris l'or ». Les auteurs arabes du Moyen Âge font la même description des échanges entre les commerçants musulmans venus par caravanes et les nègres. Au début du XIXe siècle encore, le capitaine anglais Lyon raconte qu'au delà de Tombouctou, il existe une contrée d'où l'on tire beaucoup d'or et dont les habitants ne sont pas visibles. C'est pendant la nuit qu'on dépose dans des lieux déterminés les marchandises qu'on veut vendre, et le matin on trouve qu'elles ont été emportées et remplacées par l'or qui en est le prix [1].

Le texte d'Hérodote est écrit vers le milieu du ve siècle, au moment où Carthage substitue sa domination propre à celle de sa métropole Tyr sur les lointaines colonies de l'océan Atlantique, têtes de ligne vers les pays de l'or : Gadès et Lixus. L'héritage phénicien dans toute la région occidentale est alors mis en œuvre par la grande république marchande de Carthage dans son empire maritime côtier, formé d'une ceinture de colonies dans les Baléares, en Andalousie, sur la côte d'Afrique du Nord et du Maroc atlantique jusqu'en Afrique occidentale et jusqu'à l'or du Soudan. Vers 450 av. J.-C., Carthage est dominée par la puissante famille des Magonides, suffètes depuis trois générations. Après avoir établi une chaîne de colonies solidement rattachées à la métropole sur toutes les côtes de la Méditerranée occidentale, Carthage songe à dominer les vieux courants d'échange établis par les Phéniciens au delà des colonnes d'Hercule, qui ont pour points de départ Gadès vers l'étain et l'ambre du nord, le Lixus vers l'or du sud. Ce fut l'œuvre des deux petits-fils de Magon : Himilcon, qui se dirigea vers l'Atlantique septentrional, la Manche et la mer du Nord, et Hannon qui gagna le sud du Lixus, et l'Afrique occidentale. Le *Périple de Hannon* est la relation de son voyage inscrite sur le temple de Baal à Carthage ; des traductions en circulaient dans le monde grec [2]. C'est un document d'interprétation difficile, car les Carthaginois prenaient la précaution de ne pas donner de ren-

1. G. F. LYON, *A narrative of travels in Northern Africa in the years 1818-1820*, Londres, 1821, p. 149.
2. Ed. MÜLLER, *Geographi graeci minores*, Paris, 1855, I, pp. 1 et suiv.

seignements trop précis sur leur itinéraire, et de camoufler les véritables distances et les directions pour ne pas permettre que les marines concurrentes l'utilisent. Il n'y est pas question de l'or du Soudan. Mais on peut cependant rapprocher le texte de ce que dit Hérodote vers la même époque.

Le Lixus était la première base de départ ; on y trouvait des interprètes sachant les dialectes des Noirs. De là, plusieurs colonies fondées sur la côte du Maroc servaient de relais jusqu'à l'îlot de Cerné (Rio de Oro), centre des échanges qui se faisaient entre la pacotille apportée par les Phéniciens et l'or apporté par les nègres. A partir de cette deuxième base d'opérations, un voyage d'exploration fut entrepris vers le Sénégal, que l'on remonta jusqu'à Bambouk, au pays de l'or. Le périple continua ensuite le long de la Côte de l'or jusqu'aux bouches du Niger et au volcan Cameroun, le « char des dieux » (θεῶν ὄχημα) alors en éruption. Les Carthaginois rencontrèrent des pygmées, et les peaux de deux femmes pygmées, tannées, furent suspendues en ex-voto dans le temple de Baal...

La route maritime de l'or du Soudan, la seule possible tant que les chameaux n'ont pas permis la traversée régulière du Sahara, a été ranimée par Carthage. Par Cerné, le contact avec les Noirs, qui portaient l'or depuis la région de la Falémé (Bambouk), a été maintenu. Les *Tyria maria*, les « mers phéniciennes » selon l'expression de Festus Avienus [1], où la navigation était interdite à tout navire concurrent, et en particulier aux Grecs, ont couvert les étendues marines depuis le Beau promontoire (Râs sidi Ali el Mekki, à l'ouest de Carthage) et Mestia (le cap Palos, en Espagne). Pris en chasse, le navire punique devait se laisser couler sur les récifs plutôt que d'indiquer l'itinéraire à un navire rival. Une propagande habilement organisée faisait courir des récits pleins d'épouvante, des descriptions de dangers extraordinaires rencontrés par les équipages dans ces lointaines expéditions.

Du VIIe siècle à la fin du IIIe siècle, les mers tyriennes ne purent être parcourues par des étrangers, sauf avec l'expresse autorisation des Tyriens ou des Carthaginois, quand ils ne pouvaient faire autrement ; même alors, des pilotes puniques étaient fournis aux étrangers pour les arrêter à temps. Entre 610 et 595, des officiers du pharaon Néchao partent avec des équipages phéniciens par la mer Rouge et reviennent par le détroit de Gibraltar : ce fut la première circumnavigation de l'Afrique, accomplie d'est en ouest. Entre 478 et 465, un neveu de Darius, Sitalcès, monte une expédition avec des équipages phéniciens recrutés à Saïs, dans le delta égyptien. L'Égypte fait

1. Le poème de Festus Avienus, *Ora maritima*, dont le premier livre est seul conservé, est peut-être imité d'un auteur carthaginois.

alors partie de l'Empire achéménide et Tyr, vassale du Grand Roi, lui prête le concours de sa flotte dans les guerres contre les Grecs. L'idée est de refaire le périple de Néchao par l'autre côté, d'ouest en est, mais c'est un échec : le voyage ne va pas au delà de la Sierra Leone, les pilotes phéniciens ne s'aventurant pas plus loin. Quelque temps après, vers 450, le commerce océanique passe sous le contrôle carthaginois (périples de Hannon et de Himilcon).

Entre 328 et 325, ont lieu les voyages d'exploration de deux Grecs de Marseille : Pythéas et Euthyménès ; le premier met le cap vers les pays de l'ambre et de l'étain au nord, le second vers les pays de l'or, mais, trompé par ses pilotes carthaginois, il ne dépasse pas le Sénégal. On peut se demander pourquoi Carthage accorde ainsi sa permission aux deux Massaliotes et introduit l'ennemi dans son domaine. De fait, elle connaît de sombres jours. En 348, les progrès de Rome en Italie lui ont enlevé l'appui des Étrusques. Dix ans, après, elle doit mener des luttes épuisantes en Sicile contre les Grecs de Timoléon, et surtout, en 332, Tyr est prise et détruite par Alexandre. Celui-ci nourrit de grands projets de domination sur tout l'Occident et médite de faire subir à Carthage le même sort qu'à son ancienne métropole. La souplesse punique n'a accordé de permission aux deux Massaliotes que sous la pression des événements.

Mais, le danger passé, à la mort d'Alexandre en 323, Carthage se hâte de monter de nouveau la garde devant le détroit, autour du Maroc et sur les côtes atlantiques, tant que durent sa marine et sa puissance, c'est-à-dire jusqu'aux guerres puniques. Le périple de Hannon se place en 450 ; dans la seconde moitié du ve siècle, le monnayage d'or apparaît en Sicile, aussi bien dans la Sicile punique que dans la Sicile grecque, témoignant d'un afflux régulier d'or alimenté par les expéditions carthaginoises.

2° **L'argent**

Comme l'or, l'argent d'Espagne a été un monopole des Phéniciens, puis des Carthaginois ; il était extrait dans la zone interdite, au sud du cap Palos. Dans cette grande région argentifère de l'Antiquité, un talent d'Eubée était extrait en trois jours, d'après Diodore de Sicile. A l'époque de Polybe, au IIe siècle, 40 000 mineurs travaillaient dans les galeries près de Carthagène [1]. Des mines étaient exploitées dans la sierra Morena, au nord de la plaine de Bétique. L'exploitation, d'abord entreprise par les indigènes, a été poursuivie par les Phéniciens, puis par les Romains. Écartant la concurrence grecque des marchands de Samos, Gadès imposa sa domination sur Taršiš. Les Phéniciens sont alors maîtres de l'argent espagnol. Des légendes

1. STRABON, *Geogr.*, III, 2, 10.

entourent ce lointain Eldorado : quand les Phéniciens abordent en Espagne pour la première fois, ils trouvent des indigènes qui nourrissent leurs animaux dans des mangeoires d'argent massif [1] ; chargeant leur navire de tout l'argent qu'ils peuvent, ils vont même jusqu'à remplacer leurs ancres par des ancres d'argent. Ces récits rappellent ceux des conquérants de l'Amérique.

Les grands entrepôts de l'argent espagnol sont Gadès, Malaga, Carthagène. La vente de l'argent dans toute la Méditerranée orientale et en Orient rapporte de gros profits. Les Grecs de Sicile et d'Italie du Sud sont tributaires des Phéniciens pour leur monnayage d'argent, qui offre de superbes exemples de l'art numismatique, en métal blanc espagnol transité par Carthage.

L'Atlas marocain fournissait aussi de l'argent ; la montagne d'argent *Casaphus mons*, tirait son nom du mot phénicien qui désigne l'argent, ***kasaph***. Le Lixus en était l'entrepôt comme pour l'or du Soudan.

3° Le cuivre

Le domaine phénicien recélait de très grosses quantités de cuivre. On en extrayait en Palestine, en Edom, au Liban, en Chaldée, en Carmanie. Le Sinaï, la Thébaïde, la Nubie, en Égypte, en produisaient aussi des masses considérables, qui expliquent l'important monnayage de cuivre sous les Ptolémées. En Italie, les centres producteurs étaient situés à Tennessa dans le Bruttium, dans l'île d'Elbe (Aetalia) et à Volaterrae (Volterra) en Étrurie. Les Étrusques possédaient l'art du bronze et utilisaient des monnaies de cuivre.

Enfin, c'était, avec l'argent, une production importante de l'Espagne. Il était exploité sur la côte sud, en Bétique à Cotinae, dans le mons Marianus (= sierra Morena), et au Rio Tinto.

4° L'étain

Les Phéniciens avaient le monopole des routes maritimes vers l'Espagne du Nord, l'Armorique, le sud-ouest de la Bretagne (Cassitérides), qui le produisaient. Ils étaient ainsi les gros importateurs de ce métal dans le monde méditerranéen.

Résumons-nous : les Grecs jouissaient de l'or de l'Asie intérieure et de l'or de Thrace, transmis par l'intermédiaire commercial des peuples de la steppe et des peuples de la mer ; ils disposaient aussi de l'argent du Laurion. Aux statères d'or de Philippe répondaient les drachmes d'argent d'Athènes. Quant aux Phéniciens, ils recevaient l'or de l'Inde, de l'Arabie et d'Afrique, l'argent d'Espagne et du Maroc ; à leur commerce de ces métaux précieux correspondent

1. *Ibid.*, III, 2, 14.

les dariques d'or des souverains achéménides et le monnayage d'argent, puis d'or, des cités de Sicile et d'Italie du Sud.

4. La diffusion du monnayage et des systèmes monétaires

a) *Le monnayage*

L'invention de la monnaie frappée, succédant à la monnaie-lingot, s'est faite, semble-t-il, au contact du domaine grec et de celui des grands empires orientaux, en Lydie, où étaient situées des mines d'électrum, vers la fin du VIIIe siècle ou au début du VIIe ; alors apparaissent les premières monnaies véritables, qui sont d'électrum. De là, le monnayage progresse vers les empires orientaux, et, à l'ouest, vers le monde grec, le long des itinéraires commerciaux.

Crésus frappe des monnaies d'or et d'argent. Lorsque son royaume tombe au pouvoir des Achéménides, vers 556, ce monnayage est continué par les statères d'or (dariques) et par les drachmes d'argent (*šekel*) des rois perses. La frappe de l'or était réservée au Grand Roi ; la pièce d'or perse porte le nom de darique, mais rien ne prouve qu'elle n'ait pas été frappée avant 521, date de l'accession au trône de Darius. Tire-t-elle son nom de ce roi, ou plutôt d'un vieux vocable mésopotamien révélé par les inscriptions cunéiformes : *daraga*, c'est-à-dire « la 60e partie » (on trouve aussi *daraga manah*, la 60e partie de la mine) ? Est-ce là l'origine de la « drachme » grecque, mère du « direm » pehlvi et du « dirhem » musulman ?

La darique portait à l'avers l'image du roi à genoux ou courant, armé de l'arc et de la lance, au revers une devise. D'énormes quantités en furent émises par Cyrus le Jeune pour payer ses mercenaires grecs, au tarif d'une darique par mois, pendant l'expédition des Dix mille, à la fin du Ve siècle. Nous aurons à revenir sur l'importance de la solde des mercenaires pour la frappe des monnaies d'or au milieu du IVe siècle. Quand les trésors des rois perses furent pillés par Alexandre à Ecbatane et à Suse, de grandes masses de dariques furent jetées sur le marché.

A l'ouest, la frappe des monnaies d'électrum gagne les villes grecques de la côte d'Asie Mineure. Après l'électrum, l'or : Phocée frappe des monnaies d'or de 602 à 560, pendant sa thalassocratie. Dès le VIIe siècle, la frappe de la monnaie passe l'Égée ; à Égine, les premières monnaies sont frappées avant 600 par Phidon d'Argos ; ce sont les fameuses « tortues » d'Égine, qui tirent leur origine de la statue d'Aphrodite Ourania, dans le temple qui domine le port, représentant la déesse, le pied sur une tortue. Le *temenos* sacré renferme le trésor, une banque, les ateliers de frappe, comme le temple d'Athéna à Athènes, celui d'Apollon à Delphes, celui de Juno Moneta à Rome. L'île d'Égine a tiré avantage de sa position [1] ; son sol improductif l'a tournée vers le commerce comme Venise. Ses habitants se sont faits les colporteurs de la Grèce, essaimant en Attique, dans la Grèce centrale et vers le Péloponnèse. L'influence d'Égine s'est exercée tout le long des routes commerciales par l'exportation des monnaies de l'île ou en suscitant leur imitation ; ainsi la diffusion de la pratique du monnayage s'en est trouvée hâtée. En Eubée, les pièces primitives datent du VIIe siècle. Puis nous avons le monnayage de Corinthe, daté d'avant 600, et celui d'Athènes, avec la réforme de Solon, en 594-593.

Vers le sud, le monnayage commence au début du VIe siècle dans les colonies grecques de Cyrénaïque ; les pièces portent l'image du *silphium*, la grande spécialité pharmaceutique de la région. Vers le nord, la pratique du monnayage est introduite au milieu du VI siècle en Macédoine et en Thrace. Vers l'ouest, elle se répand de Corinthe à Corcyre (vers 585 ?) et, par l'Adriatique, gagne l'Italie du sud (vers 550) ; par une autre route de commerce, celle qui contourne le Péloponnèse, elle atteint la Sicile et, de là, l'Étrurie au milieu du VIe siècle.

Pendant ce temps, la frappe monétaire chemine vers l'est, le long de la côte méridionale d'Asie Mineure, en Lycie, en Pamphylie, en Cilicie et jusqu'à Chypre (fin du VIe siècle).

A l'époque des guerres médiques, dans la première moitié du Ve siècle, presque toutes les villes importantes du monde grec possèdent la frappe monétaire ; seule, Sparte fait exception en se tenant à l'écart du grand mouvement commercial. Vers la fin du Ve siècle, les cités marchandes de Phénicie, Arad, Sidon, Tyr, se mettent aussi à frapper monnaie. Celle de Sidon porte d'un côté une galère, de l'autre, le Grand Roi sur son char ; le roi de Sidon suit à pied, une main appuyée aux rayons de la roue : les villes phéniciennes sont en effet entrées dans l'Empire achéménide.

Du côté carthaginois, les monnaies apparaissent en Sicile à partir de 410 av. J.-C. ; elles sont destinées à payer les mercenaires employés dans la guerre contre les Grecs. La venue tardive de grands marchands phéniciens ou puniques à l'institution monétaire, par le biais du paiement des mercenaires, pose un problème. On pourrait proposer une explication : les grands intermédiaires qui pratiquent depuis très longtemps l'échange de marchandises variées (lingots d'or et d'argent, étoffes de pourpre, épices, aromates, encens), utilisent des systèmes

1. *Ibid.*, VIII, 6, 16 : « Suivant Éphore, c'est à Égine que Phidon fit frapper la première monnaie d'argent. »

archaïques de barème, de références et de pesées ; aussi la monnaie réelle ne triomphe-t-elle que tardivement. Si donc, l'invention de l'alphabet peut caractériser le génie sémitique, celle de la monnaie marquerait le génie grec.

Au milieu du IVe siècle, à la veille des conquêtes d'Alexandre, l'institution monétaire est implantée dans toutes les cités commerçantes de la Méditerranée grecque ou phénicienne. Mais Carthage n'émet de monnaies qu'en Sicile et reste sous l'influence du monnayage des cités grecques : ses pièces sont, en effet, de type grec avec des inscriptions puniques. Les séries proprement carthaginoises, portant des chevaux, ne commencent que plus tard.

Tandis que les rois de Macédoine, Philippe II en particulier, et le souverain achéménide, Darius III Codoman, frappent leurs philippes et leurs dariques, l'Étrurie et l'Italie centrale n'émettent encore que quelques pièces d'or et d'argent, et sortent surtout des pièces de bronze, le métal indigène. L'Égypte n'a pas encore de frappe ; il faut cependant signaler que, lors de la révolte du pharaon Tachôs (361-360) contre la domination perse, le souverain dut, pour s'acquitter envers ses mercenaires grecs, frapper des statères d'or à l'étalon perse et au type athénien, portant pour légende « Taô » et substituant le papyrus à l'olivier [1].

b) *Les systèmes monétaires*

Le choix des unités monétaires est-il en rapport avec les systèmes pondéraux ? La question est très discutée. Il semble bien, en effet, qu'il soit vain d'y chercher une détermination scientifique analogue à notre système métrique, qui ne saurait entrer dans les cadres mentaux du moment. A l'origine, il s'agit de poids « naturels » ; on a affaire à une double série de poids, l'une faible et l'autre forte, représentant le double de la première : la *mine*, unité de ces deux séries, est ce qu'un homme peut soulever d'une main, ou des deux. C'est une mesure qui résulte de pratiques commerciales fondées sur l'habitude, et de leur diffusion le long des grandes routes d'échange.

Un autre principe gouverne ces systèmes monétaires : des étalons non théoriques diffèrent selon qu'il s'agit de peser l'or, l'argent ou le cuivre ; on peut les comparer aux poids spéciaux, qui, au Moyen Âge, s'appliquent aux épices, pesées et évaluées selon des critères différents de ceux qui prévalent lorsqu'il s'agit de denrées ordinaires. Ainsi l'unité de poids utilisée pour l'or n'est pas la même que pour l'argent ou le cuivre.

On peut donc définir trois grands systèmes : celui de l'or, avec

1. G. F. HILL, « Greek coins acquired by the British Museum in 1925 », *Numismatic chronicle*, 1926, pp. 130-132 et pl. VI, 23.

les pièces d'or de Crésus, les dariques perses ou les philippes macédoniennes ; celui de l'argent et des pièces lydiennes, phéniciennes ou grecques ; celui du bronze et des monnaies étrusques et romaines.

1o Système de l'or

L'origine de l'unité de poids pour ce métal est le šekel d'or babylonien (σίγλος ou σίκλος) qui pesait approximativement 8,4 gr.

60 šekel = 1 manah (μνᾶ) = 505 gr.
60 mines = 1 kikkar (τάλαντον) = 30,300 kg.

Ce poids de 8,4 gr. est celui des pièces d'or de Crésus, des dariques perses et des émissions d'or d'Athènes, de Rhodes et de Cyzique. Lorsque, vers 350, Philippe II de Macédoine frappe l'or, il adopte le poids de 8,7 gr. pour ses philippes, afin que son or prime sur celui du Grand Roi et lui attire le plus grand nombre possible de ces mercenaires disputés aux Perses, aventuriers qui fourmillaient alors dans le monde grec et se vendaient au plus offrant.

2o Système de l'argent

Tout différent de celui de l'or, il lui est pourtant rattaché. En Mésopotamie, le rapport de l'or à l'argent est de 13 1/3 à 1.

1 šekel d'or (8,4 gr.) = 111,72 gr. d'argent.

Dans ces 111,72 gr. d'argent, les Lydiens et, à leur suite, les Perses ont frappé 10 pièces d'argent de 11,172 gr. chacune. Les Phéniciens en ont taillé 15 dont chacune pesait 7,44 gr. Deux systèmes se juxtaposent donc.

Le système lydien est fondé sur des pièces d'argent (šekel) de 11,172 gr. et sur la mine d'argent (60 šekel) = 670 gr. Il s'étend sur la plus grande partie de l'Asie Mineure, le long de la côte méridionale et, sporadiquement, sur la côte occidentale. De là, il gagne le nord-ouest, la Propontide et les côtes de Thrace ; le sud-est, Chypre puis Arad, ville phénicienne, et, beaucoup plus loin, l'Arabie du sud, place de commerce international, où on le retrouve coexistant avec d'autres systèmes, notamment le phénicien.

Le système phénicien, avec un šekel d'argent de 7,44 gr. et une mine de 446 gr., est moins employé que le système lydien en Asie Mineure. Il caractérise la plus grande partie du monnayage de Phénicie, sauf à Arad. Même la domination des Séleucides, possesseurs d'un autre étalon, ne peut le déloger ; les monnaies frappées par les Juifs pendant la première révolte contre Rome, au Ier siècle après J.-C., appartiennent encore au système phénicien. Vers l'ouest, ce système a gagné quelques îles de la mer Égée ; au nord, il remonte jusqu'à Byzance quelque temps, et jusqu'en Macédoine (sous les premiers rois). Il conquiert la Cyrénaïque et Carthage. A l'époque de Ptolémée Sôter, il triomphe en Égypte, après une brève lutte contre d'autres systèmes.

Les systèmes grecs ont pour étalon le talent de 60 mines, mais cette mine égale 50 sicles ou statères. Le système éginète de Phidon d'Argos adopte le poids de 12,6 gr. pour sa « tortue » d'argent ; la mine de 50 statères pèse donc 630 gr. ; elle est en relation avec l'étalon lydien de 670 gr. Le système attique, qui s'étend à l'Eubée, l'Attique et Corinthe, est fondé sur la pièce d'argent de 8,72 gr. ; la mine de 50 statères pèse 436 gr., en relation avec l'étalon phénicien de 446 gr.

Sauf quelques exemples exceptionnels à l'est, en Cilicie et à Chypre, le domaine de l'étalon éginète comprend les îles de la mer Égée, le Péloponnèse, la Grèce centrale, la Crète, la partie occidentale du Pont-Euxin, et, pendant la période ancienne, la Sicile. Le domaine du système à la fois euboïque, attique et corinthien s'enfonce comme un coin dans le domaine éginète. Il rayonne vers la Chalcidique de Thrace au nord, vers la Sicile, d'où il chasse, dans les premières années du ve siècle, le système éginète ; de Sicile il conquiert la Campanie au nord. Son grand triomphe date de l'époque hellénistique. Sauf Ptolémée, fidèle à l'étalon phénicien, Alexandre et ses successeurs adoptent l'étalon attique et frappent d'énormes quantités de monnaies. Partout où pénètre la civilisation hellénistique, d'innombrables copies des tétradrachmes d'Alexandre apparaissent.

Corinthe est le pivot de ces deux systèmes. La monnaie corinthienne a la même unité que le système euboïque-attique ; sa statère, comme l'attique, pèse 8,72 gr., mais elle est divisée en trois, et non pas quatre drachmes. Deux drachmes corinthiennes égalent une drachme éginète. Au IVe siècle, pour les trésoriers de Delphes, 100 drachmes attiques en valaient 70 d'Égine.

3° Système du bronze

Il domine la péninsule italienne avant l'introduction du monnayage par les colonies grecques de Sicile et d'Italie du Sud. Les moyens d'échange consistent en effet en lingots de bronze dont l'unité de poids, la vieille livre italiote, est de 273 gr. Par la suite, dans la première moitié du IVe siècle, cette livre est supplantée par la livre romaine de 327,45 gr. (λίτρα = libra), et c'est sur ce poids que repose la circulation monétaire romaine. L'*as libralis* est la monnaie qui lui correspond. Le poids d'argent équivalant en valeur au poids de bronze, est à Rome le *scripulum* (scrupule) de 1,137 gr., base de la monnaie romaine d'argent, le *nummus* qui représente en argent la valeur de l'*as libralis* en bronze. Livre et scrupule sont aussi les unités du monnayage d'or romain.

5. Monométallisme et bimétallisme

L'autorité qui frappe l'or et l'argent peut choisir entre deux systèmes : le monométallisme et le bimétallisme. Dans le premier système, l'un des deux métaux est l'étalon officiel, légal. L'autre métal n'est employé que pour les besoins subsidiaires ; il sert de monnaie d'appoint ; il n'a pas de pouvoir libératoire illimité. Par exemple, l'Angleterre est restée fidèle au monométallisme-or jusqu'en 1931 ; le shilling d'argent était une simple monnaie secondaire. L'Inde avait adopté le monométallisme-argent, avec pour monnaie-étalon la roupie (*rūpya* = argent, en sanscrit) ; l'or était une simple marchandise. Dans le système bimétalliste, les deux métaux sont étalon légal et une relation fixe est établie entre eux. Ils jouent le même rôle et leur pouvoir libératoire est identique. Avant 1872, la France bimétalliste avait établi un rapport légal de 15 1/2 à 1 entre l'or et l'argent.

Lorsque ces deux systèmes sont en présence, leur plus grand désavantage vient des variations importantes qui peuvent affecter la valeur relative des deux métaux : le métal s'enfuit alors du pays où il est le moins apprécié vers les pays où il l'est le plus. Dans l'Antiquité, le commerce était moins actif, les relations entre diverses places commerciales moins fortes et moins rapides ; aussi la tradition, l'habitude, avaient-elles plus de force et les troubles moins de puissance. Cependant, ils existaient, et leur importance est grande pour l'évolution économique.

L'Empire perse était bimétalliste ; il avait emprunté ce système à Crésus et juxtaposait les dariques d'or aux šekels d'argent ; le rapport fixe entre les deux métaux était de 13 1/3 à 1. Dans le monde grec régnait le monométallisme-argent (jusqu'au IVe siècle) ; monométallisme apparent d'ailleurs, car les dariques d'or circulaient. Au milieu du IVe siècle, Philippe instaura un bimétallisme méditerranéen.

Les variations du rapport or-argent sont causées par la rareté ou l'abondance plus ou moins grandes d'un métal par rapport à l'autre. Elles étaient la source de gros bénéfices pour les *arbitragistes*, marchands phéniciens ou grecs qui dirigeaient l'or sur les places où il était apprécié par rapport à l'argent, où il faisait prime, et l'argent sur les places où sa rareté par rapport à l'or lui donnait plus de valeur.

Ainsi, dans l'Égypte ancienne, l'argent était plus rare et plus apprécié que l'or : sous l'Ancien Empire, il venait de Cilicie puis d'Espagne ; les Phéniciens qui le transmettaient à l'Égypte réali-

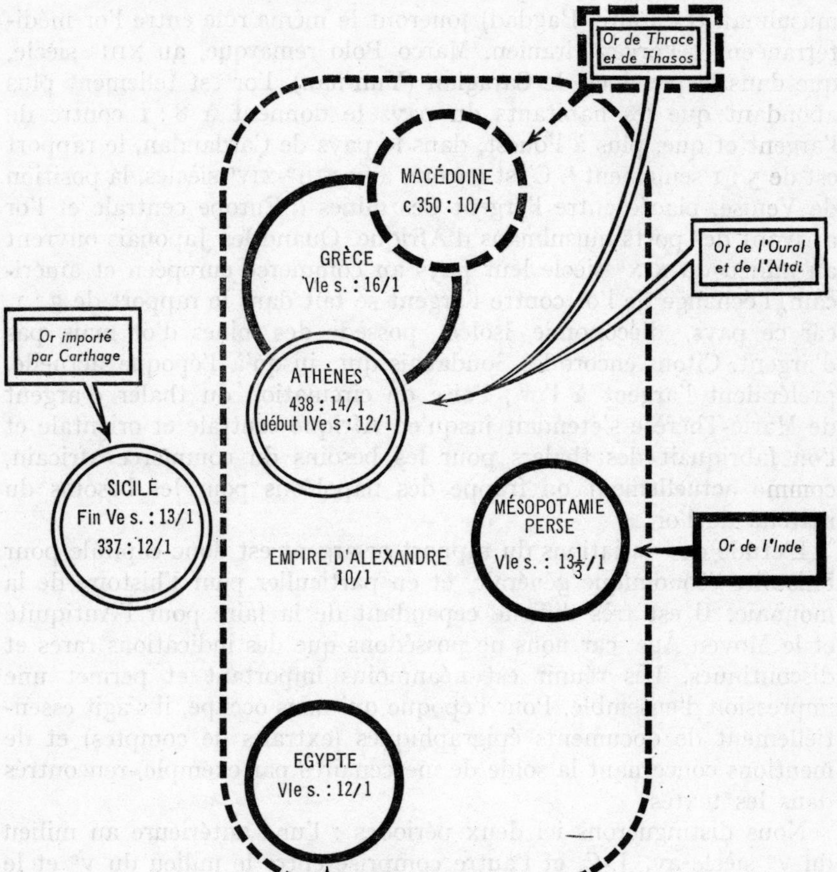

6. ÉVOLUTION DU RAPPORT OR-ARGENT DU VIe SIÈCLE AVANT J.-C. AU IVe SIÈCLE APRÈS J.-C.

saient d'énormes bénéfices en pratiquant ces arbitrages. Aux VIIIe-Xe siècles après J.-C., les places commerciales et bancaires du monde musulman (Le Caire, Bagdad) joueront le même rôle entre l'or méditerranéen et l'argent iranien. Marco Polo remarque, au XIIIe siècle, que dans la province de Caragian (Yun-nan), l'or est tellement plus abondant que les habitants du pays le donnent à 8 : 1 contre de l'argent et que, plus à l'ouest, dans le pays de Çardandan, le rapport est de 5 : 1 seulement [1]. C'est encore, aux XIIIe-XIVe siècles, la position de Venise, placée entre l'argent des mines d'Europe centrale et l'or arrivant des ports musulmans d'Afrique. Quand les Japonais ouvrent au milieu du XIXe siècle leur pays au commerce européen et américain, l'échange de l'or contre l'argent se fait dans le rapport de 3 : 1, car ce pays, d'économie isolée, possède des mines d'or mais pas d'argent. Citons encore les Soudanais qui, jusqu'à l'époque actuelle, préféraient l'argent à l'or ; l'aire de circulation du thaler d'argent de Marie-Thérèse s'étendait jusqu'en Afrique centrale et orientale et l'on fabriquait des thalers pour les besoins du commerce africain, comme actuellement on frappe des napoléons pour les besoins du marché de l'or.

L'étude des variations du rapport or-argent est donc capitale pour l'histoire économique générale, et en particulier pour l'histoire de la monnaie. Il est très difficile cependant de la faire pour l'Antiquité et le Moyen Âge, car nous ne possédons que des indications rares et discontinues. Les réunir est néanmoins important et permet une impression d'ensemble. Pour l'époque qui nous occupe, il s'agit essentiellement de documents épigraphiques (extraits de comptes) et de mentions concernant la solde de mercenaires par exemple, rencontrés dans les textes.

Nous distinguerons ici deux périodes : l'une antérieure au milieu du Ve siècle av. J.-C. et l'autre comprise entre le milieu du Ve et le milieu du IVe siècle, c'est-à-dire à la veille des conquêtes d'Alexandre.

Avant le milieu du Ve siècle l'Égypte reçoit l'argent espagnol transporté par les Phéniciens, tout en continuant à profiter de la proximité et de la richesse des mines de Nubie et d'Éthiopie. Des inscriptions pharaoniques datant d'avant la conquête perse (525), indiquent un rapport de 12 à 1 entre l'or et l'argent.

En Asie subsiste le vieux rapport mésopotamien, révélé par les inscriptions cunéiformes, de 13 1/3 à 1. Il est conservé lors de la constitution du grand Empire achéménide. La domination des Achéménides sur la vallée de l'Indus leur permet de contrôler la route de l'or du Tibet, tandis que la conquête de l'Égypte par les armées de

1. MARCO POLO, *La description du monde*, éd. L. Hambis, Paris, 1955, pp. 169 et 173.

Darius leur vaut, sous forme de tribut, l'or des mines de Nubie et d'Éthiopie.

Dans la Grèce du VIe siècle, en revanche, l'or est rare et le rapport s'établit à 15 ou 16 à 1 ; à Athènes, vers 450, il tombe à 14 à 1 et c'est à ce taux qu'est acheté, en 438, l'or de la statue chryséléphantine d'Athéna Parthénos.

Du milieu du Ve au milieu du IVe siècle dans le monde grec, l'or baisse par rapport à l'argent ; dans le monde oriental, le rapport est maintenu. En Sicile, l'or est frappé dans la seconde moitié du Ve siècle au rapport de 13 à 1. Il est tout à fait significatif de voir le point le plus occidental du monde grec enregistrer une baisse de l'or par rapport à l'argent. La Sicile grecque est en relations continuelles avec la Sicile carthaginoise et avec le commerce carthaginois, qui leur fournissait le métal de frappe, l'argent d'Espagne. La frappe de l'or dans la seconde moitié du Ve siècle et la baisse du rapport or-argent est certainement liée aux arrivées plus massives d'or soudanais sur les marchés puniques, quand le commerce de cet or a été réorganisé par Hannon. A l'époque de Timoléon, mort en 337, quelques années avant le début des conquêtes d'Alexandre en 334, ce rapport est encore plus bas : 12 à 1, car le courant d'or du Soudan s'est encore accru et ajoute aux stocks déjà en circulation.

A Athènes, la frappe de l'or commence à la fin du Ve siècle et se développe pendant la première partie du IVe. Quelques comptes des trésoriers de la déesse établissent un rapport de 12 à 1 au début du IVe siècle, rapport semblable à celui de la Sicile. Quelles sont les causes de cette baisse ? En premier lieu, Athènes est devenue après les guerres médiques la grande place de commerce ; elle le reste même après les désastres de la guerre du Péloponnèse, et le Pirée demeure le grand port où affluent les marchandises et les monnaies de toute la Méditerranée : or d'Occident et de Phénicie, or du Soudan qui innerve tout le bassin méditerranéen et vient aboutir dans ce pays dominateur du commerce. De plus, Athènes domine alors les routes commerciales du nord, de la mer Noire par où arrive l'or de l'Oural et de l'Altaï ; elle exploite aussi à son profit les mines d'or de Thrace et de Thasos. La question de la Thrace, de Byzance et des détroits joue un rôle important dans la politique athénienne à la fin du Ve et au début du IVe siècle.

Enfin, l'afflux de dariques d'or perses dans le monde grec touche plus spécialement Athènes. Il compense l'achat de marchandises : objets de luxe, produits des industries d'art ; l'article grec est la nouveauté à la mode et cette période est marquée par le rayonnement des formes et du décor grecs sur le monde oriental. De plus, la politique du Grand Roi est la politique de la darique : elle achète les consciences, corrompt, pour les maintenir divisées et impuissantes, les cités grecques. Ajoutons qu'un sol aux pauvres ressources déborde d'un trop-plein d'hommes : aventuriers, mercenaires... ; leur présence est un phénomène général en Grèce et en Macédoine ; ils aident le pharaon Tachôs dans sa révolte contre les Perses (361-360) ; en Asie Mineure, en Mésopotamie, ils forment les troupes du Grand Roi ou des prétendants : ainsi lors de l'expédition des Dix mille, racontée dans l'*Anabase* de Xénophon, qui apporte de précieuses indications sur les questions monétaires.

Les inscriptions de certaines villes grecques évaluent en dariques les dépenses. Or, quand Philippe II (360-336) frappe ses pièces d'or, vers 350, après la conquête de la Thrace et la mise en exploitation des mines d'or du Pangée, il adopte un poids différent, nous l'avons vu, de celui des dariques : 8,7 au lieu de 8,4 gr. En outre, il frappe aussi des pièces d'argent, adoptant un système bimétalliste. Mais il établit un nouveau rapport entre l'or et l'argent. Avant lui, la seule circulation bimétallique connue des Grecs était celle des rois de Perse, au rapport de 13 1/3 : 1. En Grèce, le cours de l'or variait suivant sa rareté ou son abondance plus ou moins grande ; la darique était acquise à la valeur du métal du moment. Philippe se rendit compte de l'excellence de l'affaire pour un gros producteur d'or ; il frappa des statères d'or au rapport de 10 : 1, le prix le plus bas qui ait jamais été atteint sur les marchés grecs, considérablement moins élevé que le rapport perse de 13 1/3 : 1. Le résultat de cette politique de l' « or à bon marché » fut que ses « philippes » inondèrent rapidement tout le monde grec et se frayèrent un chemin jusque vers l'ouest, puisqu'on en trouve des copies en Gaule et en Bretagne.

Ce mouvement revêt une très grande importance. Les profits que Philippe s'assurait par l'exportation massive de son or, le mirent en position de contrôler le commerce grec. De plus, il supplantait les rois perses sur le marché de l'or et les privait de la demande en dariques du monde grec, telle qu'elle existait en Grèce au Ve et au début du IVe siècle.

En 331, la darique valait à Delphes dix fois seulement son poids d'argent, alors qu'elle était émise en Perse selon un rapport d'un tiers supérieur 13 1/3 : 1). La pièce d'or dans une circulation bimétalliste au rapport de 10 : 1 fait prime sur la pièce d'or dans une circulation bimétalliste au rapport de 13 1/3 : 1 ; et cela à la fois sur les marchés monétaires, sur ceux des marchandises et ceux des mercenaires. C'est un fait économique considérable.

Enfin la circulation des monnaies d'or se généralisa dans le monde méditerranéen comme dans le monde oriental, où se dessinait une tendance à l'unification ; le bimétallisme remplaça le monométallisme-argent. Cet avènement du bimétallisme méditerranéen fut préparé par divers phénomènes : l'arrivée de l'or d'Afrique, que l'on frappait en Sicile dans la seconde moitié du ve siècle et en Grèce dans la première moitié du IVe siècle ; l'arrivée de l'or d'Asie (Oural et Altaï) ; la pénétration de la darique sur les marchés grecs ; certaines cités, nous l'avons vu, évaluent leurs dépenses en dariques. La darique joue le double rôle de monnaie réelle et de monnaie de compte [1].

Un autre fait monétaire important se dégage aussi au cours du IVe siècle. On voit apparaître dans plusieurs villes grecques, à partir de la fin du ve et au début du IVe siècle, une circulation régulière de bronze. L'indication de la valeur qui figure sur la pièce ne correspond pas à la valeur réelle, intrinsèque, du poids de bronze. Les poids de ces monnaies sont irréguliers et ne sont rattachés en aucune manière à un système de valeur métallique propre. C'est une monnaie accessoire, de valeur conventionnelle, qui fournit aux besoins de la seule circulation locale. Si l'on a trouvé des monnaies d'argent et surtout d'or loin des lieux de frappe, car elles sont monnaies du grand commerce, en revanche les monnaies de bronze ne se trouvent qu'au voisinage de leurs centres d'émission : elles sont la monnaie du petit commerce local. Ainsi se hiérarchisent et s'organisent les différentes monnaies dans le monde méditerranéen.

6. Situation au milieu du IVe siècle

On vient de voir comment l'économie-argent s'est peu à peu développée et l'outillage monétaire répandu pour les besoins du grand commerce. Certains pays toutefois n'ont pas encore été touchés par les nouvelles techniques : c'est le cas de l'Égypte. D'autres, qui comptent cependant parmi les plus importants, viennent seulement d'être gagnés à l'économie monétaire : ainsi, les villes phéniciennes et Carthage, à la fin du ve et au début du IVe siècle, et encore est-ce, à Carthage, par le biais des besoins consécutifs à la paye des mercenaires combattant en Sicile contre les Grecs, chez qui la monnaie était déjà instituée. Du fait du peu d'ancienneté de l'institution monétaire, de larges espaces subsistent où le troc est couramment employé.

Deux aires commerciales se juxtaposent : la Grèce et la Macédoine d'un côté, les villes phéniciennes avec l'Empire achéménide de l'autre. Deux domaines commerciaux se partagent les ressources en métaux

1. On verra (p. 216) que le dinar musulman jouera le même rôle aux VIIIe-Xe siècles sous le nom de *mancus*. Il n'existe pas alors, dans l'Occident barbare, de frappe d'or au type indigène ; seules circulent les pièces musulmanes, monnaie réelle, cependant que s'installe l'habitude de compter en *mancus*, même pour les sommes à payer en argent.

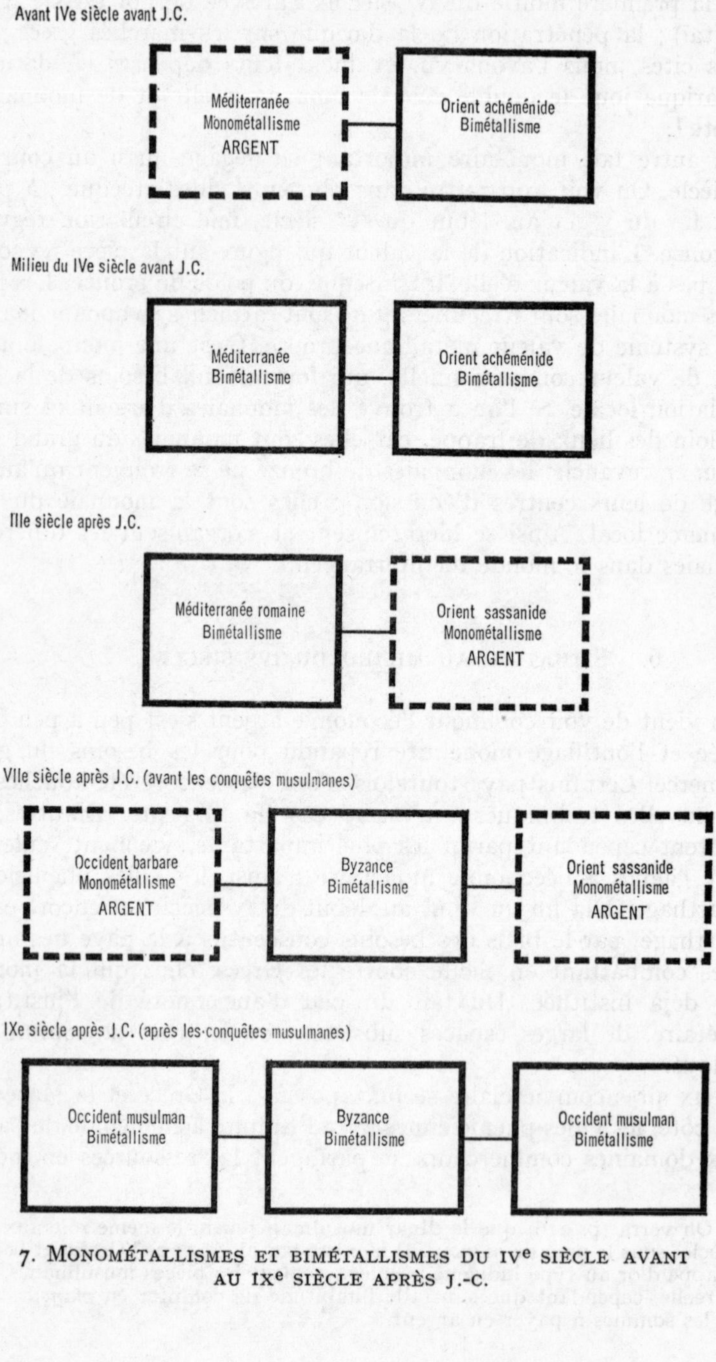

7. Monométallismes et bimétallismes du IVe siècle avant au IXe siècle après J.-C.

monétaires. Avec l'or, l'argent, le cuivre et accessoirement l'étain, des monnaies sont frappées sur des bases pondérales, à l'origine naturelles et non pas scientifiques, transformées et systématisées par les habitudes commerciales.

Tout d'abord, deux systèmes coexistent : le bimétallisme dans l'Empire perse, d'une part, emprunté à Crésus, fondé sur la darique d'or et les šekels d'argent, avec un rapport fixe entre les deux métaux de 13 1/3 : 1 ; le monométallisme-argent dans le monde grec, de l'autre, avec ses drachmes et ses tétradrachmes ; l'or y est considéré comme une marchandise, soumise à des fluctuations suivant sa rareté ou son abondance, et, peu à peu, le rapport or-argent diminue de 16 ou 15 : 1 jusqu'à 10 : 1. Peu à peu s'établit, dans le monde grec, non pas un bimétallisme monétaire, mais une circulation bimétalliste, qui prépare le passage au véritable bimétallisme grec du milieu du IVe siècle et la transformation du régime monétaire du monde méditerranéen.

En effet, au milieu du IVe siècle, les points d'arrivée de cette évolution sont le bimétallisme perse, d'une part, dont la situation reste inchangée avec un rapport de 13 1/3 : 1 et, de l'autre, le bimétallisme méditerranéen fondé par Philippe, dont les statères (rapport 10 : 1) inondent les places commerciales, avec pour suite le contrôle du commerce grec. La darique perse a été évincée sur tous les marchés au profit de la monnaie d'or de Philippe. Ce dernier pratique aussi la politique de la statère d'or, qui remplace en Grèce celle de la darique, pour préparer les voies à son expansion : « Aucune place, si forte soit-elle, ne résiste à un mulet chargé d'or ».

Vers cette époque, la tendance est donc à l'unification des conditions monétaires. Le bimétallisme perse et le bimétallisme méditerranéen jouent tous deux au profit de Philippe. Les entreprises d'Alexandre, qui réalise et dépasse les projets de son père, s'en trouveront grandement facilitées. Mais, pour maintenir la frappe des philippes au même taux, le roi a besoin d'un nouvel afflux d'or, car, si le rapport commercial or-argent est plus élevé que le rapport légal, les pièces d'or disparaissent, thésaurisées ou fondues. Or, du fait même du triomphe et de la diffusion toujours plus victorieuse et lointaine des philippes, les besoins en métal monétaire s'accroissent, afin de soutenir les émissions au niveau de la demande accrue. Les mines de Thrace, qui ont permis de lancer les philippes d'or, ne sont pas inépuisables et les immenses réserves d'or que possède, au milieu du IVe siècle l'Empire perse s'offrent aux conquistadors grecs comme un Eldorado. Le butin d'Alexandre s'élèvera à une masse de métaux précieux monnayés de l'ordre de 5 à 6 000 tonnes, sans compter les objets d'or et d'argent : les bijoux, la vaisselle, le mobilier...

Cet or perse, d'où provient-il ? Des mines de l'Inde d'abord ; mais il a aussi été apporté par le commerce phénicien, car les villes de Phénicie sont dans l'orbite du grand empire achéménide et des liens étroits unissent les villes phéniciennes à l'ancienne colonie tyrienne, Carthage, où arrive l'or d'Afrique occidentale. L'or perse a aussi pour origine le pillage de l'Égypte. Artaxerxès III Ochos (358-338), contemporain de Philippe de Macédoine (359-336), a repris l'Égypte à Nectanébo, le dernier pharaon (344-343), qui, tout comme son prédécesseur Tachôs, s'était révolté contre la domination perse en faisant appel à des mercenaires grecs. Mais le Grand Roi, de son côté, enrôla dans ses troupes d'autres mercenaires grecs qu'il paya avec l'or de Tachôs, de Nectanébo, aussi bien que d'Artaxerxès II Mnémon. L'armée perse, commandée par l'eunuque iranien Bogôas, dépouilla les temples de leurs trésors ; Bogôas enleva les annales sacrées qu'il se fit ensuite racheter à prix d'or par les prêtres égyptiens ; il récompensa dignement les mercenaires grecs qui l'avaient aidé à vaincre Nectanébo en leur accordant des primes en or. Le butin fut transporté dan les gazophylaxies ou trésors de Mésopotamie et d'Iran, où Alexandre les retrouvera pour les mettre en circulation.

L'Égypte est encore un pays fermé, replié sur lui-même ; les comptoirs grecs et phéniciens sont confinés à la côte du delta et restent extérieurs à l'économie égyptienne. Le pays n'a pas de monnayage, sauf momentanément, nous l'avons vu, lors de la révolte de Tachôs contre le Grand Roi (361-360) pour payer la solde des mercenaires grecs enrôlés. Aussi l'Égypte est-elle une véritable réserve d'or ; les mines de Nubie, exploitées depuis la XVIIIe dynastie, ont permis l'accumulation sous forme de lingots annulaires pesés, qui figurent dans les balances représentées sur les fresques des tombeaux égyptiens ; sous forme de mobilier précieux dans les temples et surtout de mobilier funéraire.

Autre fait important : la hiérarchisation dans les monnaies du monde méditerranéen ; la monnaie d'or est utilisée dans le grand commerce international, la monnaie d'argent est monnaie d'appoint et aussi monnaie du commerce — survivance du monométallisme primitif — à l'intérieur du monde grec. Or et argent sont les monnaies principales selon le rapport 10 : 1 (philippes) ou 13 1/3 : 1 (dariques). Les monnaies de bronze ont une valeur purement conventionnelle ; ce sont des monnaies accessoires, qui servent aux échanges entre la ville et sa campagne environnante. L'Italie fait seule exception en restant encore à l'écart des grands courants. Les monnaies de bronze, métal indigène, y représentent un monnayage réel ; le lourd lingot de bronze estampillé possède une valeur intrinsèque. Ce monnayage sera à l'origine du système monétaire romain, qu'il soit de cuivre, d'argent ou d'or. Par la suite, le bronze se détachera de l'argent et deviendra lui aussi une simple monnaie sans valeur propre.

Le fait capital reste le suivant : alors que l'Orient achéménide est resté bimétalliste, le monde grec, et avec lui le monde méditerranéen, est passé, au milieu du IVe siècle, du monométallisme-argent au bimétallisme. Faisons un bond dans le temps : au IIIe siècle après J.-C., l'Empire romain, c'est-à-dire le domaine économique méditerranéen, est toujours bimétalliste ; l'or y est resté la monnaie du grand commerce et l'argent la monnaie d'appoint. Mais l'Empire sāssānide, c'est-à-dire le domaine économique oriental, héritier des Perses achéménides, par-delà l'époque hellénistique et arsacide, est passé au monométallisme-argent.

III

LES CONQUÊTES D'ALEXANDRE ET LA FORMATION DU MONDE HELLÉNISTIQUE

La carrière conquérante d'Alexandre se déroule entre son passage en Asie Mineure au printemps 334 et sa mort au cours de l'été 323 : une dizaine d'années qui changent le monde.

Son armée est forte, bien entraînée, bien équipée, son état-major comparable par sa science à ceux des armées modernes ; il comprend des ingénieurs, des architectes, des publicistes, des officiers chargés d'opérer des mesures : les « bématistes », qui calculent la longueur des étapes afin de fixer la marche des diverses colonnes, des spécialistes financiers et commerciaux. Une seule infériorité : sa flotte face à celle du Grand Roi, qui est la flotte phénicienne. Aussi le plan d'Alexandre, qui explique son itinéraire en Asie Mineure, en Syrie, en Égypte, avant de se lancer vers l'intérieur de l'Empire perse, est-il de priver la flotte ennemie de tous ses points d'attache, en faisant la conquête des villes côtières et en dominant le littoral.

Entre le printemps 334 et celui de 333, en moins d'un an, Alexandre est maître de l'Asie Mineure. Le passage de son armée a été facilité par le corps macédonien évoluant déjà dans le pays où Philippe l'avait envoyé. Le plus gros obstacle est constitué par les mercenaires grecs à la solde du Grand Roi ; mais la victoire du Granique remportée sur eux, lève cette hypothèque. Après l'occupation de tout le littoral de l'Asie Mineure, l'armée marche sur la Syrie, passe le Taurus aux *portes* de Cilicie, tandis que l'armée de Darius, composée de mercenaires grecs et de cavaliers perses, cherche à couper sa ligne de retraite vers le nord. La bataille d'Issos, à l'automne 333, est un désastre pour Darius qui est rejeté vers l'est et s'enfuit vers la Mésopotamie. Au lieu de l'y poursuivre, Alexandre continue la conquête méthodique des provinces côtières, afin de couper la flotte phénicienne de ses ports et de lutter contre le commerce phénicien. La volonté de détruire la grande rivale du commerce grec explique l'acharnement contre Tyr et les projets ultérieurs contre Carthage et le domaine punique d'Occident.

Les différentes villes de Syrie sont conquises. Un des lieutenants d'Alexandre prend Damas et s'empare d'un trésor. Les villes de Phénicie se soumettent sauf Tyr, mais, après un siège de sept mois (janvier-août 332), une jetée joignant l'île au rivage permet la prise de la ville. Elle est détruite et ses habitants sont vendus comme esclaves. La chute de Tyr fit une énorme sensation dans le monde phénicien ; elle explique la souplesse de Carthage, par crainte de subir le même sort que son ancienne métropole, quand elle accorda la permission de naviguer aux deux Grecs de Marseille, pour prospecter les routes de l'Océan au-delà des colonnes de Melqart.

L'Égypte est conquise sans combat. Pendant l'hiver 332-331, ont lieu la fondation d'Alexandrie d'Égypte, supplantant Naucratis dans le delta du Nil, et le voyage à travers le désert libyque jusqu'à l'oasis d'Ammon (Sīwa) pour y entendre l'oracle de Zeus-Ammon.

Le danger naval est écarté : le monde phénicien est frappé et soumis. Aussi la marche vers l'est peut-elle maintenant avoir lieu. Mais, pendant ces campagnes, Darius a reconstitué en Mésopotamie une grande armée, dont le noyau le plus solide est la cavalerie iranienne. De son côté, l'armée d'Alexandre s'est renforcée d'aventuriers grecs et macédoniens. Elle franchit alors l'Euphrate, puis le Tigre. La rencontre décisive se produit dans la haute vallée de ce fleuve, non loin de Ninive, à Arbèles, en octobre 331. Le camp, le trésor et le harem du souverain perse sont capturés et Darius s'enfuit vers l'Iran septentrional. Alexandre occupe les résidences royales, Babylone, Suse, Parsâ, Pasargades. Dans chacune d'elles, il met la main sur d'immenses dépôts de métaux précieux, 50 000 talents à Suse, 120 000 à Parsâ, 6 000 à Pasargades, rien qu'en espèces monnayées, soit près de 200 000 talents sans compter la masse des objets précieux et des objets d'art. Le palais royal de Persépolis est incendié, de même, beaucoup plus tard, les conquérants arabes pilleront les palais sāssānides. Cette remise en circulation de monnaie et de métal précieux dut avoir une grande incidence sur la vie économique et sociale.

Après la fuite de Darius vers la mer Caspienne, Alexandre marche sur les résidences royales des plateaux iraniens pour conquérir les satrapies supérieures, Ecbatane (Hamaḏān) et Ragae (Rayy-Téhéran). Darius s'enfuit, avant d'être assassiné, en juillet 330. Alexandre peut alors établir sa domination, sur les satrapies du plateau iranien ; il détruit certaines villes et commet, pour l'exemple, des atrocités ; il fonde des villes nouvelles, sièges de garnisons et points d'appui. Au printemps de 329, il entre en Bactriane, pays en deçà de l'Oxus (Amu Daria), puis en Sogdiane (au-delà de l'Oxus, entre ce fleuve et le Syr Daria). Ainsi, il pénètre dans le monde de l'Asie centrale par la bordure du monde sédentaire (Airan) et du monde nomade (Turan), et il tient le croisement des grandes routes commerciales, celle qui va par la chaîne des oasis de l'Iran vers la Chine, et celle qui, par les cols de l'Hindu Kush, mène de l'Iran vers l'Inde. Vers le nord-est, la limite de l'expédition d'Alexandre est marquée par le fleuve Iaxartes (Syr Daria) ; sur le fleuve est fondée Alexandria Eschate (« la plus éloignée »), aujourd'hui Khodjend. Sont fondées aussi, pendant l'hiver 329-328, les villes d'Alexandrie d'Asie (Hérat), d'Arachosie (Kandahar) et de Margiane (Marw) dans ces lointaines provinces d'Asie centrale.

C'est alors qu'Alexandre reçoit la visite du chef des Khorasmiens, peuple établi à l'est de la mer Caspienne ; le chef s'offrait à le guider contre les Colchidiens sur les bords de la mer Noire. La grande route commerciale menant en Chine et en Inde traversait le Hwārizm, suivait le cours de l'Oxus (qui se jetait alors dans la mer Caspienne), la Caspienne, le Cyros (Koura) et le Phase (Rion). Alexandre projetait de lancer une exploration de la mer Caspienne, ou mer Hyrcanienne (*hurcania* — Ǧurǧan de l'époque musulmane) et d'atteindre l'Inde.

A l'été de 327, il franchit l'Hindu Kush et suit, par Kabul (Choas), Gandara, Peshawer, la grande route des invasions dans la péninsule Indienne ; l'Indus est franchi au début de 326, puis les rivières de son bassin (Pendjab : « les cinq rivières »), jusqu'à l'Hyphase (Bias, affluent de la Satledj). Un ingénieur des mines, Gorgos, étudie l'extraction de l'or et de l'argent dans le Pendjab ; par l'Hydraotes (Ravi), il atteint les pentes de l'Himalaya ; son rapport est publié. Là aussi, des villes sont fondées : à l'ouest du delta de l'Indus, Port Alexandre (Karatchi), dont la situation rappelle celle d'Alexandrie, choisie pour éviter l'ensablement. La descente des affluents de l'Indus, et de ce fleuve s'était faite dans une flottille construite par les charpentiers macédoniens ; l'armée s'établit le long de la rive avant de rentrer en octobre 326. L'armée de terre suit le sud de l'Iran, contrées presque désertes qui la ramènent en Perse ; par le Fars, et le H̱ūzistān, elle arrive à Suse, en mai 324, et à Babylone. La flotte, sous le commandement de Néarque, part des bouches de l'Indus pour toucher le fond du golfe Persique. Ainsi est exploré l'itinéraire maritime entre l'Indus et la Mésopotamie.

Le 13 juin 323, Alexandre mourait. Interrompus par la mort, ses projets portaient sur l'exploration de la Caspienne et de la route Oxus-Caspienne-mer Noire et sur le périple de l'Arabie et la domination de la péninsule Arabique, afin de se rendre maître des routes de caravanes entre le domaine de l'océan Indien et le domaine méditerranéen ; une grande campagne était projetée contre l'Arabie, dans ce Yémen qu'on appelait l'Arabie heureuse [1]. La conquête de l'Occi-

1. Diodore de Sicile, XVIII, 4, 4, éd. Fischer (Bibl. Teubneriana) t. IV, p. 323.

dent enfin — du bassin occidental de la Méditerranée — devait lui apporter la destruction ou la soumission de Carthage et la maîtrise de l'aire carthaginoise.

Ces projets sont caractérisés par le désir d'une domination universelle, d'une économie mondiale, réalisée de proche en proche le long des grandes voies de commerce, par la conquête des points stratégiques du grand commerce. Certes, quelques exemples spectaculaires ont voulu frapper de terreur les populations en même temps que fournir du butin aux troupes de mercenaires et d'aventuriers ; des villes furent rasées, des populations massacrées ou déportées et vendues comme esclaves, les palais du Grand Roi à Persépolis incendiés. Mais, très vite, c'est une politique de collaboration et de fusion qui a triomphé ; aux grandes fêtes de Suse, pendant l'hiver 325-324, les officiers et les soldats sont mariés à des Asiatiques [1]. Alexandre continue l'administration et l'économie achéménides. La construction des 70 villes qui lui sont attribuées témoigne de sa politique urbaine.

Les conséquences des conquêtes d'Alexandre ont été l'unification d'un énorme domaine de la Méditerranée orientale à l'océan Indien et à l'Asie centrale, ce qui représentait un élargissement de l'horizon géographique et économique des Grecs. Jusque-là, ils ne possédaient que des renseignements de seconde main, des notions vagues sur les pays, les routes, les productions connues par l'intermédiaire des peuples interposés. Ainsi pour les deux grands faisceaux de routes. Les routes septentrionales suivaient le nord de la Caspienne ; c'était la grande voie des invasions à travers les steppes de l'Asie centrale, le long de la lisière méridionale de la taïga sibérienne, depuis l'Altaï jusqu'à la porte ouralo-caspienne (entre l'Oural forestier au nord et la mer au sud) ; par les steppes ponto-caspiennes, ces routes débouchaient sur les bords du Pont-Euxin, dans les villes grecques de la mer Noire. Mais sur elles, les Grecs n'avaient de renseignements que par l'intermédiaire des peuples scythes, c'est-à-dire par tous les peuples plus ou moins nomades ou sédentarisés du nord de la mer Noire.

Les routes méridionales suivaient le sud de la Caspienne jusqu'en Asie Mineure où elles rejoignaient le grand axe, la route royale de Sardes à Suse. Par elles, les influences hellénistiques pénétraient dans le monde achéménide ; en échange des objets et des hommes, mercenaires ou médecins, comme Ctésias, arrivaient les dariques perses. Les renseignements que recevaient les Grecs sur les contrées orientales de l'Inde et de l'Asie centrale, leur étaient fournis par l'intermédiaire des populations de l'Empire achéménide. Notions confuses,

1. ARRIEN, *De expedione Alexandri*, VII, 2, éd. Müller, Leipzig, 1846, p. 177.

comme en témoignent les anecdotes qui couraient sur l'Indus et les sources du Nil.

Désormais, ce nouveau monde gréco-oriental a reçu un même cadre politique, une même civilisation, une même économie générale, une même monnaie, une même langue administrative et commerciale (la *koinê*) : depuis la Méditerranée jusqu'à l'océan Indien et à l'Asie centrale s'étend le « monde hellénistique ». Mais, après la mort d'Alexandre, son empire va disparaître. Ses successeurs, les diadoques, se hâtent de le démembrer et on assiste à la naissance des grandes monarchies hellénistiques : le domaine des Séleucides qui comprend l'Asie (Iran, Mésopotamie, Syrie), le domaine des Lagides en Égypte, le royaume de Pergame en Asie Mineure, le royaume de Macédoine. Cependant, malgré ces découpages, et les luttes des différents souverains entre eux pour la domination des grandes routes commerciales (ainsi les Séleucides et les Lagides pour la possession de la Syrie et du débouché sur la Méditerranée des routes venues de l'océan Indien), la vaste unité culturelle et économique va survivre. Le monde a été transformé, agrandi ; le particularisme de la cité grecque s'est vu remplacé par l'universalisme, une conception de l'*oikoumenè*, du « monde habité », possession commune des hommes civilisés. Le langage commun, la *koinê*, a été parlé de Marseille jusqu'à l'Inde, de la Caspienne jusqu'aux cataractes du Nil. Tandis que la nationalité disparaissait à l'arrière-plan, une civilisation syncrétiste, véritable creuset, rapprochait les techniques, permettait les confrontations, les progrès. Le commerce s'internationalisait.

Nous verrons bientôt que la formation du Monde musulman eut un semblable aboutissement : un immense et puissant domaine économique unifié s'établit par la conquête de l'océan Indien à l'océan Atlantique, poussant ses zones d'influence à la fois vers le nord, dans la région des fleuves russes et dans l'Occident barbare, et vers le sud, au Sahara et en Afrique orientale. Énorme cadre géographique, plus vaste encore que l'empire d'Alexandre, et qui contient des populations très diverses au contact desquelles l'élément arabe, peu nombreux, est absorbé ou rejeté au désert.

IV

CARTE MONÉTAIRE
À LA VEILLE DES CONQUÊTES MUSULMANES

Mais, avant d'étudier l'aspect monétaire de ce nouveau monde économique musulman, il nous faut souligner une des causes profondes du déclin et de la ruine de l'économie romaine : la fuite de l'or au delà des frontières de l'Empire, fuite que provoquait une balance commerciale déficitaire et que ne compensait pas une arrivée d'or neuf. Par la suite, la cause essentielle du dessèchement des courants commerciaux dans l'Occident barbare résidera dans la longue saignée d'or opérée, sans contrepartie, par le commerce des *Syri* ou marchands levantins. Enfin, le resserrement, la gêne, que connaîtra le domaine commercial byzantin aura pour cause majeure la diminution du volume d'or en circulation.

1. Les domaines monétaires

a) *L'Occident barbare*

Dès l'Empire romain, l'or s'est enfui de Rome et de l'Occident vers l'Orient : vers l'Orient romain avec ses villes de transit et, plus loin, hors des frontières, vers l'Orient perse et l'océan Indien. Ce mouvement du numéraire d'ouest en est ne change pas après les invasions barbares et la constitution des royaumes germaniques dans l'ancien Empire d'Occident. Quelle est la situation des royaumes barbares en face du problème de l'or ? Quelles sont leurs sources d'or ?

Constatons d'abord qu'ils n'ont pas de mines. Certes, les rivières charrient quelques sables aurifères : en Espagne c'est le Bétis (Guadalquivir), dans la Gaule méridionale l'Aurigera (Ariège) et les torrents de Savoie, en Italie du Nord le Pô et ses affluents. Des orpailleurs les ont toujours recherchés, mais leurs récoltes sont infimes. En revanche, la Grande-Bretagne a de grandes ressources en argent ;

en Gaule centrale, Melle (Deux-Sèvres) a une mine importante de plomb argentifère qui nourrit un atelier monétaire mérovingien. L'Espagne surtout, qui, dans l'Antiquité, avait une grosse production métallique, mais dont les mines d'or se sont épuisées à l'époque romaine, possède encore d'importants gisements d'argent, qui seront largement exploités à l'époque mulsumane.

D'autre part, l'or thésaurisé est remis en circulation : les envahisseurs barbares pillent les grands propriétaires, les églises. Pour s'y soustraire, beaucoup enterrent leurs trésors, ce qui explique le nombre des trouvailles de sous d'or dans des pots, près des *castra*.

Enfin, l'empereur de Constantinople a envoyé des subsides à des chefs barbares d'Occident, appliquant la politique du *nomisma* pour acheter leur aide contre d'autres, par exemple celle des Francs contre les Ostrogoths. Les pillages et les dons des empereurs remplissent les coffres des rois barbares, qu'ils soient francs, wisigoths, ostrogoths ou lombards : le fils de Sigebert fut assassiné alors qu'il montrait ses trésors monétaires aux envoyés de Clovis.

Cependant, les sorties d'or sont, en comparaison de ces entrées, fort importantes. D'abord parce que débute un nouveau cycle de thésaurisation, entrepris par les Églises qui profitent, après la conversion des Francs, des nombreux dons mérovingiens, de même que les Églises ariennes, gothiques et lombardes d'Italie et d'Espagne reçoivent ceux des souverains et des grands. Tout cet or est perdu pour la circulation monétaire. Bien plus, l'or s'enfuit vers l'Empire byzantin. L'Occident barbare, dont les techniques de luxe sont tombées en désuétude, se procure les marchandises précieuses par l'intermédiaire des marchands de l'Empire byzantin, les *Syri* de Grégoire de Tours [1], c'est-à-dire les membres syriens, égyptiens ou juifs des colonies marchandes occidentales. Les tissus précieux de soie, la pourpre brodée d'or excitent la convoitise des Barbares : Clovis parade à Tours dans une robe envoyée par l'empereur Anastase. On connaît la politique byzantine des *kekolymena*, étoffes de grand luxe dont l'exportation est interdite aux marchands ; réservées à la cour de Constantinople, elles font aussi l'objet de dons aux souverains étrangers et constituent alors (comme les *nomismata*) un moyen de pression.

Aux étoffes s'ajoutent les épices, les pierres précieuses, l'ivoire qui s'amoncellent dans les palais des rois barbares et des grands. L'Église, de son côté, a de gros besoins en tissus précieux de décoration : voiles d'autel, tentures dont on peut voir des exemples sur les miniatures byzantines et les mosaïques de San Apollinare in Classe à Ravenne ; elle exige encore de l'encens pour les cérémonies du culte.

1. Grégoire de Tours, *Historia Francorum*, II, 40, éd. B. Krush et W. Levinson, M.G.H., *Scrip. rer. Merov.*, I, Hanovre, 1956, p. 90.

Ces importations de produits coûteux n'ont pas de contrepartie occidentale. Constantinople trouve, en effet, à portée, dans le bassin oriental de la Méditerranée, les matières premières pondéreuses et les denrées alimentaires que l'Occident pourrait lui offrir.

A ce régime, les sorties d'or se révèlent rapidement plus élevées que les entrées. L'Occident barbare se vide peu à peu de ses stocks d'or, en exceptant la thésaurisation ecclésiastique, cependant perdue pour la circulation monétaire. C'est bien une longue « saignée d'or » qu'ont opérée les marchands orientaux [1], traduite, dans l'histoire monétaire de l'Occident, dès la fin du VIe siècle, par la décadence de la monnaie. Les pièces d'or, le sou d'or qui a pour origine le *solidus aureus* de Constantin, à raison de 72 à la livre de 327 gr., soit 4,54 gr., deviennent de plus en plus rares comme monnaie réelle : elles jouent déjà le rôle de simple monnaie de compte. Le *triens*, ou tiers de sou, est la seule monnaie d'or qui ait cours effectivement ; il témoigne de la diminution du volume et des faibles dimensions des pièces d'or. Au début du VIIe siècle, cette petite monnaie d'or est très mauvaise, son poids est faible, son titre très bas ; les monnaies sont en argent saucé [2].

L'argent, métal indigène, circule de plus en plus, sous la forme du denier d'argent, à raison de 240 deniers dans une livre de 327 gr., soit 1,36 gr. Le rapport or-argent se transforme ; il passe de 1 à 12 à la fin de l'époque romaine et au début de l'époque mérovingienne, à 1/15e, puis à 1/17e au début du VIIe siècle. Rien ne témoigne plus éloquemment de la disparition des stocks d'or, de la fuite de ce métal hors de l'Occident barbare et de son remplacement progressif par l'argent comme monnaie circulant réellement.

Notons que les monnaies d'or barbares sont frappées au type byzantin, portant le buste de l'empereur et son nom. C'est, en effet, la seule monnaie admise par le grand commerce méditerranéen, où les habitudes commerciales ont constitué une aire de circulation monétaire, une communauté de paiements, le *Zahlgemeinschaft* des économistes allemands. Seule, elle permet de payer les importations des biens que l'Occident tire de l'Orient byzantin, produits par l'Empire ou transités par lui. De plus en plus, d'ailleurs, ce commerce se restreint ; florissant encore au début du VIe siècle, comme l'atteste Grégoire de Tours, il s'éteint progressivement au cours du VIIe : il ne circule plus suffisamment d'or monnayé et il est trop mauvais pour tenter les commerçants orientaux. Le commerce des *Syri* disparaît peu à peu et, vidé d'or au type byzantin, l'Occident barbare

1. Marc Bloch, « Le problème de l'or au Moyen âge », *Annales d'histoire économique et sociale*, V, 1933, pp. 1-34.

2. M. Prou, *Catalogue des monnaies mérovingiennes de la Bibliothèque nationale*, Paris, 1892 (en particulier l'introduction et la description des séries).

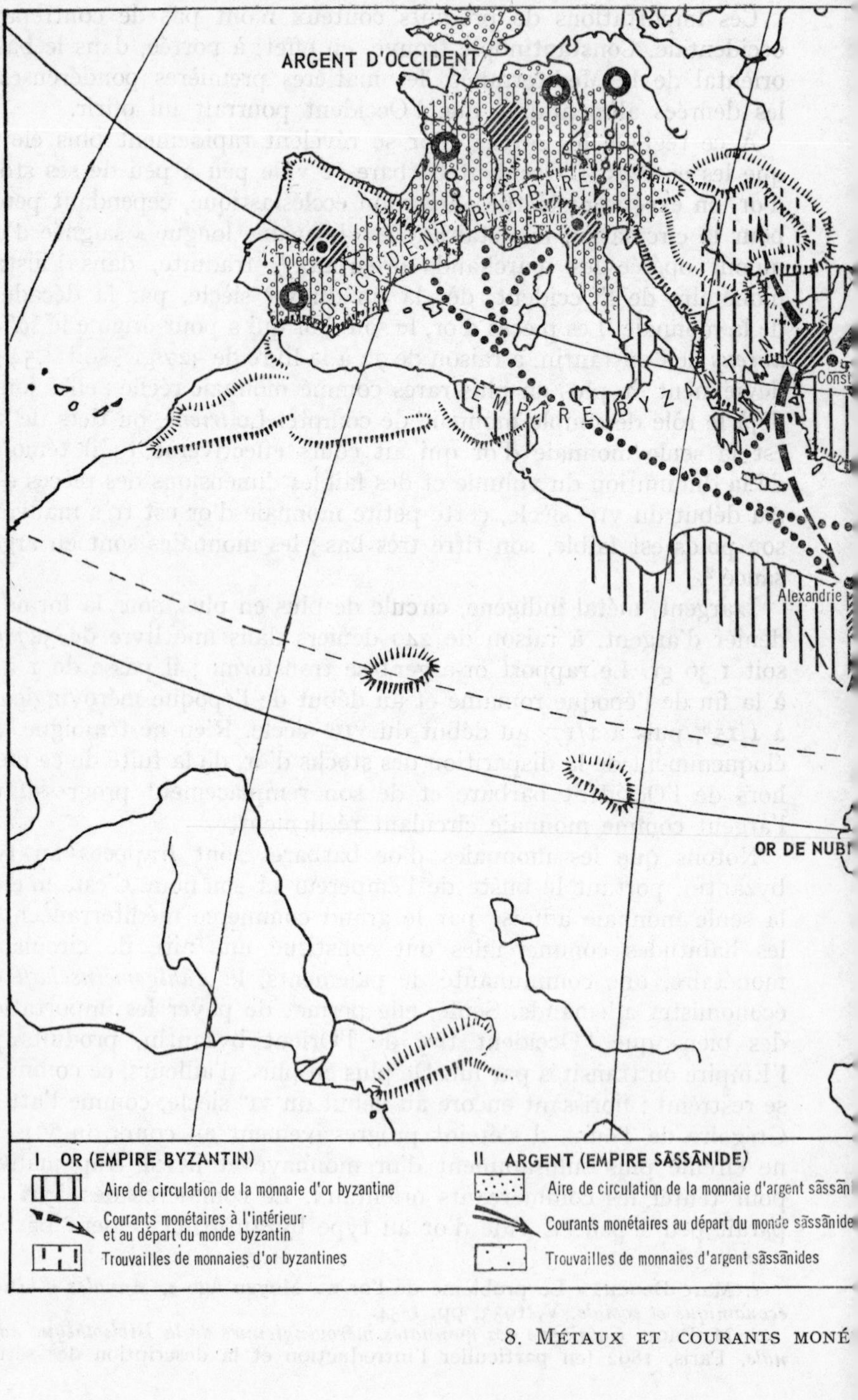

8. Métaux et courants moné

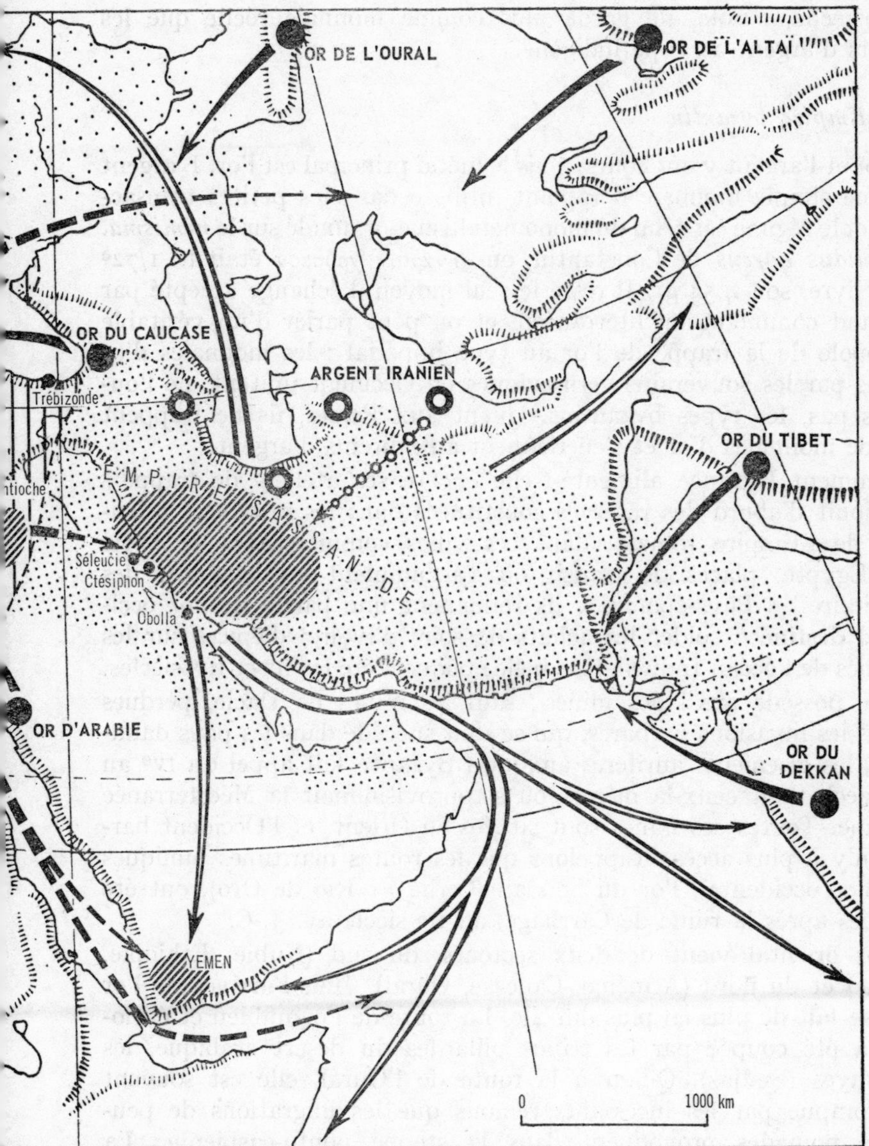
OR DE L'OURAL
OR DE L'ALTAÏ
OR DU CAUCASE
ARGENT IRANIEN
Trébizonde
OR DU TIBET
ntioche
EMPIRE SASSANIDE
Séleucie
Ctésiphon
Obolla
OR D'ARABIE
OR DU DEKKAN
YEMEN
0
1000 km
OR ET ARGENT (OCCIDENT BARBARE)
Aire de circulation de la monnaie d'or au type byzantin et de la monnaie d'argent
Zones où l'or est thésaurisé, "pays-éponges"
Courants monétaires au départ de l'occident barbare
Mines d'or et afflux d'or neuf
Mines d'argent et afflux d'argent neuf
CARTE E.P.H.E.

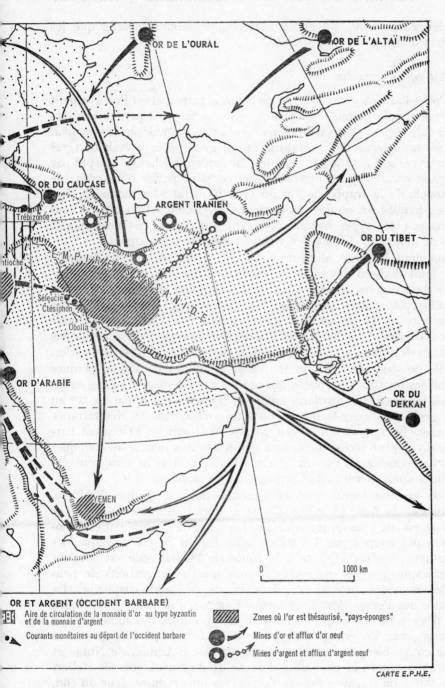

ANT LES CONQUÊTES MUSULMANES

se dessèche, s'isole, ne garde plus comme monnaie réelle que les deniers d'argent au type indigène.

b) *L'Empire byzantin*

L'or et l'argent y ont cours, mais le métal principal est l'or. L'argent est une simple monnaie d'appoint, utilisée dans les petites transactions et le régime est celui du monométallisme-or, fondé sur le *nomisma*. Le *solidus aureus* de Constantin, ou δηναριον χρύσεον était le 1/72e de la livre, soit 4,54 gr. Il reste le seul moyen d'échange accepté par le grand commerce méditerranéen, et on peut parler d'un véritable monopole de la frappe de l'or au type impérial : les monnaies d'or émises par les souverains germaniques en Occident imitent, ne l'oublions pas, les types byzantins. Quant aux Perses, ils ne frappent plus de monnaies d'or et s'en tiennent aux direms d'argent.

Comment Byzance alimente-t-elle encore ses ateliers de frappe ? Elle jouit d'abord des réserves constituées dans les provinces orientales de l'Empire romain, dans ces villes commerçantes de Syrie et d'Égypte, places de transit où s'accumulent les bénéfices des transitaires. « Pays-éponge », ils retiennent une partie de l'or occidental destiné à solder les achats de soie, d'ivoire, d'épices sur les marchés de l'océan Indien ; leur belle époque a été les IIe et IIIe siècles.

Elle possède aussi des mines ; sauf les mines de Dacie, perdues depuis les invasions barbares, qui se sont succédé dans les pays danubiens, les gisements aurifères auxquels Byzance fait appel du IVe au VIIe siècle sont ceux-là mêmes où s'approvisionnait la Méditerranée romaine. Toutes ces mines sont situées en Orient, et l'Occident barbare n'y a plus accès. Rappelons que les routes maritimes puniques vers l'or occidental, l'or du Soudan (Cerné = Rio de Oro), ont été oubliées après la ruine de Carthage, au IIe siècle av. J.-C.

L'or oriental vient de deux secteurs, du sud (Nubie, Éthiopie, Arabie) et du nord (Arménie, Caucase, Oural). Mais l'arrivée de l'or neuf se fait de plus en plus difficile. La route de l'or nubien et éthiopien a été coupée par les tribus pillardes du désert arabique, les Blemmyes (Bedjas). Quant à la route de l'Oural, elle est souvent interrompue par les incessants remous que les migrations de peuplades nomades provoquent dans la steppe ponto-caspienne. La poussée des Perses sâssânides vers le Caucase, l'Arménie et la région des fleuves russes, empêche l'arrivée des produits des mines de ces deux régions. La grande ruée perse de 611-619 vers l'Égypte et la Syrie coupe complètement les routes de l'or d'Arabie, de Nubie et d'Éthiopie. Aussi la possibilité d'un afflux d'or neuf vers les ateliers monétaires de Byzance est-elle de plus en plus réduite. L'or du sud, l'or du nord dessinent les deux fronts essentiels de la politique et de la diplomatie byzantine, ; d'un côté, l'Abyssinie et la mer Rouge, de l'autre les pays de la mer Noire et du Caucase. La lutte sera acharnée, sur ces deux fronts, contre les attaques de la grande puissance rivale, l'empire sāssānide, car ils représentent non seulement des positions stratégiques et commerciales de premier ordre, mais ils sont aussi la façade des pays de l'or. Pour Byzance, cette politique de l'or est la condition de la diplomatie du *nomisma*, élément essentiel de sa force : acheter la paix aux Perses ou décider les barbares à lever le camp se négocie avec de l'or.

La troisième source enfin est l'or monnayé que Byzance draine depuis l'Occident grâce au commerce des *Syri*. Mais ce courant d'or occidental, nous venons de le voir, va en s'amenuisant, au fur et à mesure que fondent les réserves dont peuvent disposer les royaumes germaniques et que se dessèche le commerce unilatéral des Levantins, en Italie, en Gaule et en Espagne. Pour Byzance, ces stocks d'or de l'Occident ont représenté une véritable mine, épuisée cependant — ou presque — au début du VIIe siècle.

L'or s'enfuit dans trois directions. Hors des frontières, vers l'Empire sāssānide et l'océan Indien, un fort courant monétaire s'échappe pour solder les achats de marchandises précieuses (soie, ivoire, épices, pierres précieuses), nécessaires aux industries de l'Empire byzantin, au luxe des grandes villes et du Palais sacré, ainsi qu'au commerce de transit vers l'Occident. Toute l'économie byzantine a pour fondement cette possibilité d'approvisionnement sur les marchés de la Perse et de l'océan Indien, moyennant des exportations massives de monnaies d'or.

A cette fuite de l'or, due à une balance commerciale déficitaire avec l'Orient, s'ajoutaient les grosses quantités d'or que les empereurs byzantins devaient verser comme tribut aux souverains sāssānides : tous les traités des VIe-VIIe siècles en comportaient. En 532, Justinien et Khosroès Anushirvan concluaient une « paix éternelle », par laquelle l'empereur byzantin consentait à payer à nouveau une subvention annuelle pour l'entretien des forteresses qui défendaient, contre les barbares du nord, les passes du Caucase : véritable tribut déguisé de 11 000 livres d'or. Le traité de 557-562 établissait un nouveau tribut annuel de 30 000 sous d'or, dont l'empereur byzantin acquittait d'avance le montant pour les sept premières années, soit 210 000 sous.

Aux barbares du nord et de l'ouest aussi, des tributs étaient versés pour acheter leur retraite. Dans son *Histoire secrète*, Procope reproche à Justinien d'avoir épuisé les richesses de l'Empire en prodigalités aux barbares, les incitant ainsi à revenir sans cesse « pour se faire acheter une paix qu'on était toujours prêt à leur payer ». Coûteuse politique que celle du *nomisma*. Dans l'Occident barbare, l'empereur versait des subsides aux différents souverains pour acheter leurs services contre d'autres barbares ; il est vrai qu'ici, nous pouvons plutôt parler d'insufflation de crédit, car l'or ainsi distribué dans l'Occident était récupéré ensuite par le commerce des *Syri* et faisait, de la sorte, retour à l'économie byzantine. De toute façon, cette fuite de l'or hors des frontières était fort importante, surtout vers l'est d'où il ne revenait pas.

La « fuite extérieure » de l'or hors des limites de l'Empire était doublée par une véritable « fuite intérieure » ; la thésaurisation soustrayait, elle aussi, d'importantes quantités de métal précieux au circuit monétaire. Il s'agissait surtout d'une thésaurisation ecclésiastique, analogue à celle qu'avait connue l'Antiquité avec les trésors des temples. L'Église détenait d'importantes réserves métalliques, surtout dans les très nombreux et très riches monastères de Syrie et d'Égypte. Le patriarche d'Alexandrie — le « pharaon » comme l'appelaient ses ennemis — possédait une grande masse de métal précieux immobilisé dans le trésor de Saint-Marc.

Ainsi la fuite extérieure de l'or byzantin vers l'Orient sāssānide et sa fuite intérieure du fait de la thésaurisation ecclésiastique, s'accentuent l'une et l'autre, alors que le contact est très irrégulièrement maintenu avec les pays fournisseurs d'or neuf et que le courant d'or monnayé issu de l'Occident barbare s'affaiblit et tend à se tarir complètement. L'équilibre entre les entrées et les sorties d'or se rompt. Il faut donc faire appel aux stocks constitués antérieurement, à la belle époque du commerce de transit syro-égyptien, quand l'or accumulé à Rome par les conquêtes était encore en grande abondance. Mais ces réserves, non renouvelées, s'épuisent peu à peu. Le volume d'or en circulation dans l'Empire byzantin diminue, provoquant des crises monétaires en cascades.

Parallèlement à cette restriction de la circulation de l'or, on constate l'étouffement progressif du grand commerce byzantin, le premier processus entraînant le second. Vers l'Occident barbare, les exportations byzantines diminuent, faute d'un volume suffisant de bonnes monnaies occidentales à importer en échange. Le commerce des *Syri* se dessèche, l'aire commerciale byzantine recule à l'ouest. Vers l'Orient sāssānide, les importations byzantines diminuent également, faute d'un volume suffisant de monnaies byzantines à exporter en échange. Le commerce grec abandonne ses positions dans l'océan Indien et dans les steppes ponto-caspiennes. A la fin du VIe et au début du VIIe siècle, le *nomisma* d'or y est supplanté par le direm d'argent sāssānide. L'aire commerciale byzantine recule à l'est.

De plus en plus, le commerce byzantin, et avec lui la circulation de l'or byzantin, se restreint au bassin oriental de la Méditerranée, entre le domaine sāssānide, où circule l'argent et qui se gonfle à l'est, et le domaine barbare, où la circulation de l'argent tend à remplacer la circulation de l'or, faute d'un métal jaune pour la frappe, et qui se dessèche à l'ouest. Ce commerce byzantin n'est plus qu'un cycle à court rayon, jalonné par les places d'Alexandrie, d'Antioche et de Constantinople ; il a perdu les antennes qu'il poussait vers le sud-est (mer Rouge, océan Indien), vers le nord-est (steppes de la Russie méridionale et Asie intérieure) et vers l'ouest (Occident barbare). Entre le marché d'exportation occidental qui se ferme aux marchandises byzantines et le marché d'importation oriental qui se ferme aussi, faute d'or pour pouvoir acheter, le commerce byzantin et, avec lui, l'industrie byzantine sont maintenant réduits au marché intérieur. Autrement dit, les pays du Levant méditerranéen sont en train de perdre ce qui faisait leur richesse et entretenait chez eux de gros stocks d'or et une active circulation monétaire : le rôle fructueux d'intermédiaires entre les marchés orientaux et les marchés occidentaux, le rôle de pays-éponge qui retient l'or sur ses propres marchés.

c) *L'Orient sāssānide*

Le domaine monétaire de l'Empire sāssānide est tout différent. Ainsi que l'Inde et toute l'Asie méridionale, il connaît pour unique métal l'argent et pour régime le monométallisme-argent. Le mot « roupie », du sanscrit *rūpya,* signifie « argent ». Marquant ce contraste absolu avec l'Empire byzantin, la frontière politique est une frontière monétaire.

Dans tout l'Empire sāssānide, de très nombreux ateliers monétaires émettent des monnaies d'argent en énormes quantités. Dans ses recherches à Suse (Tustar) [1], J. de Morgan a récolté une très grande quantité de drachmes de Khosroès II (début du VIIe siècle) aux indices monétaires extrêmement variés, correspondant à toutes les grandes villes de l'Empire sāssānide. Cela témoigne d'une très active circulation monétaire, due au grand développement du commerce de l'Orient sāssānide au début du VIIe siècle. C'est le moment où l'argent perse rayonne vers le sud-est et le nord-ouest, occupant les positions abandonnées par l'or byzantin dans l'océan Indien et les steppes ponto-caspiennes ; la tradition du monométallisme-argent s'établit alors dans la Russie du Sud, pays sans monnayage propre, où circulent les pièces d'argent sāssānides retrouvées le long des fleuves russes.

La monnaie d'argent sāssānide est la drachme, ou direm en persan,

1. J. de MORGAN, *Mémoires de la mission archéologique en Iran,* Paris, 1900 ; J. M. UNVALA, « Monnaies trouvées à Suse », *Mémoires de la mission archéologique de Perse,* XXV, 1934, planche B.

qui perpétue à travers l'époque parthe et hellénistique la drachme attique. Ce direm d'argent sāssānide est la grande monnaie du commerce pour les pays de l'Inde à la Caspienne, comme le *nomisma* l'était pour le monde méditerranéen. C'est une monnaie stable : sous le premier sāssānide, elle pèse 4,25 gr., sous le dernier, 4,10 gr. ; or la stabilité est une condition essentielle pour une monnaie internationale.

Dans ce domaine du monométallisme-argent, que devenaient les énormes quantités de monnaies d'or que Rome d'abord, Byzance ensuite y envoyaient sans cesse ? Les monnaies d'or romaines, puis byzantines ne couraient pas dans l'Empire sāssānide ; elles étaient fondues et transformées en lingots, en bijoux et en mobilier précieux qui allaient s'enfouir dans les palais et les harems des grands seigneurs perses ou des radjahs de l'Inde. Procope au VIe siècle ap. J.-C., comme Xénophon au début du IVe siècle av. J.-C., décrit l'orfèvrerie, les trônes d'or, les nobles Persans couverts de bijoux. Les bas-reliefs sāssānides et indiens montrent les personnages, hommes et femmes, surchargés de bijoux : colliers, pectoraux, lourds bracelets aux mains et aux pieds, diadèmes, tiares...

Tout cet or thésaurisé s'est accumulé en énormes quantités depuis le début du mouvement qui, toujours dans le même sens, le portait de Rome, puis de Byzance vers l'Orient. Cet or-marchandise, puisque les seules monnaies sont d'argent, est enlevé au circuit monétaire, et n'y rentre pas, allant s'enfouir dans les trésors de ces « pays mangeurs d'or ». Ce fait explique en partie la pénurie croissante d'or monétaire dans le monde méditerranéen et la diminution progressive de la masse métallique en circulation.

Entre le domaine monétaire de Byzance et celui de l'Empire sāssānide, l'Arabie formait une zone d'osmose, aussi bien pour la monnaie que pour le commerce et les champs d'influence économique. A La Mekke, les caravanes importaient les monnaies les plus disparates : *aurei* byzantins, drachmes sāssānides, monnaies ḥimyarites [1]. Les inégalités de poids et de valeur de toutes ces monnaies conféraient son importance au *ṣarrāf* ou changeur, et le change était la source de profit des banquiers mekkois, arbitragistes entre l'or et l'argent.

En résumé, trois domaines monétaires bien distincts, trois économies se dessinent à la veille des conquêtes arabes et de la formation du monde musulman :

L'Occident barbare, à peu près complètement vidé d'or, où l'argent tend à supplanter une monnaie d'or raréfiée et exécrable ; pays abandonnés par le grand commerce, où prévalent les formes rurales et domaniales, la décadence urbaine et la tendance à l'économie fermée.

1. Balāḏurī, *Kitāb futūḥ al-buldān*, éd. de Goeje, p. 467.

L'Empire byzantin, qui connaît des difficultés d'alimentation en or, un resserrement et une viscosité plus grande de la circulation monétaire, mais qui possède cependant encore des réserves d'or dans les provinces orientales, pays de transit, pays-éponge. Grâce à ces réserves, Byzance parvient à étouffer ses crises monétaires et à maintenir son *nomisma,* qui reste l'unique instrument des échanges méditerranéens et l'une des cartes maîtresses de la diplomatie byzantine. L'Empire est cependant gêné monétairement : le grand commerce s'y ralentit, se resserre dans un cycle qui ne concerne plus que la Méditerranée orientale ; à côté des centres urbains qui se maintiennent, l'ankylose domaniale apparaît et s'étend, comme le montrent pour l'Égypte les papyrus des VIe-VIIe siècles, et, pour tout l'Empire, les rescrits impériaux qui essaient de lutter contre l'importance envahissante des grandes familles terriennes.

L'Orient sāssānide, qui n'a pas de circulation d'or et reste le domaine du monométallisme-argent. D'énormes stocks d'or s'accumulent dans les trésors des souverains et des seigneurs perses et sont perdus pour la circulation monétaire. Circulent en revanche en grandes quantités les direms d'argent qui dominent tout le Moyen-Orient, l'océan Indien et poussent une pointe vers la région des fleuves russes. Dans ce domaine, l'activité économique se développe, et avec elle le mouvement urbain ; les caractères ruraux et domaniaux tendent à s'effacer au profit de l'aspect urbain et mercantile ; la vieille noblesse terrienne s'affaiblit à mesure que prend de l'importance la bourgeoisie des villes et que se développe l'activité commerciale vers les pays de l'océan Indien, de la mer Rouge, de l'Asie centrale et des fleuves russes. Économie qui domine le marché byzantin, intermédiaire obligatoire. Au fond du golfe Persique, le groupe Ctésiphon-Ubulla ébauche déjà le rôle commercial de Bagdad-Baṣra.

Cette domination des centres économiques sāssānides se traduit, dans le domaine artistique, par le rayonnement des formules décoratives et iconographiques de la Mésopotamie et de l'Iran, à la fois vers l'est, dans les arts de l'Inde et de l'Asie centrale, et vers l'ouest, dans les arts des peuples de la steppe et de la Méditerranée byzantino-barbare.

2. Tracé des courants monétaires [1]

Les courants monétaires s'orientent, en dernière analyse, d'ouest en est. L'Occident perd son or au profit de Byzance et Byzance au profit de l'Orient sāssānide.

1. Voir croquis 8 et schéma 10.

Avant les conquêtes musulmanes, ce mouvement linéaire d'ouest en est épuise l'Occident au profit de l'Orient. L'or de l'Occident et du monde méditerranéen vient s'engloutir dans le gouffre de la thésaurisation sāssānide et indieune. Tout l'or que Rome avait arraché aux monarchies hellénistiques, les trésors des Attales de Pergame, des Lagides d'Égypte, des Séleucides de Syrie et de Mésopotamie, les richesses des cités caravanières confisquées par Aurélien à la reine de Palmyre, regagnent leur patrie d'origine : la Syrie et l'Égypte byzantines, la Mésopotamie et l'Iran sāssānides. La marée métallique qui était venue irriguer Rome, et, par elle, tout l'Occident, reflue progressivement vers les pays d'Orient d'où elle était partie.

Au début du VIIe siècle, on s'achemine donc de plus en plus vers un déséquilibre complet dans la répartition. La pénurie d'or monétaire affecte les royaumes barbares et l'Empire byzantin, la surabondance d'or thésaurisé prévaut dans l'Orient sāssānide. Le volume d'or circulant sous forme de monnaie se restreint toujours plus et le domaine géographique de l'or se resserre et recule devant le domaine de l'argent ; il se réduit au bassin oriental de la Méditerranée, au domaine byzantin, entre le domaine de l'argent barbare qui s'instaure à l'ouest et le domaine de l'argent sāssānide qui se développe victorieusement à l'est.

V

LA MONNAIE DANS LE MONDE MUSULMAN (VIIe-XIe SIÈCLE)

Nous avons étudié ailleurs [1] comment les conquêtes musulmanes — ou plus exactement la formation du monde musulman, vaste domaine économiquement unifié — ont agi sur les trois causes essentielles du déséquilibre qui s'accentuait au VIIe siècle dans la répartition de l'or ; d'abord par une remise en circulation échelonnée de l'or thésaurisé : butin au moment de la conquête ; utilisation des trésors des églises et des monastères de la Syrie et de l'Égypte byzantine ; organisation méthodique et officielle des fouilles dans les tombeaux pharaoniques ; ensuite, par l'arrivée de plus en plus importante, du VIIIe au XIe siècle, d'or neuf ou or de mine, grâce à la reprise de l'activité minière dans les vieux centres et surtout à la capture de l'or du Soudan ; par l'extension, enfin, des techniques au mercure (amalgame) pour l'affinage du minerai. Les musulmans sont bien devenus les maîtres de l'or. Quelles ont été les conséquences proprement monétaires de ce fait capital, et, par la suite, ses conséquences économiques et sociales ?

I. L'ÉVOLUTION DE LA FRAPPE

La première conséquence de l'afflux d'or et de l'abondance des ressources en argent fut que les possibilités offertes au monnayage musulman s'accrurent immensément. Non seulement les ateliers monétaires se multiplièrent, mais encore la frappe de l'or se décentralisa : toutes les villes importantes du monde musulman eurent leur atelier frappant l'or. Aussi, les califes et, après le démembrement du califat, tous les souverains des différents États musulmans firent-ils frapper des quantités considérables de monnaies d'or et d'argent. Cela explique que les séries monétaires soient nombreuses, en relation avec

1. « Les bases monétaires d'une suprématie économique. L'or musulman du VIIe au XIe siècle », *Annales É.S.C.*, 1947, pp. 143-160.

les divers ateliers de frappe. On constate que les monnaies d'or ont toujours le titre le plus élevé qu'il soit possible d'atteindre techniquement ; comme pour toute monnaie dominatrice, *nomisma* byzantin ou direm sāssānide, les soins apportés à la frappe du dinār étaient grands. Enfin, une circulation monétaire intense vit un flux d'or innerver tout le domaine musulman, et, hors de ce domaine, les domaines économiques voisins.

2. La fixation du type musulman

Cependant, le type des pièces musulmanes d'or (dīnār) ou d'argent (direm) avec ses inscriptions en arabe, ne se constitue pas tout de suite. Au début des conquêtes, aucun changement n'affecte le type des pièces en circulation ; dans les provinces orientales, les direms d'argent sāssānides et, dans les provinces occidentales, les *nomismata* d'or byzantins continuent à courir. Jusqu'au calife umayyade ʿAbd al-Malik (685-705), les monnaies frappées par les musulmans n'en sont que des imitations. Il faut chercher la raison de ce retard à remplacer les anciens types monétaires dans le caractère traditionnel, routinier que le monde du commerce attache aux instruments d'échange, manifestant sa méfiance pour toute innovation monétaire jusqu'au moment où les transformations survenues dans l'économie elle-même imposent le changement. De ce caractère traditionnel des moyens d'échange du commerce, les conquérants arabes — peuple commerçant par excellence — ont tenu le plus grand compte. Dans son traité des monnaies musulmanes, Al-Maqrīzī cite la tradition recueillie, de la bouche d'Abū Hubayra, compagnon du Prophète, et transmise par les traditionnistes Muslem et Abū Daūd : « J'ai, a dit Mahomet, laissé à l'Iraq son *direm* et son *kafiz*, à la Syrie son *mudd* et son *dīnār*, et à l'Égypte son *ardab* et son *dīnār* » [1].

Le retard dans l'établissement du type musulman rend donc compte de l'évolution économique. Jusqu'à la réforme d'ʿAbd al-Malik à la fin du VIIe siècle (*c.* 696-697), les monnaies du grand commerce restent la pièce d'or byzantine et la monnaie d'argent sāssānide ; les anciens circuits commerciaux du monde byzantin d'une part, du monde sāssānide de l'autre, subsistent. Mais, à partir de la fin du VIIe siècle, l'unité économique est créée et ces conditions nouvelles permettent leur remplacement par des pièces au type musulman. Un essai par le calife ʿAlī en 660 en est la preuve : il émet à Baṣra,

1. Maqrīzī, *Traité des monnaies musulmanes*, trad. Silvestre de Sacy, I, 1797, pp. 34-35.

en Mésopotamie, un dirhem au type musulman portant des légendes en écriture coufique ; il échoue à le lancer et ce dirhem est abandonné pour être repris une quarantaine d'années plus tard, cette fois avec succès.

Cette survie des types monétaires, alors que la domination politique a changé de main depuis longtemps déjà, n'est pas un fait isolé. J'en citerai, pour exemple, la frappe du besant sarrasinois par les croisés de Syrie, aux XIIe-XIIIe siècles, sur le type des anciennes monnaies musulmanes, ou, plus curieuse encore, la circulation des thalers de Marie-Thérèse en Afrique centrale et orientale et en Arabie jusqu'au XXe siècle. La force d'inertie que manifeste l'évolution des formes monétaires vient de ce que la monnaie est un fait relevant de la psychologie collective, un fait social ; Louis Baudin écrit : « La monnaie est fille de la durée... toute initiative dont elle est l'objet ne peut réussir que dans la mesure où elle est consentie par le groupe social demeuré traditionaliste à son égard. La continuité est la première de ses lois »[1].

Aussi le moment est-il capital, où une nouvelle monnaie — un nouveau type monétaire — font leur apparition sur le marché ; la confrontation avec les monnaies anciennes entraîne l'échec ou la réussite des nouvelles, réussite plus ou moins rapide, complète et lointaine. Ainsi le nouveau dīnār musulman a dû lutter contre l'ancien maître des marchés méditerranéens, le *nomisma* byzantin, dans une compétition dont il faut voir les étapes. Car le changement de la conjoncture monétaire rend compte d'un changement dans la conjoncture économique.

Le calife ʿUmar (634-644) opère une première régularisation du poids des monnaies d'argent. Les besoins du grand domaine économique qui se crée alors, rendent nécessaire d'unifier, quant au poids et au titre, les espèces d'argent en cours ; jusque-là, en effet, si un seul système réglait la circulation de l'or (*nomisma*) et ne posait donc pas de difficultés, deux systèmes se partageaient celle de l'argent : *direms* sāsānides et drachmes byzantines coexistaient[2]. On peut même parler de trois systèmes de l'argent, si l'on compte celui d'Asie centrale. ʿUmar unifie ces trois systèmes en prenant la moyenne du poids des trois pièces :

	Poids en qīrāt	Poids en gr.
Direm *baġlī* (Perse)	20	5,66 2/3
Dirhem *rūmī* (Byzance)	12	3,40
Dirhem *ṭabarī* (Asie centrale)	10	2,83 1/3
Moyenne :	14	c. 3,96

1. L. Baudin, *La monnaie et la formation des prix*, Paris, 1936, p. 192.
2. J. Walker, *A Catalogue of the Sassanian coins*, Londres, 1941.

Le poids de 14 *qīrāt* est déclaré celui du dirhem légal. Il est remarquable que la définition du poids de celui-ci ait été donnée en *qīrāt* (du grec *keration* ; l'arabe a donné notre *carat*) et non pas en *danaq*, le poids perse double du *qīrāt* et dixième partie du dirhem *baġlī*.

Par sa réforme, 'Abd al-Malik crée un type musulman ; en 74-75 de l'Hégire, il fait frapper à la monnaie de Damas des dīnārs. En 75-76 (694-696), son gouverneur en Iraq frappe des dirhems au type musulman à la monnaie de Baṣra, frappe ensuite répandue dans toutes les provinces. Fin 77 (696-697), le gouverneur d'Égypte, 'Abd al-Azīz ibn Marwān, lance à son tour des dīnārs frappés à la monnaie de Fusṭāṭ.

A l'avers, le dīnār porte une légende circulaire contenant la date d'émission de la monnaie : « Au nom de Dieu ce dīnār a été frappé l'an... » ; dans le champ, disposée sur trois lignes, une formule pieuse : « Dieu est éternel — Il n'a pas engendré — et n'a pas été engendré ». Au revers, une légende circulaire contient les louanges à Muhammad : « Muhammad est l'envoyé de Dieu, qui l'a envoyé avec la bonne direction et la vraie religion pour élever celle-ci au-dessus de toutes les autres ». Dans le champ, trois lignes portent aussi une formule pieuse : « Il n'y a de Dieu que Dieu l'unique ; il n'a pas d'associé » [1].

Le dirhem a la même disposition et porte les mêmes légendes, plus développées cependant, car la place y est plus grande. Il comporte aussi l'indication de l'atelier monétaire. A l'avers, même légende circulaire et même formule pieuse, sur trois lignes, que le dīnār ; au revers, la légende circulaire du dīnār est plus développée : « Muhammad est l'envoyé de Dieu qui l'a envoyé avec la bonne direction et la vraie religion pour la faire triompher sur toutes les autres religions, dussent les polythéistes en concevoir du dépit ». Dans le champ, quatre lignes portent : « Dieu est un ; Dieu est éternel ; il n'a pas engendré et n'a pas été engendré ; il n'a pas d'égal en quoi que ce soit ».

Le type du *fals* (du grec φόλλις, en latin *follis* ou *obolus*) est très variable ; il porte des légendes arabes. Cette simple monnaie accessoire, dont l'émission n'était pas un droit régalien, était frappée par les gouverneurs, les autorités locales, les villes sans qu'il existât entre le bronze dont elle était faite et les autres métaux de rapport légal.

Tandis que le poids qu'avait assigné 'Umar au dirhem est conservé, celui du dīnār est fixé ; on le calcule sur la moyenne d'une grande quantité de pièces d'or byzantines en circulation. Les pièces d'or constantiniennes de 4,25 gr. sont usées pour avoir beaucoup circulé ; aussi les nouvelles pièces musulmanes sont-elles un peu inférieures

1. J. WALKER, *A Catalogue of the Arab-Byzantine and post-reform Umaiyad coins*, Londres, 1956.

en poids d'or fin à celles de Byzance. La monnaie faible chassant la monnaie forte sur les marchés, cette légère différence de poids entre les deux pièces n'est pas étrangère à la rapide diffusion de la nouvelle monnaie dans les zones où le *nomisma* et le dīnār rivalisent, en Russie méridionale et dans l'Occident barbare. Sur le marché musulman, anciennes et nouvelles pièces byzantines sont retirées et fondues ; les changeurs et les banquiers sont obligés de les soustraire à la circulation et de les envoyer à l'Hôtel des monnaies. Ainsi est assuré le triomphe du dīnār, la grande monnaie d'or du monde musulman, qui va étendre hors de celui-ci sa zone de circulation.

Il faut mettre la réforme d''Abd al-Malik en relation avec un changement dans les protocoles, formules inscrites sur la première partie du rouleau de papyrus et qui authentifient la pièce. Jusqu'à ʿAbd al-Malik, les formules chrétiennes et écrites en caractères grecs restèrent celles qui étaient en usage avant la conquête, car les bureaux de l'administration musulmane continuaient à être tenus par des chrétiens. Mais sous 'Abd al-Malik on commença à utiliser des formules musulmanes et l'écriture en caractère arabes. De même les cadastres persans et égyptiens sont alors transcrits en arabe, dont le maniement devient plus familier au personnel des bureaux. La civilisation musulmane commence à prendre conscience de son indépendance vis-à-vis de Byzance et des Sāssānides ; elle se détache aussi de l'emprise économique de Byzance, qu'elle va bientôt dominer. L'empereur byzantin Justinien II le comprit parfaitement. A l'envoi de papyrus portant pour protocole des eulogies musulmanes, à l'émission de pièces d'or au type musulman couvertes d'inscriptions arabes, peu amènes pour les autres religions, il réagit en rompant le traité conclu avec ʿAbd al-Malik ; ce fut un désastre pour lui.

La création de monnaies musulmanes, dīnār et dirhem, héritières du *nomisma* byzantin et du direm sāssānide, lie désormais l'un à l'autre les deux systèmes de l'or et de l'argent jusque-là distincts ; un dīnār vaut une vingtaine de dirhems. La liaison qu'établit la double monnaie musulmane entre le domaine byzantin de l'or et le domaine perse de l'argent, assure la victoire de l'or.

3. La victoire de l'or

Avant d'en marquer les étapes, il faut noter que dans cette économie en essor où parvenait un flot d'or de plus en plus épais, or thésaurisé remis en circulation et or neuf, la tendance à la thésaurisation se manifestait beaucoup moins. La valeur de la monnaie tendait, en effet, à baisser à la suite de l'afflux de métaux précieux. On ne thésaurise pas des monnaies qui vont en perdant de leur valeur, mais on les réinvestit immédiatement dans les affaires dont les bénéfices toujours plus élevés augmentent la richesse du marchand. La frappe de la monnaie était donc soutenue par un afflux d'or de plus en plus important.

Les points d'arrivée de l'or du Soudan étaient situés au Maghreb. Mais l'or n'y restait pas, il ne faisait qu'y passer, — comme l'or et l'argent d'Amérique ne faisaient que traverser Cadix aux XVIe-XVIIIe siècles — et se dirigeaient de là vers les centres de commerce, de banque et d'industrie, les moteurs de l'économie européenne d'alors. De façon semblable, l'or du Soudan chemine à travers tout le monde musulman, et il est important d'individualiser, dans leur direction et leur intensité, les divers courants commerciaux et monétaires qui permettent la redistribution de ces nouveaux stocks de métal précieux.

L'or du Soudan partait vers les régions de grosse production qui travaillaient pour le commerce d'exportation, vers l'Égypte, par exemple, qui produisait du blé, du papyrus, des étoffes, ou vers la Mésopotamie qui exportait de la canne à sucre et des étoffes. Il s'en allait aussi vers les régions de transit où arrivaient les marchandises provenant de l'extérieur du monde musulman et soldées avec de l'or musulman ; par exemple vers l'Espagne qui offrait les esclaves et les autres produits demandés à l'Occident chrétien, ou vers les places d'Égypte, de Mésopotamie (Baṣra) ou de Syrie par où transitaient les épices et les autres produits orientaux ou extrême-orientaux vers les grands centres de la Méditerranée musulmane [1]. Enfin, l'or du Soudan se dirigeait vers les centres politiques où résidait le souverain ; les Ṭūlūnides versaient ainsi chaque année un tribut de 300 000 dīnārs au calife ʿabbāsside de Bagdad.

Dans les régions situées à l'écart des grandes routes commerciales, larges îlots de vie arriérée, il ne coulait que de minces filets d'or. En revanche, les grands centres commerciaux et bancaires étaient fort concentrés, et c'est dans ces grandes villes que les ateliers monétaires frappaient l'or, l'argent et le cuivre. Avec la circulation du dīnār, le domaine de l'or s'est étendu à tout le monde musulman. Pour suivre cette progression, on dispose des indications offertes par les monnaies d'or orientales qu'on a conservées, l'évaluation des impôts payés dans l'empire ʿabbāsside, la frappe de l'or dans l'Espagne umayyade, le développement de la frappe de l'or par les Fāṭimides, et le pointage des renseignements fournis par les géographes arabes.

Les dīnārs des séries monétaires orientales conservées portent, à partir du règne d'Al-Ma'mūn (813-833), le nom de la ville de frappe.

1. Baṣra exerce la même attraction sur les masses arrivées du Soudan qu'Anvers, aux XVIe-XVIIe siècles, sur l'or américain.

Leur type est désormais celui du dirhem, et on est en droit de se demander si l'unification des deux types voulait faciliter la diffusion de la monnaie d'or dans les régions où ne circulait jusque-là que l'argent. Sous les Umayyades, le principal atelier monétaire qui frappe de l'or est à Damas et il y reste encore quelque temps sous les ʿAbbāssides. La frappe de la monnaie d'or est décentralisée sous Al-Ma'mūn. Après 827, une monnaie d'or est frappée dans toutes les principales villes des provinces orientales et occidentales. Ainsi s'accomplit la fusion monétaire des deux domaines, *ahl al-ḏahab* (étalon-or) et *ahl al-waraq* (étalon-argent).

Jusque vers la fin du IXe siècle, l'évaluation des impôts payés dans tout l'empire ʿabbāsside se fait dans un métal différent selon les provinces. Dans les provinces occidentales, ancien domaine de l'or byzantin, le budget du califat est exprimé en dīnārs ; dans les provinces orientales, ancien domaine de l'argent sāssānide, il l'est en dirhems. Au début du Xe siècle, en Orient comme en Occident, les impôts sont évalués en dīnārs [1].

Au cours du IXe siècle, les Umayyades de Cordoue se mettent aussi à frapper de l'or. Jusque-là ils ne frappaient que des dirhems dans l'unique atelier de Cordoue, prolongeant ainsi la circulation de l'argent de la dernière période wisigothique. Cependant des pièces d'or orientales circulaient aussi ; elles servaient à solder dans l'Occident barbare les fournitures à l'Orient musulman de marchandises occidentales, et en particulier les esclaves réexportés. La nouvelle frappe de l'or umayyade est en relation avec le rôle de pays transitaire, de pays-éponge, que joue l'Espagne vis-à-vis de l'Orient, et aussi avec l'arrivée de plus en plus massive de l'or du Soudan.

La frappe de l'or, sous les Fāṭimides, doit son développement à leur richesse en or ; ils détiennent le monopole de l'or du Soudan qui leur permet de pratiquer la politique du dīnār. Intensifiant donc le monnayage d'or, ils créent à côté du dīnār, le quart de dīnār, ou *rubā'ī*, en or. Ils en frappent d'énormes quantités qui inondent tout le domaine fāṭimide de la Syrie à la Sicile, d'où le *tari d'oro* se diffuse dans les villes italiennes. Ils créent aussi les *kharubas*, ces piécettes d'or qu'on jette à la foule.

On peut enfin pointer les renseignements que fournissent les géographes arabes du Xe siècle. Ils indiquent en effet toujours soigneusement la nature du numéraire employé dans les diverses provinces. D'après Iṣṭaḫrī, mort en 951, et Ibn Ḥawqal, mort en 977, il est possible de préciser un moment de l'évolution. Suivant ces auteurs, l'or circule naturellement dans tous les pays de la Méditerranée musul-

1. A. von KREMER, « Über das Einnahmebudget des Abbasiden Reiches », *Denkschriften d. r. Akad. der Wissenschaften von Wien*, Philos. histor. Kl., Vienne, 1887.

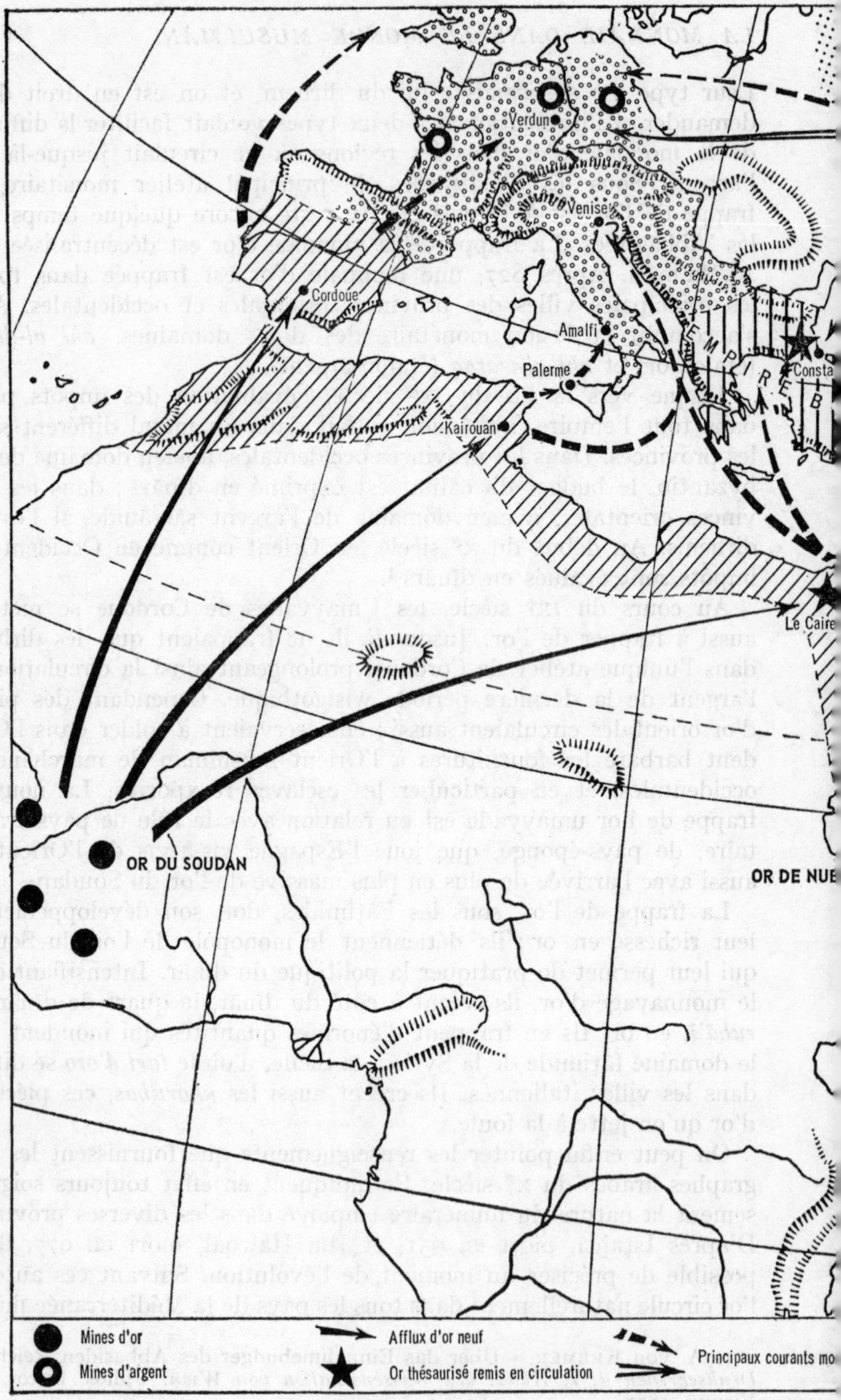

9. MÉTAUX ET COURANTS MONÉTAIRES A

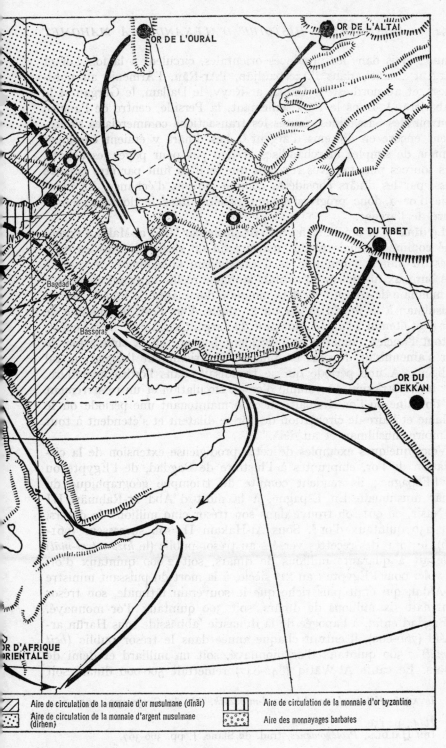

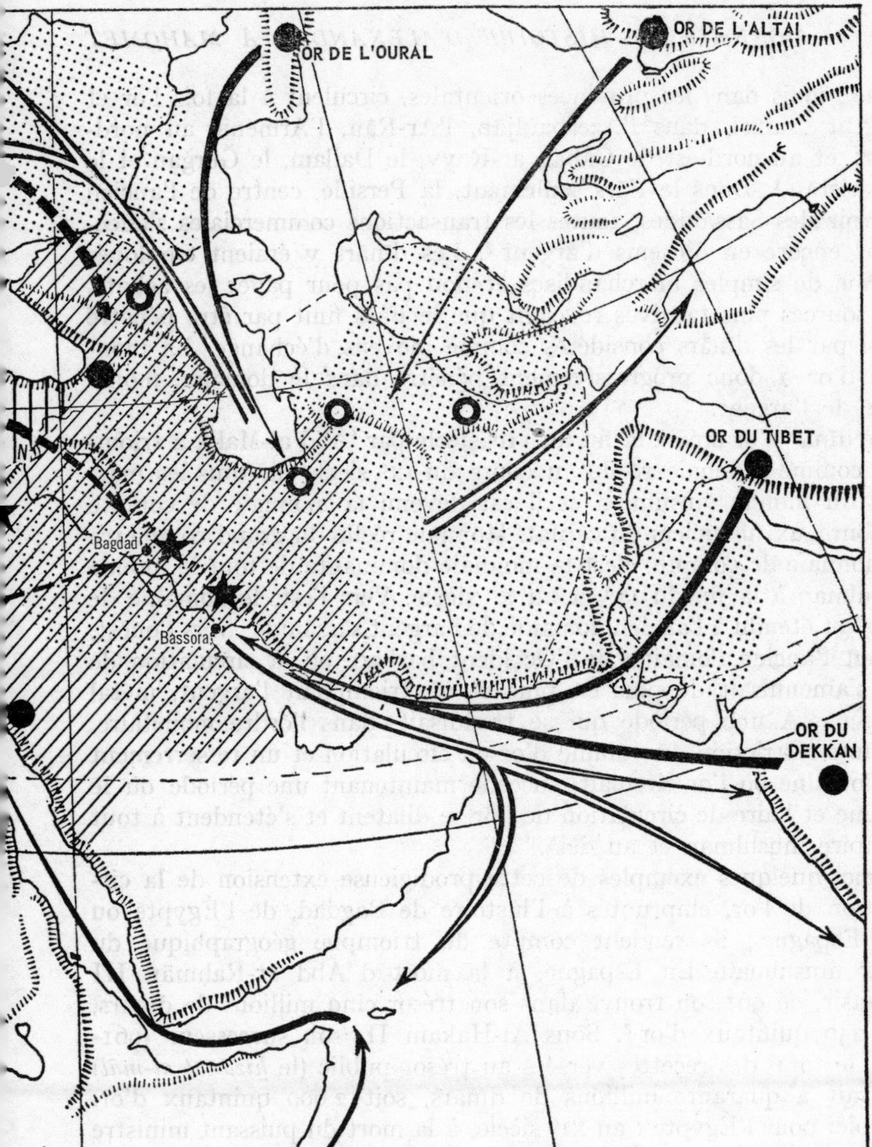

CONQUÊTES MUSULMANES (VIIIe-XIe SIÈCLE)

mane ; mais dans les provinces orientales, circulent à la fois l'or et l'argent : ainsi, dans l'Azerbaïdjān, l'Ar-Rān, l'Arménie au nord-ouest, et au nord-est, le Ǧabal, ar-Rayy, le Dailam, le Ǧurǧan et le Ṭabaristān [1]. Dans le Fārs seulement, la Perside, centre de l'ancien pouvoir des Sāssānides, toutes les transactions commerciales s'effectuent encore en dirhems d'argent [2]. Les dīnārs y étaient employés comme de simples marchandises et non pas pour payer les achats. Les sources plus tardives révèlent que le Fârs finit par être pénétré aussi par les dīnārs considérés comme moyens d'échange. La monnaie d'or a donc progressivement pénétré dans le domaine monétaire de l'argent.

Le dīnār d'or créé à la fin du VIIe siècle par ʿAbd al-Malik a triomphé comme monnaie réelle au cours du IXe siècle sur tous les marchés du monde musulman et il est devenu la monnaie de compte des bureaux financiers du califat. Monnaie réelle du grand commerce et monnaie de compte, c'est la monnaie dominante de tout le monde musulman à la fin du IXe et au Xe siècle. Vers l'est, le domaine de l'or s'est étendu à l'ancien domaine de l'argent sāssānide ; vers l'ouest, à tout l'ancien domaine de l'Occident barbare où la circulation de l'or s'amenuisait de plus en plus et où triomphait l'argent, métal indigène. A une période qui se traduisait, dans l'ordre monétaire, par une restriction du volume d'or en circulation et un resserrement du domaine où l'or circulait, succède maintenant une période où le volume et l'aire de circulation de l'or se dilatent et s'étendent à tout l'Empire musulman et au delà.

Voici quelques exemples de cette prodigieuse extension de la circulation de l'or, empruntés à l'histoire de Bagdad, de l'Égypte ou de l'Espagne ; ils rendent compte du triomphe géographique du dīnār musulman. En Espagne, à la mort d'ʿAbd ar-Raḥmān III en-Nasir, en 961, on trouve dans son trésor cinq millions de dīnārs, soit 250 quintaux d'or [3]. Sous Al-Hakam II, son successeur (961-976), le total des recettes versées au trésor public (le *ḫizānat al-māl*) s'élevait à quarante millions de dīnārs, soit 2 000 quintaux d'or. Et voici pour l'Égypte : au XIe siècle, à la mort du puissant ministre Al-Afḍal, qui était plus riche que le souverain fāṭimide, son trésor contenait six millions de dīnārs, soit 300 quintaux d'or monnayé. A Bagdad enfin, à l'apogée de la dynastie ʿabbāsside sous Harūn ar-Rašīd (786-809), il entrait chaque année dans le trésor public (*beit al-māl*) 7 500 quintaux d'or monnayé, soit un milliard et demi de dīnārs. Le calife Al-Wātiq (842-847) remettait 500 000 dīnārs soit

1. Iṣṭaḫrī, *Kitāb al-masālik wa l-mamālik*, éd. de Goeje, pp. 192, 302, 213.
2. *Ibid.*, p. 156.
3. Ibn Ḫaldūn, *Prolégomènes*, trad. de Slane, I, pp. 366-367.

25 quintaux d'or, aux commerçants qu'avait ruinés l'incendie du marché [1].

Bien que ces chiffres soient glanés chez les historiens musulmans qui ont eu accès aux documents d'archives et à l'ensemble des sources antérieures aujourd'hui disparues, on ne peut les accepter comme absolument véridiques, puisque même les statistiques modernes sont sujettes à caution. Ils donnent cependant des ordres de grandeur qui corroborent pleinement l'intense accroissement de la circulation des monnaies d'or à travers tout le monde musulman, surtout si l'on tient compte du rapport différent entre le volume d'or et la population, bien moins dense qu'ajourd'hui. L'unification au profit de l'or et la forte circulation du numéraire frappé d'un bout à l'autre de l'immense monde musulman traduisent l'afflux de métal précieux dont nous avons étudié les sources et le mécanisme.

A partir de la fin du VIIe siècle, nous constatons donc l'évolution de la frappe : les ateliers monétaires se multiplient, la frappe de l'or est décentralisée et s'installe dans des ateliers qui, jusque-là, ne frappaient que l'argent ; à l'est comme à l'ouest, on recherche l'or le plus fin possible. Même évolution dans le volume d'or en circulation : on jette sur le marché des quantités considérables de monnaies, la pièce d'or, monnaie réelle et monnaie de compte se généralise. Le type et le système monétaire évoluent également : on commence par frapper aux types anciens, byzantin pour l'or, sāssānide pour l'argent, puis ʿUmar accroche le système de l'argent à celui de l'or et se rallie au bimétallisme ; ce n'est que sous ʿAbd al-Malik qu'on en arrive à un monnayage au type musulman ; dīnār d'or et dirhem d'argent. Ainsi, peu à peu, nous assistons à la fusion des deux domaines en un seul où triomphe le bimétallisme musulman, avec une monnaie d'or dominante pour le grand commerce. Le système byzantin et méditerranéen s'est étendu à l'ancien domaine sāssānide ; il gagne l'océan Indien et se réimplante victorieusement dans les pays de l'Occident musulman [2].

1. YAʿQŪBĪ, éd. de Goeje, p. 371 ; trad. Wiet, p. 243.
2. V. schémas 7 et 10

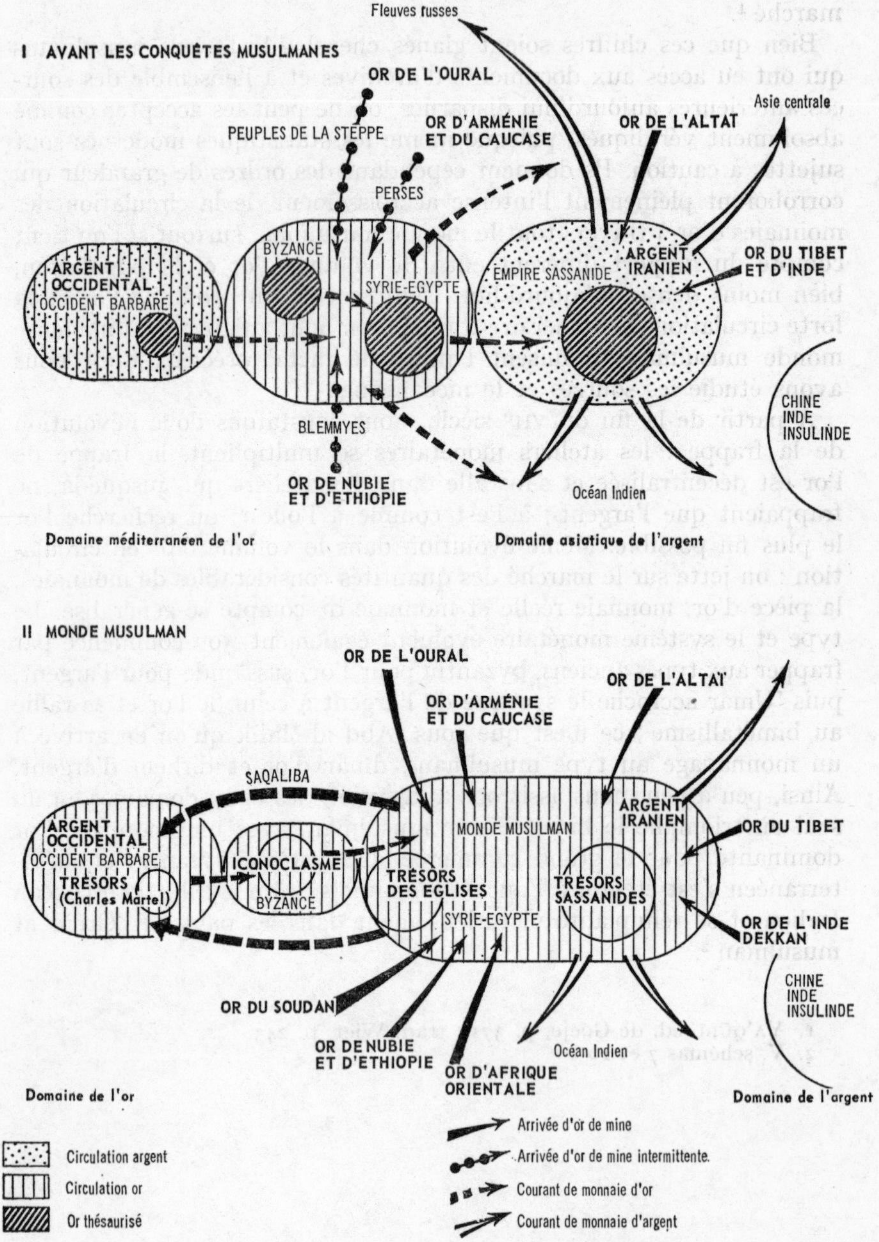

10. SCHÉMA DES CIRCUITS MONÉTAIRES AVANT ET APRÈS LES CONQUÊTES MUSULMANES

VI

LES CONSÉQUENCES ÉCONOMIQUES ET SOCIALES DE L'ÉVOLUTION MONÉTAIRE

1. Conséquences économiques

L'afflux métallique a eu pour première conséquence de faire baisser la valeur des métaux précieux, ce qui entraîna aussitôt une baisse du pouvoir d'achat de la monnaie et une montée générale des prix. De celle-ci, qui fut vaste et longue, nos sources nous donnent de nombreux exemples : du VIIIe au XIIe siècle, du Pseudo-Denys de Tell-Mahré au patriarche Michel le Syrien, les plaintes sur la montée des prix de toutes choses sont continuelles. Un exemple égyptien : Maqrīzī rapporte du prix du blé qu'il monta rapidement au cours du IXe et du Xe siècle ; au début du règne d'Ibn Ṭūlūn, vers 868, on avait 10 ardabs de blé pour un dīnār, tandis que sous H̱umarawaih, son fils et successeur (883-895), on n'en obtenait plus que cinq [1]. Le prix avait donc doublé en moins d'une trentaine d'années, et, par la suite, le second de ces prix devait être considéré comme très bon marché.

Retenons le rythme de la montée des prix ; elle commence par un brusque saut en avant, suivi d'un mouvement beaucoup plus lent. Cette courbe témoigne de la poussée de la production et de l'essor économique, car le volume plus grand de la production tend à absorber peu à peu l'excédent du numéraire jeté dans le circuit. Un afflux de monnaie et la montée des prix qui en résulte, provoquent le développement de la production, et celui-ci fait à son tour baisser les prix. De cette baisse du pouvoir d'achat de la monnaie et de l'augmentation très rapide de la richesse témoigne une parole d'Hārūn ar-Rašīd rapportée par Kīsār : « Du temps d'al-Manṣūr, le dirhem avait plus de valeur que n'en a le dīnār aujourd'hui » [2]. Une cinquantaine

1. Maqrīzī, *Ḫiṭaṭ*, éd. Wiet, I, p. 99.
2. Recueillie dans Bayhaqī, *Kitāb al maḥāsīn wa l-masāwi'*, éd. F. Schwally, Giessen, 1902, p. 503.

d'années sépare le règne des deux califes [1] ; pendant ce laps de temps ou moins encore, la valeur du dīnār (*c.* 4,25 gr. d'or) se déprécia allant même jusqu'à rejoindre celle du dirhem (*c.* 3 gr. d'argent). Il ne s'agit là, naturellement, que d'une impression très subjective, d'un rapport très vague, et certainement d'une boutade. Mais elle est très révélatrice de l'évolution de la baisse du pouvoir d'achat de la monnaie due à l'inflation métallique.

A y regarder de plus près, on s'aperçoit que cette perte de valeur des monnaies fut plus importante pour l'or que pour l'argent.

Nous avons vu que le calife ʿUmar avait régularisé la circulation monétaire et accroché la monnaie d'argent et la monnaie d'or l'une à l'autre. Le rapport fixe entre les deux monnaies était de 1 dīnār pour 20 dirhems. Mais la difficulté du système bimétalliste est qu'il ignore les variations du rapport marchand entre les deux métaux monétaires. Le rajustement se fait sur le marché, où l'or prime l'argent ou inversement, jusqu'à ce que le rapport officiel enregistre le rapport réel.

La question se complique quand l'étude s'étend à des territoires aussi vastes et éloignés les uns des autres que ceux de l'Empire musulman. Ajoutons que toute série continue de documents manque et que, seules, des indications fragmentaires peuvent être tirées des documents de changeurs (papyrus d'Égypte).

Au début du califat, au VIIIe siècle, un dīnār vaut 20 dirhems. Dans la seconde partie du VIIIe siècle, sous les premiers ʿAbbāssides, il n'en vaut plus que 16 dans les provinces orientales. Au milieu du IXe siècle, il en vaut 15 en Orient et en Égypte. Dans le courant du XIe siècle, le dīnār vaut 17 dirhems en Espagne ; cette dépréciation indique que l'arrivée d'or neuf a été plus massive que celle d'argent. Mais le rapport or-argent n'est pas partout le même au même moment ; cette variété est source d'enrichissement pour les banquiers et changeurs arbitragistes à l'intérieur et hors du monde musulman (Venise). Ils pratiquent l'agio des métaux précieux entre eux et le suragio des métaux précieux sur le cuivre ; envoyant l'or, vers les places où il fait prime, contre de l'argent, ils expédient celui-ci sur les places où il est plus apprécié que l'or. Des entrepreneurs capitalistes paient leur main-d'œuvre en *fulûs* (cuivre) et se font payer en or ou en argent.

La baisse de valeur des monnaies a aussi des conséquences sur les processus de thésaurisation. Certes, les masses d'or thésaurisées sont remises peu à peu en circulation ; la frappe au nouveau type musulman et le retrait des anciennes pièces byzantines ou sāssānides cherchent à faire sortir de leurs cachettes les pièces thésauri-

1. Al-Manṣūr règne de 754 à 775, Hārūn ar-Rašīd, de 786 à 809.

sées. Mais un nouveau cycle de thésaurisation commence naturellement. Dans les trésors des califes s'accumulent des réserves métalliques et des objets d'art en métal précieux. Les inventaires des successions témoignent des quantités de monnaies laissées par les califes. Les mosquées et les fondations pieuses immobilisent les sommes — *waqf* — pour l'entretien des édifices ; certes, ce sont des sommes qui rapportent, des sommes placées dont les revenus doivent pourvoir aux besoins du bâtiment religieux, et non pas de véritables trésors ecclésiastiques à l'instar des trésors chrétiens. Il faut pourtant tenir compte du mobilier précieux, par exemple, des milliers de lampadaires d'argent ou d'or dans les grandes mosquées. Les riches particuliers aussi thésaurisent, les familiers du calife surtout qui s'assurent ainsi contre la disgrâce et cachent des sommes pour éviter les confiscations. De nombreuses anecdotes relatent comment émirs et vizirs cachent leur or dans le sol, des puits, des citernes ou des silos, des cabinets même ; d'autres constituent leurs propriétés en *waqf*, au profit d'un établissement religieux, mais en touchant jusqu'à leur mort les revenus. Et surtout, réaction qui témoigne d'un grand essor économique et monétaire, on dépose son argent chez des personnes sûres, marchands ou marchands-banquiers, selon le principe des banques de dépôt.

La thésaurisation a donc tendance à se restreindre, phénomène naturel en une période où la monnaie se déprécie de jour en jour ; plutôt que de l'immobiliser il est préférable de l'investir dans les affaires nouvelles qui la sollicitent de tous côtés. La baisse du taux de l'intérêt et le développement du crédit et des techniques bancaires confirment aussi le sens de cette tendance. Comme une véritable monnaie fiduciaire, la lettre de crédit, *suftāǧa*, circule de plus en plus sur les marchés, dans les milieux commerçants et dans les bureaux du gouvernement ou dans les milieux officiels ; elle permet de simplifier et même de supprimer les transports matériels de monnaie métallique. Le xe siècle en offre le plus bel exemple : l'organisation du transport du produit des impôts depuis l'Ahwāz (Ḫuzistān) et Tustar jusqu'aux bureaux financiers du califat à Bagdad. L'intermédiaire est trouvé dans les gros banquiers juifs de l'Ahwāz, région irriguée et centre de culture de la canne à sucre, qui a besoin d'énormes capitaux, sans cesse réinvestis, et adresse au centre de Bagdad de gros appels de fonds ; par ailleurs, le calife doit centraliser à Bagdad, pour les nécessités de la cour et de l'armée, le produit des impôts des provinces. Aussi le transfert est-il organisé par écrit, solution qui évite de longs et toujours dangereux transports d'argent. Les banquiers juifs perçoivent le produit des impôts de l'Ahwāz et les réemploient immédiatement dans les grosses affaires portant sur du sucre ou des étoffes. Ils donnent au calife des billets à ordre à tirer sur leur avoir dans leurs maisons de Bagdad. Des bureaux spéciaux sont créés, comme le *dīwān el-ǧahbaḏa* ou bureau des banquiers-changeurs qui avançait, prêtait, mobilisait le crédit de l'État.

Le développement du crédit et des techniques commerciales et bancaires se produit dans tous les pays où la monnaie circule largement, où les capitaux disponibles sont sans cesse réinvestis dans un mouvement économique en essor ; sur les places de Mésopotamie et d'Égypte du VIIIe au XIe siècle, ces techniques ont fait d'immenses progrès. Ces derniers, à leur tour, influent profondément sur le rythme de la circulation monétaire et équivalent par leurs effets à une augmentation nouvelle des quantités monétaires mises en circulation : la circulation fiduciaire double la circulation métallique.

Ce stimulus a provoqué un essor puissant des affaires, un appel à la production dont les techniques doivent, pour y répondre, se développer en même temps que les besoins d'une civilisation du confort et du luxe. Et il ne s'agit pas là d'un coup de fouet passager donné à l'activité des échanges, mais d'une action durable et de plus en plus forte. L'injection continue et progressive d'or dans le circuit monétaire du monde musulman a permis l'innervation progressive de toutes ses régions, en même temps que la possibilité d'exporter sans appauvrissement intérieur cette monnaie triomphante hors du monde musulman pour l'achat des objets précieux qu'il ne fournit pas. Les compagnies commerciales et les grandes banques dont nous pouvons suivre le développement et entrevoir le fonctionnement aux IXe-XIe siècles dans le monde musulman, ont tiré toutes leurs possibilités d'action de cette circulation monétaire — métallique ou fiduciaire — plus intense, plus étendue et plus rapide. L'impulsion vient des pays qui ont l'or, moteur du grand commerce. Du VIIIe au Xe siècle, les centres dominateurs de l'économie mondiale ont été les grands centres musulmans.

2. Conséquences sociales

La multiplication des moyens de paiement eut elle-même des conséquences. Elle accéléra d'abord l'activité commerciale et prêta aussi une animation nouvelle à l'industrie et à la production agricole, stimulées par l'accroissement de la consommation. Le mouvement se répercuta sur toute l'économie ; mais la prospérité n'était pas pour tous.

Nous avons vu que la baisse de valeur des métaux précieux avait provoqué une hausse de longue durée des prix, entretenue par l'afflux continu de métaux monétaires qui, malgré les gains réalisés dans le domaine de la production, restait plus important que l'augmentation du volume de celle-ci. La montée des prix profita à peu près uniquement à la classe marchande. C'est elle qui bénéficia de la concentration de la richesse provoquée par les réinvestissements dans des affaires de plus en plus fructueuses ; en revanche les masses populaires des villes et des campagnes s'appauvrissaient tandis que les prix montaient beaucoup plus vite que les salaires et que la richesse mobilière supplantait la richesse foncière. Par suite, l'aristocratie de propriétaires fonciers tombait dans la gêne et perdait de sa puissance. Par l'intermédiaire du fisc et de la banque, une partie importante de la richesse nouvelle s'accumulait à la cour, dans ce milieu palatin, centre de luxe et de civilisation.

Pour le numéraire de plus en plus nombreux, la boutique du marchand et le palais forment deux pôles d'attraction. Le menu peuple des villes et des campagnes et le seigneur foncier lui sont en revanche deux pôles de répulsion. Le fossé se creuse de plus en plus profond entre riches et pauvres ; le phénomène global de la hausse des prix et de la prospérité s'accompagne de phénomènes intermédiaires, comme la répartition inégale des profits et des misères entre les diverses classes. Nous étudierons donc successivement la classe marchande, le peuple des villes et des campagnes, l'aristocratie foncière, et, pour finir, la cour, c'est-à-dire le milieu palatin.

a) *La classe marchande*

Ceux qui trafiquent, les marchands, sont seuls à profiter des décalages monétaires. Une source syriaque, le Pseudo-Denys de Tell-Mahré, affirme dans la seconde moitié du VIIIe siècle qu'on ne voit d'argent que chez les marchands [1]. L'activité des négociants est à la pointe de l'essor économique. Pleins d'initiative commerciale, selon la tradition du monde levantin, ils associent leurs capitaux dans des sociétés commerciales et bancaires. Le commerçant-entrepreneur est créateur d'industrie, il donne du travail, il fournit des matières premières et des avances d'argent, il se charge d'écouler le produit une fois terminé ; les documents de la *Geniza* du Vieux-Caire en comportent de nombreux exemples dans les fragments de comptes.

Leur commerce est souvent aventureux. Il se développe vers les pays sauvages comme le Soudan, d'où, contre de la pacotille, on rapporte « l'or à pleines charges de chameaux », ou vers l'océan Indien, cadre des voyages de Sindbād le marin et de trocs multiples : au départ des ports du golfe Persique ou de la mer Rouge, on embarque de la pacotille pour nègres, qui est échangée sur la côte orientale de

1. *Chronique*, éd. et trad. Chabot, p. 168.

l'Afrique contre des esclaves noirs, et ceux-ci sont cédés en Inde contre des produits précieux, épices, perles, ou pierres précieuses, qui sont rapportés au point de départ pour être écoulés sur les marchés du monde musulman. Un commerçant de Sīrāf, au Xe siècle, rapportait un chargement de marchandises de Chine estimé à 500 000 dīnārs... Voyages triangulaires qui enrichissent leurs promoteurs, autant qu'aux XVIIe-XVIIIe siècles, les marchands de Bordeaux ou de Nantes. La région des fleuves russes offrait des esclaves slaves qu'on expédiait vers les grands marchés d'esclaves de Mésopotamie et d'Iran.

Période des enrichissements rapides, des brusques coups de fortune des chercheurs d'or ou de trésor, des aventuriers de toute sorte. Le long des routes commerciales du monde connu essaiment les succursales des gros négociants. La classe marchande se développe, s'enrichit, occupe dans l'échelle sociale un rang de plus en plus élevé. C'est alors que se constitue le type du grand marchand levantin, musulman, juif ou chrétien.

Le grand marchand dispose de gros capitaux, qu'ils soient personnels ou familiaux, placés dans des associations, des maisons de commerce, ou sous forme de crédit garanti par d'autres marchands. Ces capitaux, il les réinvestit constamment dans des affaires de plus en plus étendues. Les documents judéo-arabes de la *Geniza* du Vieux-Caire retracent la vie fiévreuse de l'homme d'affaires. Voici par exemple une lettre d'un négociant juif de Syrie, envoyée de Jérusalem au Caire par Tyr et Farama, au sujet de l'arrivée de bateaux de Sicile ; son auteur demande qu'on le renseigne sur un bateau espagnol, comme d'ailleurs sur tout autre bateau arrivant à Alexandrie, et il espère une lettre de son correspondant de Kairouan [1].

Esprit de lucre et d'initiative vont de pair. Mais il faut aussi être instruit, pour se reconnaître au milieu des livres de comptes, de la correspondance avec les agents lointains, des billets de crédit. Dans les documents de la *Geniza,* on trouve plus d'une commande de papier, de registres, d'encre, de plumes. Un genre se développe, celui des traités techniques de l'homme d'affaires. Abū'l-Wafā', originaire du Ḫurāsān (940-997), écrit ainsi un livre de vulgarisation arithmétique, le *Livre sur ce qui est nécessaire aux scribes et aux préfets en fait de l'art du calcul.* Le langage chiffré est employé dans les messages secrets. Bien plus, les chiffres indiens avec leurs neuf signes et le zéro sont introduits et simplifient les méthodes de calcul grâce à leur valeur de position. Cette numérotation dite arabe apparaît dès le milieu du IXe siècle, d'abord dans les traités scientifiques et les milieux savants, et bientôt dans les milieux du commerce, pro-

1. R. GOTTHEIL, *Fragments from the Cairo genizah in the Freer Collection,* New York, 1927, pp. 116-129, no XXVII.

voquant les progrès de la science pure avant d'en stimuler les applications.

Ces grands marchands munis d'une instruction pratique possèdent souvent une véritable culture. Ils se piquent d'érudition religieuse et même de poésie. Dans l'Espagne, au début du VIIIe siècle, le frère d'Ibn al-Labbāna était poète comme son frère, mais il n'en faisait pas profession, étant marchand de son état [1]. En Espagne encore, au XIe siècle, on voit un poète comme Abū Bakr s'établir marchand ; une forte récompense pour un dithyrambe en l'honneur du souverain de Séville, al-Muʿtamīd, lui avait permis de s'établir à Almeria et de s'y livrer à un négoce fructueux.

Mécène et bienfaiteur, le grand marchand distribue de larges aumônes, il se pose en soutien des pauvres de la communauté et se répand en fondations pieuses ; il participe à l'embellissement et à l'entretien des édifices du culte, mosquée, synagogue ou église ; il accorde gîte et nourriture aux étudiants, aux professeurs et aux pèlerins. Ainsi, les riches commerçants des communautés juives d'Alexandrie consacrent de grosses sommes à l'entretien des universités, des écoles de Babylonie : Sura et Pumbedita.

Ils rachètent aussi les captifs aux corsaires musulmans, au prix uniforme dans tout le bassin méditerranéen de 33 1/3 dīnārs ; cette forme d'entraide est une sorte d'assurance personnelle pour le commerçant en voyage. Toutes ces activités de bienfaisance révèlent la piété, mais aussi l'orgueil de donner et de se faire pardonner la richesse rapidement acquise ; elles sont très comparables aux *compagnie per elemosine* des sociétés italiennes du XIVe siècle.

Dans son riche hôtel de la ville, le grand marchand vit largement au milieu d'une troupe d'esclaves et de familiers ; il consacre ses loisirs à la recherche des bibelots rares, à des collections de souvenirs de voyage ; il entretient les poètes qui chantent ses louanges, il occupe un rang social élevé ; chroniqueurs et historiens l'évoquent dans de nombreuses anecdotes : le cycle le plus ancien (VIIIe-Xe siècle) des *Contes des mille et une nuits*, celui de Sindbād le marin, narre les aventures de ce marchand. Sous Ibn Ṭūlūn, de riches négociants, soupçonnés d'avoir financé une rébellion, furent arrêtés ; mais le gouverneur de la prison ne les mit pas au cachot, il les retint chez lui et leur demanda de partager sa table...

Certains d'entre eux ont parfois accès aux conseils de gouvernement [2]. Banquiers de cour, (*Ǧahbad*, vieux terme persan qui désigne

1. MARRĀKUŠĪ, *al-Muʿgib*, éd. Dozy, p. 104 ; trad. Fagnan, *Hist des Almohades*, p. 126.

2. MASʿŪDĪ, *Murūǧ aḏ-ḏahab*, éd. et trad. Barbier de Meynard, VI, pp. 133-136. Cf. S. D. GOITEIN, « The Rise of the Near-Eastern Bourgeoisie », *Cahiers d'hist. mondiale. Journal of World History*, III, 1956, pp. 583-604.

le changeur, le banquier), banquiers officiels en relation avec la cour par l'office financier particulier du *dîwân al-ğahbada*, ils prêtent au calife et aux grands personnages, sont fournisseurs du palais, courtiers en marchandises précieuses et en objets exotiques, fermiers des impôts (*mutaqqabil*). Ils acheminent les fonds et effectuent les transferts pour le trésor du calife. On les voit encore entrepreneurs de grands travaux publics ; c'est un riche commerçant juif, Abū 'l-Munağğā, chef des bureaux de l'agriculture, qui fit creuser sous les Fāṭimides le canal qui portait son nom dans le delta du Nil. Parfois, ils occupent une position tout à fait officielle et deviennent chef des finances, vizir. Ce sont des personnages importants et influents à qui l'on adresse d'humbles requêtes. Puis, une brusque disgrâce, une chute retentissante, la confiscation de leurs biens viennent souvent clore une rapide carrière.

Voici deux exemples choisis dans l'Égypte des Fāṭimides : Ya'qūb ibn Killis dans la seconde moitié du Xe siècle, et les frères Tustarī dans la première moitié du XIe siècle

Ya'qūb ibn Killis était un juif de Bagdad très habile dans les affaires. Il était né vers 930 ; en 942, il accompagna son père à Ramlā comme agent commercial. Il vint ensuite s'établir à Fusṭāṭ, dont la communauté juive entretenait des liens étroits avec celle de Syrie, liens renforcés par leur situation commune au double débouché du grand commerce de l'océan Indien vers la Méditerranée. Le gouverneur d'Égypte pour les 'Abbāssides, l'eunuque noir Abū l-Misk Kāfūr (« musc et camphre »), remarqua son habileté dans les comptes et le prit à son service. Il joua tout de suite un grand rôle à la cour de Kāfūr et son génie financier lui permit d'exercer une influence prépondérante dans l'administration de l'État. En 967, il abandonna la religion juive pour se convertir à l'Islam afin de préparer son accession au vizirat à Bagdad. Mais il excita, ce faisant, la jalousie du vizir en titre, Ibn al-Furat. A la mort de son protecteur Kāfūr, il fut obligé de s'enfuir en Tunisie, où il fut bien reçu à la cour du Fāṭimide Al-Mu'izz. Sa connaissance de l'Égypte et sa science financière le firent participer à la préparation de la conquête de l'Égypte par les Fāṭimides. Revenu avec Al-Mu'izz en Égypte, en 969, il dirigea la politique économique du nouvel État comme chef de l'administration financière. On peut dire que la prospérité de l'Égypte sous les premiers Fāṭimides, Al-Mu'izz et Al-'Azīz (975-996), fut son œuvre : le fisc atteignit des montants inconnus jusque-là. De ce grand financier et organisateur, la reconnaissance d'Al-'Azīz fit un vizir en 979. Ibn Killis se distinguait non seulement par son habileté politique, mais encore par sa production littéraire et son érudition ; il écrivit un ouvrage sur le *fiqh*. Il faisait montre d'une grande piété extérieure et menait un train magnifique. Envers ses anciens coreligionnaires, il eut une attitude toujours favorable. En 983-984, il tomba passagèrement en disgrâce, mais recouvra bientôt son ancienne position. Il mourut regretté, et en place, en 991 [1].

Dans les premières années du règne du Fāṭimide Al-Mustansir (1036-94) deux marchands juifs, les frères Tustarī, exercèrent un pouvoir prépondérant au Caire. Abū Saʿad Ibrahīm et Abū Naṣr Hārūn étaient fils de Saḥl, de Tustar, ville de l'Ahwāz-Ḫuzistān, cette riche province du golfe Persique dont les plantations de canne à sucre, une grosse industrie de textiles de luxe et l'armement des navires faisaient la renommée. Abū Saʿad se fit négociant en objets rares et précieux, en curiosités du monde entier et surtout de l'océan Indien ou de la Chine ; il accomplit de longs voyages à la recherche de ces marchandises exotiques. Abū Naṣr devint banquier ; il était aussi courtier en marchandises de l'Iraq. Leur fortune était considérable et ils jouissaient d'une grande popularité. Le calife Aẓ-Ẓāhīr (1020-1035) acheta souvent, pour ses collections, des antiquités au premier qui, un jour, lui vendit même une très belle esclave nègre. Celle-ci allait être la mère du futur calife Al-Mustanṣir. A la mort d'Aẓ-Ẓāhīr, et pendant la minorité d'Al-Mustanṣir, la reine-mère (la *wālīdā*) gouverna les affaires de l'État et prit pour confident son ancien maître Abū Saʿad. Ce dernier resta cependant à l'arrière-plan tant que fut en vie le vieux vizir al-Ǧarǧaraī qui mourut en 1044. Mais dans les quatre années qui suivirent, Abū Saʿad toucha à l'apogée de sa puissance. De nombreux documents de la *Geniza* du Vieux-Caire sont des fragments de lettres adressées au « grand dignitaire », au « seigneur de tous les Anciens » ; suppliques, demandes de dons et d'aumônes, etc. Des poèmes louaient sa piété, sa générosité, sa science.

Le vizir nommé en 1044 s'opposait à l'influence d'Abū Saʿad ; un de ses domestiques alla jusqu'à insulter le frère de celui-ci. La *wālīdā* le fit destituer et, peu de temps après, mettre à mort. Sur la recommandation d'Abū Saʿad, le nouveau vizir fut un juif converti à l'Islam. Mais il avait mal placé sa confiance ; le vizir conspira contre lui et le fit assassiner par la garde turque en 1048. La *wālīdā* le vengea neuf mois plus tard en faisant mettre à mort le vizir ingrat. Nāṣir-i Ḫusraw était au Caire peu d'années après ces événements (*c.* 1050) ; il les a relatés de la manière suivante : « Il y avait à Misr (Le Caire) un joaillier juif qui approchait la personne du souverain ; il était fort riche et on avait en lui la plus entière confiance pour l'achat des pierreries. Un jour, les soldats du calife fondirent sur lui et le massacrèrent... Ce juif qui avait été tué portait le nom

1. Sur Ibn Killis : Maqrīzī, *Hiṭāṭ*, II, pp. 5 et suiv. ; Ibn Ḫallikān, trad. de Slane, IV, p. 359 ; Ibn Taġrī Birdī, éd. Popper, II, p. 45.

de Abū Saïd. Il avait un fils et un frère et ses richesses étaient si considérables que Dieu seul pouvait les connaître. On rapporte qu'il y avait, sur la terrasse de sa maison, trois cents vases en argent, dans chacun desquels était planté un arbre. Le grand nombre de ces arbres très chargés de fruits donnait à cette terrasse l'apparence d'un jardin. Après l'assassinat d'Abū Saïd, son frère écrivit une lettre qu'il fit parvenir au calife et dans laquelle, à cause de la frayeur qu'il éprouvait, il proposait de verser immédiatement au trésor la somme de 200 000 dīnārs *maġribi*. Le calife renvoya cette lettre et la fit déchirer en public, puis il fit dire au frère d'Abū Saïd : Soyez sans inquiétude et retournez chez vous, car personne n'a rien à démêler avec vous, et moi je n'ai besoin de l'argent de qui que ce soit. Il donna des lettres de sûreté au frère et au fils d'Abū Saïd » [1]. D'après les documents de la *Geniza*, les deux frères Tustarī furent tués le même jour ; on a retrouvé en effet l'éloge funèbre prononcé en leur honneur après le massacre, et une lettre aux juifs de Jérusalem pour demander un service à la mémoire des « deux hommes de bien » [2].

On pourrait multiplier les exemples de ces « patriciens de l'Islam », prototypes des marchands italiens ou flamands de la seconde partie du Moyen Âge, des riches bourgeois manieurs d'argent à la cour de France ou de Bourgogne. Cette classe, à mentalité capitaliste, forme l'armature d'argent de la société musulmane ; elle est le support et le véhicule d'une brillante civilisation matérielle. Période génératrice de richesse et de progrès dans le mouvement économique général ; mais période, aussi, où se constitue dans les villes et les campagnes une basse classe misérable et d'autant plus misérable que l'or circule largement plus haut et que le fossé se creuse toujours plus profond entre pauvres et riches [3].

b) *Le petit peuple des villes et des campagnes*

Dans les *Contes des mille et une nuits*, Sindbād le portefaix (*Sindibād al-hammāl*), le pauvre hère, a pour homonyme Sindbād le marin (*Sindibād al-bahrī*), le riche marchand qui a fait fortune dans le commerce de l'océan Indien.

Les grandes villes du monde musulman, dont le développement va de pair avec l'afflux d'or et l'essor économique, ont une fonction commerciale ; leur centre est le *sūq*, le marché, peuplé de petits arti-

1. Nāṣir-Husraw, *Safernāmē*, trad. Schefer, pp. 159-160.
2. J. Mann, *The Jews in Egypt and in Palestine under the Fatimid caliphs*, Oxford, 1920-1922, I, pp. 16 et suiv. ; W. Fischel, « The origin of banking in Mediaeval Islam : a contribution to the economic history of the Jews of Baghdad in the tenth century », *Journal of the Royal Asiatic Society*, avril-juillet 1933.
3. L. Massignon, « L'influence de l'Islam au Moyen Age sur la fondation et l'essor des banques juives », *Bulletin d'études orientales* de l'Institut français de Damas, I, 1931, pp. 3-12.

sans, de toute une plèbe urbaine, libre ou esclave, aux moyens d'existence de plus en plus précaires.

Les campagnes, elles, fourmillent de paysans, de petits propriétaires ruinés. Les usuriers de la ville, les riches citadins les évincent de leurs terres et investissent en biens-fonds une partie des gros bénéfices que leur procure le commerce, comme le recommande Ad-Dimašqī dans son *Manuel du parfait négociant.* La ville exerce une influence grandissante sur les campagnes et les populations rurales sont écrasées par les impôts dont le taux croît avec la baisse du pouvoir d'achat des monnaies, mais qui sont néanmoins strictement exigés par l'administration d'un grand empire centralisé et paperassier. Les sources ecclésiastiques chrétiennes, nestoriennes ou jacobites et les chroniqueurs syriaques des IXe-Xe siècles nous font un tableau détaillé de cette situation matérielle du monde rural, dans la haute Mésopotamie et la Syrie ; ainsi, le Pseudo-Denys de Tell-Mahré : « Les hommes des campagnes, opprimés par des exactions cruelles venaient dans les villes, et apportaient des présents à ceux qui prêtaient à usure. Le prêteur les laissait acculés au besoin d'argent pour payer les impôts. Alors il leur faisait signer un écrit et donner un gage. Ils souscrivaient des intérêts ; il exigeait un rachat (une promesse de rembourser en nature, mais à un prix plus fort que le prix courant), et demandait des cautions. Souvent l'emprunteur ne pouvait rendre, l'usurier faisait alors saisir sa terre » [1].

Quand la famine venait, il n'y avait plus de salut que dans la fuite. Ces mêmes sources et les papyrus d'Égypte nous montrent ces paysans déracinés, errants, cherchant à se soustraire au fisc. Plaie des campagnes, ils y fomentaient des troubles contre lesquels luttait le gouvernement désireux de maintenir l'ordre et de retrouver sa matière imposable. Un bureau spécial fut créé en Égypte et les pagarques des villages furent rendus responsables. Pour circuler, il fallut un passeport, dont on a conservé quelques exemples sur papyrus ; quand cette pièce était perdue, détruite ou détériorée, il fallait la remplacer moyennant cinq dīnārs [2]. Les passeports des gens de condition portaient sur leur papier un cachet imprimé ; pour le menu peuple, on apposait ce cachet sur le bras ou dans la main du tributaire, ou bien on lui attachait au bras ou au cou un sceau de plomb [3].

1. PSEUDO DENYS DE TELL-MAHRÉ, *loc. cit.*, pp. 151-153. Cf. C. CAHEN, « Fiscalité, propriété, antagonismes sociaux en Haute-Mésopotamie au temps des premiers Abbassides », *Arabica*, I, p. 145.

2. J. von KARABAČEK, *Das arabische Papier*, Vienne, 1887, pp. 89 et suiv. ; H. I. BELL, « Translations of the Greek Aphrodito Papyri in the British Museum, *Der Islam*, II, 1911, pp. 269-283, 372-384 ; III, 1912, 132-140, 369-373.

3. ABŪ YUSŪF YA'QŪB, *Kitāb al-harāğ*, p. 128 ; A. MEZ, *Die Renaissance des Islams*, p. 472.

Cette misère du menu peuple des campagnes et des villes fit éclater une série de mouvements sociaux teintés, comme toujours en Islam, d'éléments religieux, messianiques, inspirés par l'attente et la préparation de la venue du Mahdi. On peut y distinguer trois aspects : la révolte des paysans, celle des esclaves et enfin des révoltes de la plèbe urbaine.

La révolte du menu peuple des campagnes fut animée par un réveil du vieux « communisme » agraire iranien. Les Sāssānides déjà avaient dû affronter des mouvements analogues, tel celui de Mazdak, à la fin du ve siècle, qui se manifesta aussi dans une économie en plein essor et s'inspirait du manichéisme. Des révoltes dirigées par de pseudo-prophètes se réclamèrent des doctrines de Mazdak et du mouvement ʿabbāsside-ʿalide prêché par Abū Muslīm ; elles préconisaient la communauté des biens et des femmes. Ce fut d'abord la révolte de Sunbāḏ le mage en 754-755, puis celle d'Ustāḏasīs en 767. Elles furent suivies d'une révolte de paysans en Arménie IVe, en 774-775, qu'a relatée le Pseudo-Denys de Tell-Mahré : « A cause des exactions fiscales et de la misère, les paysans, excédés, se soulèvent dans l'Arménie IVe. Le gouverneur rassemble les troupes de la ville et envoie son lieutenant et avec lui des hommes criminels et sanguinaires, les notables du pays, scélérats et sans pitié. L'armée des paysans révoltés se dirige vers le camp organisé par le gouverneur. Après un combat furieux, le camp est pillé. Tous les objets sont détruits. Le scélérat qui était à la tête des révoltés statua que tout ce qu'un homme désirait appartiendrait à cet homme. Les paysans et leurs chefs étaient plus durs que les païens et n'eurent pas la moindre pitié pour leurs frères. Ils s'attaquaient à l'église et la dépouillèrent de ses livres et de tous les objets du culte. Ils emmenèrent les hommes enchaînés comme des assassins, rassemblèrent tout le bétail et le conduisirent avec eux. Ils parcoururent ainsi de nombreux villages, pillant en entraînant les habitants » [1].

En 777-780, ce fut Yūsuf al-Baram et al-Muqannā', « le prophète voilé » du Ḫurāsān ; en 782-783, les Bāṭinites du Ǧurǧān et les « drapeaux rouges » des bords de la Caspienne, dans le nord de l'Iran ; puis, sous Hārūn ar-Rašīd, vers 800, les Ḫurannites du Ḫurāsān. L'insurrection la plus importante et la plus dangereuse pour le pouvoir du calife fut celle de Babek, entre 816 et 838, sous al-Ma'mūn et son successeur al-Muʿtaṣim [2]. Son mouvement fut la conjonction des différentes sectes. Babek commença à soulever les populations dans l'Azerbaïdjan, où il avait une forteresse, repaire et poste de commandement dans une région montagneuse. Le mouvement se

1. Pseudo Denys de Tell-Mahré, *loc. cit.*, p. 172.
2. Masʿūdī, *Murūǧ*, VI, p. 187.

répandit à l'ouest, vers l'Arménie, et à l'est, vers le Ḫurāsān, au sud enfin, vers l'Iraq septentrional et le Fārs, bientôt à tout l'Iran. On mobilisa contre Babek de nombreuses armées de Turcs mercenaires. Sa forteresse finit par être emportée et détruite [1].

Contemporaine de ces mouvements du monde rural en Iran, la révolte des Zuṭṭs fut une vraie révolte de parias ; il s'agissait de populations indiennes qu'on avait déportées du Bas-Indus dans les marais de basse Mésopotamie où ils vivaient, dans les roseaux, de l'élevage du buffle. Des esclaves fugitifs vinrent se joindre au mouvement. Les révoltés furent déportés vers les frontières byzantines, dans les marécages de l'Oronte, en Syrie du Nord, d'où ils glissèrent vers l'Anatolie, les Balkans et l'Europe centrale, donnant naissance au peuple tzigane.

Les révoltes d'esclaves furent également nombreuses. A Harran, en haute Mésopotamie, les esclaves nègres employés dans les plantations et les mines se révoltèrent en 770. Entre 868 et 883, surtout, se déroula la terrible révolte des Zanǧ qui cherchèrent refuge dans les régions marécageuses du Tigre inférieur. Ce soulèvement, que le calife Al-Muʿtamid combattit pendant une quinzaine d'années, fit de terribles ravages ; les esclaves réussirent à surprendre et à dévaster les riches villes commerçantes du golfe Persique et de basse Mésopotamie ; les habitants en furent massacrés, le trafic entre Bagdad et le golfe Persique interrompu et le commerce paralysé. Les nombreuses troupes califales envoyées contre eux subirent de gros échecs sur un terrain hostile. Le frère du calife, Al-Muwaffaq, finit par prendre la direction de la répression ; après un long siège, la dernière forteresse des Zanǧ, érigée au milieu des marécages, fut prise et leur chef fut mis à mort avec ses compagnons [2].

La révolte de la plèbe urbaine fut due à une misère encore plus âpre que dans les campagnes. A Bagdad, pendant les troubles de la succession d'Hārūn ar-Rašīd et la lutte entre Al-Amin et son frère Al-Maʾmūn (812-813), la révolte des « nus » (*ʿawār*) rendit le peuple des pauvres un moment maître de la ville. Puis, sour le règne d'al-Maʿmūn, entre 830 et 832, les artisans coptes se révoltèrent dans le delta égyptien. Le delta était le centre d'industries textiles de luxe ; tout une série de petites villes se consacraient uniquement au travail des étoffes ; les conditions de vie des ouvriers y étaient de plus en plus difficiles. Tout le delta se souleva ; les artisans trouvèrent refuge dans les marécages du lac Būšmūr dont leur mouvement garda le nom. Contre ces Būšmūrites, le calife dut envoyer des troupes et

1. B. Spuler, *Iran in früh-islamischer Zeit (633-1055)*, Wiesbaden, 1952, pp. 51-53.
2. Th. Nöldeke, « Ein Sklavenkrieg », *Orientalische Skizzen*, Berlin, 1892, pp. 153-184.

venir lui-même en Égypte. Les révoltés finirent par être vaincus et capturés. Plusieurs milliers furent déportés et vendus comme esclaves en Syrie et en Mésopotamie où ils introduisirent les techniques du tissage égyptien.

Du VIIIe au IXe siècle, tous ces mouvements se montrèrent désordonnés, aberrants, sans liaison les uns avec les autres. Au Xe siècle, en revanche, eut lieu un vaste mouvement d'ensemble, le mouvement qarmate, qui devait s'étendre de l'Iran et du golfe Persique à l'Afrique du Nord et à l'Égypte, poussant des ramifications jusqu'en Espagne, secouant le monde musulman tout entier. On y constate un début d'organisation du monde du travail : associations, sociétés secrètes à caractère initiatique, corporations de métier à contenu social, tout différent de celui des anciens *ministeria* du Bas-Empire et de l'empire byzantin. Le *ministerium* ou le *collegium* du Bas-Empire étaient des organisations étatiques, des réunions d'artisans surveillées, contrôlées par des agents de l'État. Cette organisation étatique se perpétue à Byzance et dans l'Orient byzantin dans les *somata*, les « corps » que surveillait le préfet de la ville ou l'agent du gouverneur [1]. Les métiers sāssānides étaient, à ce que nous pouvons en savoir, organisés sur un modèle analogue. Les conquêtes musulmanes n'apportèrent pas de changement à ces modèles romano-byzantins d'Égypte et de Syrie, ou sāssānides d'Iran et de Mésopotamie. Les métiers furent surveillés, comme auparavant par le successeur du préfet de la ville, le *ṣāḥib al-medīna* ou le *ṣāḥib aš-šurṭa*, ou par l'agent du gouverneur, le *muḥtasib* ou contrôleur des marchés et surveillant des corporations.

La corporation toute différente qui apparaît au Xe siècle, inspirée du mouvement qarmate, n'est plus un organe officiel ; en certains points, elle lutte même contre l'autorité gouvernementale. C'est une association étroite, une véritable confrérie liée par des rites d'initiation, un serment et le secret ; elle a ses chefs élus, les maîtres et un conseil des maîtres, un chef de la corporation. Une doctrine mystique et sociale l'anime [2].

La corporation musulmane de ce nouveau modèle a peut-être exercé une influence sur les corporations de l'Occident chrétien des XIe-XIIe siècles où se retrouvent beaucoup des caractères de la corporation musulmane, sans qu'on doive exclure pour autant les possibles survivances de l'organisation romano-byzantine de l'ancien type. La question reste ouverte.

1. CONSTANTIN PORPHYROGÉNÈTE, *Le Livre du Préfet*, éd. et trad. Nicole.
2. B. LEWIS, « An epistle of manual craft », *Islamic Culture*, XVII, 1943, pp. 142-151, et « Islamic Guilds », *The Economic History Review*, VIII, 1937, pp. 20-37.

c) *La seigneurie domaniale et la concentration urbaine*

L'affaissement urbain et le développement du domaine, qui ont correspondu à la fin de l'Empire romain et aux invasions barbares en Occident, ont eu pour cause profonde l'insuffisance de la masse monétaire en circulation : progressivement le grand commerce s'est vu étouffer, les centres urbains sont entrés en décadence, le domaine a acquis la prépondérance dans la vie économique. L'afflux d'or dans le monde musulman et la circulation monétaire intense ont provoqué la reprise du grand commerce et l'essor de la classe marchande, le renouveau urbain et l'effacement du cadre domanial. Comme entre des vases communiquants, des échanges animent constamment la fortune foncière et la fortune mobilière, la classe marchande urbaine et l'aristocratie foncière ; quand l'une s'élève, l'autre descend [1].

Dans le monde musulman des VIIIe-XIe siècles, la montée de la classe marchande s'exprime par sa richesse, son importance sociale, sa puissance. Le déclin de l'aristocratie foncière s'accompagne de son appauvrissement, de sa perte de puissance dans la société. Marc Bloch a étudié des phénomènes analogues dans les sociétés occidentales, à partir du XIIIe siècle.

La série des papyrus égyptiens, couvrant la fin de l'époque byzantine et le début de l'époque musulmane, permet de suivre l'évolution du VIe au VIIIe siècle [2] : dans l'Égypte byzantine, le domaine s'accroît, mais les conquêtes et l'établissement de la domination musulmane arrêtent le processus et consacrent la victoire de la ville sur la campagne.

A la veille de la conquête musulmane, se poursuit l'évolution vers le grand domaine, constatée dès la crise du IIIe siècle dans l'Empire romain ; quelques grands propriétaires concentrent entre leurs mains d'immenses territoires, qu'il s'agisse de l'empereur, de l'Église ou de l'aristocratie laïque. En même temps, s'étend le système de l'*autopragia*, c'est-à-dire le paiement des impôts pour toutes les personnes habitant le domaine, fait par le grand propriétaire directement à l'autorité centrale et non pas au percepteur de district. Le grand propriétaire lève à son tour l'impôt sur ses domaines au moyen de son propre personnel d'administrateurs domaniaux ; il jouit ainsi de plus en plus de l'immunité.

Par la multiplication du *colonus adscripticius* (ἐναπόγραφος γεωργός),

1. L. MASSIGNON, *art. cit.*, *Bull. d'ét. orient.*, I, 1931, pp. 3-12 ; S. LABIB, « Gold und Kredit », *Journ. of the econ. and social History of the Orient*, II, 1959, pp. 225-246.
2. H. I. BELL, « Translations of the Greek Aphrodito Papyri », *loc. cit.*

ou colon attaché à la glèbe, le servage se développe. Le domaine est une agglomération de tenures qui paient au seigneur d'importantes redevances. Le petit paysan libre se fait de plus en plus rare ; il tombe sous le *patrocinium* du grand propriétaire voisin, puis il est englobé dans l'ensemble des serfs qui travaillent sur le domaine. Terres de l'État et terres de l'Église sont peu à peu usurpées. Dès la fin du ve siècle apparaissent les soldats privés (*buccellarii*), sorte de garde du corps des grands propriétaires. Outre cette police privée, les prisons privées, destinées surtout aux colons fugitifs, prennent place sur le domaine : véritable instrument d'oppression pour le peuple des campagnes. Le rescrit de Justinien de 527 affirme que les campagnes sont devenues « proprement inhabitables par suite des exactions des grands ».

Peu à peu, les fonctions de l'État ont été absorbées et usurpées par les grands propriétaires, maîtres de leurs serfs et entourés de leur garde, tandis que la construction de la seigneurie foncière se poursuit. Les papyrus contiennent une série de documents issus des bureaux des grands propriétaires, véritable administration particulière, qui, dans chaque grand domaine, compte des intendants, des caissiers et des secrétaires, des archivistes, des jurisconsultes et de grands officiers. Le domaine a encore ses mesures et ses monnaies particulières de bronze. Parallèlement se multiplient les artisans domaniaux, bateliers commandés par un amiral privé, le stolarque, parcourant le Nil, cette grande artère de communications et de transports de l'Égypte ; chameliers, muletiers, courriers à cheval, plâtriers et briquetiers, charpentiers, forgerons et bronziers, tisserands, etc.

Les renseignements détaillés qu'on possède sur l'Égypte, grâce aux papyrus, sont recoupés par ce qu'on sait de la situation en Syrie, en Asie Mineure et dans les Balkans. Les sources officielles comme le *Code Justinien* sont confirmées par les écrivains ecclésiastiques, syriaques et grecs, unanimes. La cellule domaniale est de plus en plus autonome et tend à vivre de sa vie propre en marge de l'autorité centrale. Sur le plan social, la seigneurie foncière, la grande maison seigneuriale se cristallise déjà ; sur le plan économique, la cellule domaniale fermée est en gestation. Évolution semblable à celle de l'Occident barbare, mais le système seigneurial et domanial n'a pas encore atteint son plein développement lors de la conquête arabe au VIIe siècle. Entre le domaine et la ville, hommes et marchandises vont et viennent encore en abondance. L'asphyxie économique est moins poussée que dans l'Occident barbare, les cadres étatiques se maintiennent dans le domaine byzantin, le pouvoir impérial et l'administration centrale luttent pied à pied contre les usurpations des grands propriétaires, freinant, sinon arrêtant, la marche à la seigneurie domaniale parfaite. Celle-ci n'en reste pas moins le fait le plus important de l'économie agraire du domaine byzantin. Dans cette cellule qui s'organise économiquement et socialement, le seigneur et ses serfs restent seuls partenaires : « Le misérable serf Anoup (Anubis) se prosterne devant le très magnifique patricien... il rampe sur la trace des pas immaculés du puissant duc Athanasios ».

La conquête musulmane arrête cette évolution ; la cellule domaniale qui était en voie de complet achèvement éclate. Désormais le serf et le seigneur, le très magnifique duc Athanasios et son misétable serf Anoup sont les sujets d'un pouvoir étranger, forcés de payer tous deux la marque de leur servitude : la capitation ordonnée par le calife, et l'impôt foncier. Une administration centralisée et puissante fait rentrer directement les impôts. Face à l'État, les différences sont nivelées. Capitation et impôt foncier sont payés par tous les non-musulmans pour entretenir la communauté musulmane ; ils expriment son droit éminent sur la terre que cultivent les *ḏimmi*, les populations protégées. Le tribut est réparti entre les musulmans qui deviennent ainsi, en quelque sorte, des rentiers du sol vivant à la ville. Cette conquête arrête donc, dans le monde musulman, le processus domanial, la marche à la seigneurie ; au contraire, l'Empire byzantin voit se renforcer la puissance de l'aristocratie foncière d'Asie Mineure aux IXe-Xe siècles, en dépit de la lutte acharnée que les empereurs mènent contre ce danger menaçant pour leur pouvoir. Dans l'Occident barbare aussi, le processus ne fait que se poursuivre et s'aggraver, pour aboutir, aux Xe-XIe siècles, à la féodalité. Face aux domaines byzantin et barbare, la force économique relative du domaine musulman lui vient de l'absence de féodalité et d'ankylose domaniale.

En dernière analyse, la cause profonde de l'arrêt du processus domanial dans le monde musulman est l'importance qu'a prise la fortune mobilière en face de la fortune foncière, l'enrichissement rapide de la classe marchande et sa montée sociale vis-à-vis de la classe des propriétaires terriens. Le marchand enrichi place une partie de ses gains en achats de propriétés à la campagne ; de la ville où il est installé, le propriétaire perçoit les revenus de ses terres en véritable rentier du sol. Ainsi s'affirme la domination de la ville et du citadin sur la campagne et le monde rural.

Les échanges entre la ville et la campagne en sont activés. Une large économie d'échanges, une économie monétaire se substituent à une économie qui n'était pas encore purement domaniale, mais qui tendait par beaucoup de côtés à le devenir. On trouve de « l'argent dans les moindres bourgades ». La ville en pleine croissance lance un appel de consommation aux produits de la campagne. Dans le voisinage des métropoles qui grandissent comme « des villes-champignons », les cultures maraîchères s'étalent : ce sont les *faḥṣ*, les couronnes de jardins et de vergers dont la surface est obligatoirement en rapport avec le peuplement des grandes villes comme Bagdad, Le Caire ou Cordoue. Les villes font aussi appel au commerce lointain ; la farine de Syrie arrive à Bagdad par l'Euphrate, et le blé d'Égypte par la mer Rouge et le golfe Persique.

La ville appelle aussi la main-d'œuvre rurale sur le chantier urbain. Pour les grands travaux de construction urbaine, les paysans sont réquisitionnés ; les papyrus nous livrent de longues listes d'ouvriers égyptiens requis d'aller travailler à Fusṭāṭ à la construction du palais du gouverneur ; ou bien ils coopèrent à Damas au chantier de la grande mosquée des Umayyades, ou, à Tunis, à la construction des bateaux du nouvel arsenal maritime. Cet afflux d'hommes de la campagne à la ville rend de plus en plus intimes les relations des villes avec la campagne. Il provoque aussi un brassage de populations tout à fait contraire à l'organisation d'une cellule domaniale fermée. Ces trois phénomènes sont donc étroitement liés : éclatement de la cellule domaniale en voie de formation — arrêt du processus domanial avec apparition de la grande économie monétaire — essor urbain accompagnant celle-ci. Alors qu'en Occident, les villes se sont dépeuplées au profit des campagnes et que le domaine est devenu l'unité économique et sociale, le monde musulman a connu un vaste mouvement de la campagne vers la ville et la désagrégation de la cellule domaniale en voie d'achèvement.

Du VIIIe au XIe siècle, le monde musulman représente un des grands moments de l'histoire du mouvement urbain, analogue à celui de l'époque hellénistique ou de la première période de l'empire romain. Pourtant on l'a parfois négligée [1] au bénéfice de l'essor urbain d'Occident qui commence, sous l'influence du monde musulman, à partir du Xe siècle, mais tout doucement. Au contraire, le monde musulman connaît une expansion intense, il développe de nouvelles formes urbaines, un genre de vie citadin, une civilisation stimulée par l'or et le grand commerce.

De l'est vers l'ouest, le mouvement s'amplifie dans l'ancien empire sāssānide ; il repart dans les anciennes provinces byzantines qui ne connaissaient jusque-là que la stagnation et le resserrement urbain ; il renaît dans les pays de l'Occident musulman, dans l'Espagne wisigothique, barbarisée et ruralisée, dans l'Afrique du Nord nomadisée et barbarisée. Cet essor se traduit soit par le développement des anciens centres, soit par la création de villes nouvelles.

Dans l'ancien empire sāssānide, Kūfa est créée sur un bras occi-

1. Cf. M. Lombard, « L'évolution urbaine pendant le Haut Moyen âge », *Annales E.S.C.*, XII, 1957, pp. 7-28.

dental de l'Euphrate, Baṣra sur une langue de terre située entre le fond du golfe Persique et les cours de l'Euphrate et du Tigre ; Bagdad, surtout, est fondée en 762 sur le Tigre, et, dès le IXe siècle, elle est la plus grande ville du monde. Des villes hellénistiques et sāssānides de l'Iran, Samarqand, Balẖ, Merv, Tustar, se développent.

Dans l'ancien Empire byzantin, Damas, Tripoli et Tyr grandissent ; l'ancienne petite ville de Babylone d'Égypte (à la pointe du delta) essaime et devient une des très grandes villes du bassin méditerranéen, Fusṭāṭ-Le Caire.

Dans la Méditerranée occidentale, sont créées Kairouan (puis, près d'elle : Al-Qaṣr al-Qadīm et Raqqāda), Tunis, Mahdiyya, la Qalʿat Banī Ḥammād, Tāhart, Tlemcen, Fès, Marrakech. S'y ajoutent les grandes cités caravanières, ports d'arrivée de l'or du Soudan : Siğilmāsa, Ouargla, les villes du Mzab, Ġadamès, et, par delà le désert, Awdağost, Tadmekka, Ġana, Gao, Tombouctou, les marchés de l'or du Sahel soudanais. Ce renouveau urbain de l'Afrique du Nord est encore plus important que le mouvement d'urbanisation de l'Afrique romaine aux IIe-IIIe siècles ; il tient tout entier dans l'aire de l'or soudanais. En Espagne, Cordoue (et son bourgeonnement de Madīnat az-Zahrāʾ, al-Madīnat az-Zāhira), Tolède, Saragosse, Séville sont en plein essor ; le grand port d'Alméria est créé au sud-est de la péninsule. Palerme se développe en Sicile.

L'aspect démographique de cette concentration de population dans les grandes métropoles, les plus importantes agglomérations urbaines du monde avec Constantinople et Tch'ang-ngan est difficile à saisir, car il n'existe pas de recensement ; les approximations des sources et surtout la superficie comparée des surfaces construites, en tenant compte de l'élévation des maisons, permettent de fixer un ordre de grandeur. Il existait de petites maisons à un ou deux étages entourant une cour intérieure, semblables à celles que les fouilles ont mises au jour dans la Fusṭāṭ ṭūlūnide [1] ; à côté, de grandes maisons de rapport — les *insulae* de l'ancienne Rome — comptaient cinq à sept étages et 200 à 350 locataires chacune. Compte tenu de ces chiffres, on peut estimer que la Bagdad de la fin du IXe et du Xe siècle, c'est-à-dire à son apogée, avait un million d'habitants ; sa superficie égalait celle de Paris limitée par les boulevards extérieurs. Damas et Cordoue comptaient de 300 à 400 000 habitants, Le Caire environ un demi-million et Byzance moins d'un million. Comparons aux grandes villes industrieuses de l'Occident médiéval : les villes de Flandre ne dépassaient pas 20 à 30 000 habitants, Paris atteignit au XIVe siècle le chiffre de 200 000 habitants, et c'était une des plus grandes villes de l'Occident chrétien.

1. Ibn Ḥawqal, éd. de Goeje, p. 146.

Sur le plan économique, les grandes villes musulmanes restent essentiellement commerçantes. Leur plan le montre : le centre de l'activité est le *sūq*, le marché, une rue commerçante et industrielle où les marchandises sont fabriquées et mises en vente Au milieu du *sūq* la grande mosquée, centre de réunion, lieu sacré, protection du marché. A côté, la *kaisariya,* une halle fermée où sont entreposées les marchandises précieuses provenant de l'extérieur, une bourse aussi. Puis les *funduq,* hôtelleries pour marchands, et tout près, le *sūq as-sāga,* le marché du change, et la *dār-as-sikka,* l'hôtel de la monnaie. Les différents corps de métier sont groupés en rues marchandes animées d'une vie grouillante. Toute la population du *sūq* vit de l'industrie et du commerce [1].

Essor urbain et arrêt du processus domanial, voilà deux grands faits intimement liés, et conséquence, tous deux, d'une économie monétaire en constante expansion.

d) *La cour et le milieu palatin*

Pour entretenir courtisans, fonctionnaires et armée, la monnaie affluait dans les coffres du gouvernement. Cette monarchie bureaucratique et paperassière exigeait strictement les impôts. Sous Hārūn ar-Rašīd (786-809), il entrait chaque année au trésor public (*bait al-māl*) 7 500 quintaux d'or monnayé, soit un milliard et demi de *dīnārs.*

Mobilisant le crédit du calife et des hauts dignitaires de la cour, traitant des prêts, des avances, des anticipations, recouvrant l'argent en dépôt et le faisant fructifier, les banquiers de cour appartiennent à la fois au milieu de la classe marchande et au milieu des fonctionnaires [2]. Ils forment ainsi le secteur stable de l'économie monétaire, puisque le milieu palatin et les marchands sont les deux pôles d'attraction pour les monnaies qui circulent.

Pour mettre leur argent à l'abri des confiscations, pour dissimuter leurs malversations et faire fructifier leur fortune, les hauts fonctionnaires de la cour font des dépôts chez les banquiers. Les vizirs ont pour usage d'avoir leur banquier particulier ; au Xe siècle, l'important fermier des impôts, vizir ensuite, Ḥāmid ibn ʿAbbās, déposait chez le banquier Ibrāhim ben Yuḥanna une somme de 100 000 dīnārs [3].

1. Sur le développement des villes musulmanes, cf. A. von Kremer, « Über das Budget der Einnahmen unter der Regierung des Harûn alrasîd nach einer neu aufgefundenen Urkunde », in *Verhandlungen des VII. internationalen orientalisten Congresses gehalten in Wien im Jahre 1886.* Semitische Section, Wien, 1888, pp. 1-18.

2. W. Fischel, « The origin of Banking », *loc. cit.*, p. 9.

3. Miskawayh, *Taǧārib al-umam*, éd. et trad. Amedroz et Margoliouth, *The Eclipse of the Abbasid Caliphate,* IV, p. 79.

Les opérations de ces banquiers de cour se faisaient donc au bénéfice des courtisans et du calife. Ils en administraient d'abord les fonds inscrits sur les livres du *ǧahbad* placés sous le contrôle du gouvernement. Mais il existait aussi des comptes secrets : ainsi, le compte en banque ouvert au vizir Ibn al-Furāt, où le banquier créditait les pots-de-vin (*māl al-marāfiq*, « l'argent de la corruption »), qui lui étaient directement versés... ; lors de l'enquête, qui suivit la destitution du vizir, et des procès en concussion, les banquiers furent tenus de fournir un rapport détaillé sur les états des fonds qu'ils géraient et durent établir un reçu pour toute affaire d'argent.

Une autre activité de ces banquiers était la remise de fonds par lettre de crédit (*suftāǧa*). Cette circulation fiduciaire qui permettait des transports de fonds sans risque de perte ou de vol, avait une grande importance pour le commerce privé. D'après Tanūẖī, un homme entreprenant un long voyage, avec deux domestiques et un guide emporte pour toute richesse des *suftāǧa* pour 5 000 dīnārs [1]. La province d'Ahwāz envoyait sous forme de *suftāǧa* ses présents en argent (3 000 *dīnārs*) à la mère du calife [2]. Même les pots-de-vin étaient payés de cette façon [3]. « Quelle chose merveilleuse que de voir une lettre de change pour une entreprise commerciale entrer dans le pays ennemi. Quelle source d'orgueil que de voir les marchands ayant plus de pouvoir que les vizirs à l'est et à l'ouest, pour faire pénétrer leurs lettres plus loin que les leurs. Elles sont acceptées plus facilement que le tribut et l'impôt foncier » [4].

La circulation fiduciaire simplifiait et rationalisait aussi l'administration financière ; elle permettait d'envoyer les impôts des provinces de l'empire ʿabbāsside au trésor public de Bagdad [5] ; des messagers spéciaux, les *faij* (mot persan : « courrier »), en Afrique du Nord, et les *kutulī* (« porteurs de lettres »), en Asie occidentale, assuraient, parallèlement à la poste gouvernementale un service postal privé [6]. Les lettres de crédit étaient conservées dans la caisse du trésor ; en 916, le trésor public de Bagdad contenait des *safātiǧ* (pl. *suftāǧa*) reçues du Fārs, d'Isfahān et des provinces orientales [7] ; elles étaient ensuite escomptées et échangées par le banquier de cour, suivant les besoins du calife et du trésor, ou bien elles étaient déposées chez les banquiers de cour comme garanties d'un prêt demandé par le vizir. A lire le texte qui suit, on a l'impression d'assister à l'envoi d'un

1. TANŪẖĪ, *Niswār al-muḥāḍara*, éd. et trad. Margoliouth, I, pp. 104-105.
2. *Ibid.*, p. 105.
3. *Ibid.*, I, pp. 90-94, 103 ; II, p. 680.
4. *Ibid.*, I, pp. 104-105.
5. MISKAWAYH, *loc. cit.*, IV, pp. 94 et suiv.
6. W. FISCHEL, *art. cit.*, p. 19 ; S. D. GOITEIN, « The unity of the Mediterranean world in the "middle" middle ages », *Studia islamica*, XII, 1960, p. 38.
7. MISKAWAYH, *loc. cit.*, IV, pp. 76 et suiv.

ordre bancaire moderne : « Le vizir Ibn al-Furāt prit alors son encrier et écrivit un ordre à son banquier » (phrase fixée par l'usage de l'administration) « Aaron ben Amram, lui mandant de payer sur son compte et sans autre avertissement 2 000 dīnārs à Abū 'l-Hassan 'Ali b. 'Isa, comme subvention pour le paiement d'une amende qui lui avait été imposée ». Cette lettre révèle un trait de mœurs amusant : 'Ali b. 'Isa était le vizir destitué et condamné à une amende qu'avait remplacé Ibn al-Furāt ; l'aide que celui-ci lui apporte à sa sortie de charge témoigne de l'esprit de corps et fait penser à une caisse d'assurance mutuelle !

Outre l'administration et la remise de fonds, les banquiers de cour pratiquaient des prêts d'argent. Lors des difficultés financières du calife et de l'État, il était nécessaire d'avancer rapidement des fonds, surtout pour l'armée. Les ressources passées ou futures de l'État étaient alors mobilisées selon plusieurs systèmes : les impôts étaient affermés et le fermier tenu de payer partiellement par anticipation, ou bien des demandes de prêts directs étaient faites aux banquiers de cour. Voici, entre bien d'autres, celle du vizir 'Ali b. 'Isa à ses banquiers de cour : « Pour m'éviter de vous infliger un châtiment et pour continuer à vous porter intérêt à vous et à vos héritiers, j'ai besoin que vous acceptiez ceci, qui ne vous causera aucun dommage » (formule stéréotypée de la chancellerie pour la demande d'un emprunt) : « Au début de chaque mois j'ai besoin d'une somme de 30 000 dīnārs pour payer les six premiers jours de solde des troupes d'infanterie. Toutefois je n'ai pas, à l'ordinaire, en ma possession la somme ni le premier ni le second jour du mois. Je vous mande donc de m'avancer au début de chaque mois un prêt de 150 000 dirhems, somme que, vous le savez, vous retirez en échange d'un mois des impôts de l'Ahwāz. L'administration des impôts de l'Ahwāz vous appartient et l'argent que vous en retirez est une avance permanente pour vous, à laquelle j'ajoute comme garantie une somme de 20 000 dīnārs payable chaque mois par Ḥāmid b. 'Abbās » (un vizir destitué et condamné à une amende). « Cela est une compensation pour le premier accompte. Et je serai déchargé d'un grand poids » [1].

Une autre source raconte : « Quand le vizir 'Ali b. 'Isa avait à faire des paiements pour lesquels il n'avait pas de fonds, il tirait sur les banquiers un prêt (*istislāf*) de 10 000 dīnārs dont la garantie consistait en lettres de crédit (*safātiğ*) qu'il avait reçues des provinces, mais qui n'étaient pas encore arrivées à échéance et produisaient un intérêt de 1 1/2 *dānaq* d'argent pour un dīnār, ce qui faisait une somme de 2 500 dirhems par mois » (soit un intérêt de 30 %).

1. W. FISCHEL, *art. cit.*, pp. 24-25.

« Cet arrangement était fait avec Joseph b. Pinhas et Aaron b. Amram et leurs successeurs pour une période de soixante ans ». Le prêt à long terme à l'État était donc garanti par nantissement de lettres de crédit non monnayées ; ce sont là des éléments de la technique des emprunts modernes.

Comment ces banquiers de cour pouvaient-ils fournir aux grosses demandes d'argent de l'État, du calife et des courtisans ? Les sommes qu'on déposait chez eux, sommes souvent fort importantes, ne restaient pas improductives. Ce capital était investi dans les affaires commerciales, puisque le commerce de l'argent et le commerce des marchandises sont toujours liés au Moyen Âge. Les banquiers jouaient aussi de leurs crédits auprès des autres marchands : « Quant à eux (les banquiers de cour), ils ne sont jamais destitués jusqu'à leur mort. Le calife ne voulut pas les destituer pour maintenir la dignité de la charge de *ǧahbad* aux yeux des marchands, de sorte que les marchands puissent être bien disposés à prêter leur argent par le moyen du *ǧahbad*, si cela était nécessaire. Si un *ǧahbad* était destitué et un autre nommé à sa place, avec lequel les marchands n'auraient pas eu encore beaucoup d'affaires, les intérêts du calife courraient à la ruine. Ainsi leur situation privilégiée à la cour, leur habileté et leur réputation, leurs relations étroites avec les cercles commerciaux leur assurent les sommes d'argent liquide nécessaires pour pallier les difficultés financières de l'État. »

La monnaie, passée des coffres du marchand à ceux de l'État, du calife, des courtisans ou des fonctionnaires, véhicule en milieu palatin la très brillante civilisation matérielle du monde musulman des VIIIe-XIe siècles. Cour et marchands sont les deux pôles de la richesse et les deux centres du luxe : de l'Iran à l'Andalousie, la civilisation dorée resplendit de ses dīnārs, de ses bijoux, de ses étoffes de soie brochée d'or, de ses armes damasquinées d'or, de sa céramique au lustre d'or, des cuirs de Cordoue aux gaufrures d'or. Elle s'épanouit dans les maisons des patriciens des grandes villes et à la cour des califes où l'or afflue, par le jeu de la machine fiscale et les tractations des banquiers ou des banquiers-marchands liés à tous les autres riches marchands. Classe marchande et classe palatine s'interpénètrent et détiennent toute la puissance sociale.

L'expression littéraire et populaire de cet éclat est le cycle des *Mille et une nuits* qui a pour cadre préféré la cour des califes et le *sūq*, cœur de la ville, pour centre la Bagdad du IXe siècle à l'époque du calife Hārūn ar-Rašīd et de son bon compagnon, Ǧa'far le Barmakide, ses palais merveilleux où se déroulent des fêtes somptueuses, où l'or est jeté à la foule. Le lien qui unit la cour aux milieux commerçants est symbolisé par les visites que rendent incognito au *sūq* le calife et son vizir.

Civilisation matérielle, et aussi civilisation tout court. La renaissance de l'Islam du xe siècle, avec ses artistes, ses penseurs, ses lieux d'élection, Bagdad, Le Caire, Cordoue, est comme portée sur un flot d'or. Plus particulièrement, c'est l'or du Soudan, sous forme de pensions et de grasses prébendes offertes par les califes de Cordoue, qui attire d'Orient, de Bagdad surtout, beaux esprits, poètes de cour, musiciens, artistes, ceux qu'on a appelés les « pionniers de la culture orientale en Andalousie », et grâce à qui les modes, les techniques, les formes de pensée, sont passées de l'est à l'ouest du monde musulman, jusqu'aux portes mêmes de l'Occident barbare. C'est là le substrat économique et monétaire de ce qu'on peut appeler « le circuit d'Aristote », de l'itinéraire de la pensée grecque passée de Syrie en Mésopotamie, puis en Égypte, en Espagne et enfin en Occident.

VII

LE NUMÉRAIRE MUSULMAN HORS DU MONDE MUSULMAN

1. L'appel de la consommation

Enrichissement et montée de la classe marchande, afflux d'or à la cour, centre de haute civilisation, essor urbain et développement des grandes métropoles du monde musulman, autant d'appels à la consommation, autant d'incitations au luxe. Habitation, alimentation, vêtement, ornement, tous ces éléments du niveau de vie des hautes classes acquièrent une part plus importante, tandis que l'afflux monétaire permet de répondre à ce nouvel appel.

L'accroissement de la production entraîne des progrès techniques, grâce à la confrontation entre des domaines jusque-là quasi étanches : Empire sāssānide, Empire byzantin, Occident barbare. Ce développement touche plus particulièrement certains produits de luxe ; travail des métaux précieux, bijouterie et orfèvrerie, tissus de soie brochés d'or ou d'argent, ivoires sculptés, céramiques à couverte métallique. Mais de nouveaux territoires sont aussi mis en culture, dans le bas Euphrate (El-Batā'ih), dans les lagunes du delta du Nil (lac Mareotis-Maryūt) qui fournissent un vin apprécié, dans le *campus juncarius* (région de Valence), et des banlieues maraîchères se développent autour des grandes villes comme à Cordoue ou à Bagdad. A travers le monde musulman, un actif commerce de spécialités se déploie et la plupart des géographes arabes des IXe-XIe siècles réservent un chapitre à l'énumération de « ce qui se fait de mieux dans le monde », spécialités recherchées et produits destinés à l'exportation vers les grands centres. En voici quelques exemples :

Les étoffes offrent toutes les variétés produites par les nombreux centres textiles iraniens (broderies de Qurqūb et Susanğird), mésopotamiens (*attabi* de Bagdad, *bagdadi*), syriens (moire de Tripoli), égyptiens (*qasab* tissé d'or de Tinnis et de Damiette), espagnols (soieries de Jaen, brodées d'argent), africains (laines fines du Djerid ou du Maroc) et siciliens (*sikilli* rayés)... Dans le monde médiéval, la production des tissus tient une place immense et fait l'objet du grand commerce : vêtements, tentures d'ameublement, tentes d'habitations, voile pour la Ka'aba, etc.

Un autre produit de ce commerce de spécialités est le fruit : figues et raisins secs de Malaga, prunes et abricots, séchés ou en confitures, de Damas, noix de Malaṭiya (zone frontière d'Asie Mineure), melons de Buḫārā dont, aujourd'hui encore, on exporte largement les tranches séchées... Les parfums et les produits de beauté sont une troisième rubrique de ce trafic de luxe ; de la côte méridionale d'Arabie vient l'encens, des côtes d'Arabie et d'Afrique occidentale l'ambre gris, concrétion de la tête des cachalots, du Tibet le musc, de Djur en Iran l'eau de rose ; et voici encore l'eau de violette de Bagdad, les fards d'Égypte, etc.

Cette grande civilisation matérielle ne se contente pas des produits du monde musulman ; elle fait appel aux autres domaines économiques pour les produits que celui-ci ne fournit pas. Contre ces marchandises, rares et chères, le monde musulman exporte de la monnaie d'or et d'argent et cette fuite du métal précieux provoque dans les domaines extérieurs des répercussions semblables à celles que le monde musulman a connues : essor économique et conséquences sociales qui en découlent.

Parfois, les bases de cet essor sont plus étroites et le processus plus lent ; ainsi dans les pays barbares, restés jusque-là en dehors des grands courants du commerce mondial. Ailleurs, l'essor est plus complet, plus rapide, dans des pays déjà préparés à jouer un grand rôle économique ; à Byzance, dans l'océan Indien ou en Asie centrale.

Quels sont les principaux « postes d'importation » du monde musulman ?

Le premier est l'esclave. Le monde musulman est une société esclavagiste, où l'esclave assure les services domestiques et du harem, le travail industriel et agricole ; jusqu'au XIXe siècle, la main-d'œuvre des plantations de canne à sucre et de coton est faite d'esclaves noirs. Les besoins en nouveaux esclaves sont constants : sans cesse, il faut en razzier ou en acheter au dehors. L'élevage humain est, en effet, de tous le plus délicat, et la population servile ne s'accroît pas par excédent des naissances ; beaucoup sont eunuques. Les affranchissements obligent aussi à remplacer l'affranchi par un nouvel esclave. Le luxe, l'industrie, l'agriculture augmentent encore leur demande.

Le monde musulman dispose de trois grands réservoirs d'esclaves, sociétés débiles qui nourrissent ce trafic. Les nègres viennent du *bilād as-Sūdān,* c'est-à-dire d'Afrique occidentale et centrale par la Méditerranée, ou du *bilād az-Zanǧ,* c'est-à-dire d'Afrique orientale par l'océan Indien. Les Slaves arrivent du *bilād as-saqāliba* par la route des fleuves russes, le royaume des Ḫazars, la Caspienne et l'Iran, ou par la route de l'Europe occidentale, la *Firanǧa* ou pays des Francs ; les Slaves d'au delà de l'Elbe passent par les pays rhénans, le couloir rhodanien, l'Espagne musulmane, ou bien par les cols des Alpes et les ports italiens, vers les ports de la Méditerranée musulmane. Les Turcs, enfin, parviennent à celle-ci du *bilād al-Atrāk* et des steppes d'Asie centrale par les grands marchés de concentration du Ḫwārizm (bas Oxus, mer d'Aral).

Second poste : les fourrures. Leur vogue est grande dans le monde musulman, la mode et le climat de certaines régions encouragent une forte demande. Ce sont les animaux de la grande forêt nordique, renards, vairs ou petit-gris, martres, castors... qui pendant tout le Moyen Âge, et jusqu'au XVIe siècle quand on met en exploitation la forêt canadienne, alimentent ce vaste marché. Ces fourrures, venues des forêts qui s'étendent de la Germanie à la Sibérie, arrivent dans le monde musulman par les deux routes qu'emprunte le commerce des esclaves slaves, à l'est, par les fleuves russes et la Caspienne, ou par l'ouest, par l'Empire franc et l'Espagne ou les ports italiens.

Le bois manque dans le monde musulman. Des régions désertiques, steppiques ou déboisées couvrent son étendue de l'Iran à l'Espagne ; les vieilles civilisations ont exploité à blanc les ressources primitives et, dans les pays où les formations forestières sont à la limite climatique, elles ne se renouvellent plus d'elles-mêmes. A l'époque musulmane, il ne reste plus au Liban, dont les cèdres ont construit les flottes phéniciennes, hellénistiques et romaines, que quelques plaques forestières, vidées encore de leurs plus beaux spécimens employés à la mâture. Or le bois est un besoin essentiel de la flotte, de la construction, du chauffage ; il faut par exemple, trouver le combustible nécessaire, en Égypte, à la fabrication du sucre. L'appel aux pays forestiers s'adresse au nord, et au sud ou à l'est. Au nord, les bois des forêts de la zone tempérée, des Alpes ou d'Illyrie, transitent par Venise malgré les interdictions de l'Empire byzantin ; le commerce du bois qui sert à la construction navale est considéré comme contrebande de guerre. Des forêts pontiques d'Arménie et du Caucase, le bois arrive par flottage sur le Tigre et l'Euphrate vers Bagdad, en longs radeaux, les *kelek*. Au sud et à l'est, les forêts de la zone tropicale envoient bois d'ébène d'Afrique orientale et teck de la côte de Malabar ; le teck est un bois convenant particulièrement aux constructions navales, car il est presque imputrescible ; il arrive de l'Inde par le golfe Persique et les ports d'Arabie — les maisons d'Aden et de Djiddah ont des boiseries en bois indien —, puis par la mer Rouge et l'Égypte [1].

Les métaux et les armes sont un quatrième poste important. Le

1. « De l'Inde, les bois de teck arrivent dans leur longueur naturelle aux entrepôts de Baṣra, de l'Iraq et de l'Égypte », constate MAS'ŪDĪ, au Xe siècle. *Murūǧ*, III, p. 12.

monde musulman est pauvre en fer, et c'est une des raisons de son infériorité économique profonde en face des régions comme l'Europe occidentale, lorsque celle-ci aura développé sa production. Il manque aussi de combustible pour le travailler et d'eau, trop rare, pour actionner les martinets. il fait donc appel aux fers extérieurs : fer d'Occident, surtout sous la forme des « épées de Firanǧa », qui arrivent par les ports de la Méditerranée ou par les fleuves russes de la Caspienne ; acier indien (*al-hindī*), dont la technique passe de l'Inde à Damas puis à Tolède.

L'étain arrivait de Malaisie (*qala'i*) ou de Cornouailles (*qaṣdīr*). Le cuivre, l'or et l'argent étaient également importés [1].

Les épices répondaient au luxe de la table qui voulait cannelle, poivre, gingembre, clous de girofle, et au développement de la médecine dont la pharmacopée disposait de produits de plus en plus nombreux. Épices et drogues venaient de l'Inde, de l'Indochine, de l'Insulinde, alimentant le grand commerce qui les portait à travers l'océan Indien jusqu'aux grands centres de consommation du monde musulman.

Dans les premiers temps de la domination musulmane, la Méditerranée fit appel à la soie de Chine et plus encore à celle d'Asie centrale. Mais peu à peu l'appel se restreignit, car dans tout le monde musulman, la production de soie brute connut un énorme développement, soit dans des régions productrices anciennes comme l'Iran, l'Arménie, la Syrie du nord, soit dans des centres de production nouveaux comme l'Ifrīqiya, la Sicile et surtout l'Espagne (dans les Alpujarras et à Jaen).

De l'Afrique et de l'Inde venait encore l'ivoire ; on appréciait surtout les défenses d'Afrique orientale, les plus belles et les plus longues. Enfin, les « curiosités de Chine », étaient objets de trafic ; un marché spécial à Bagdad offrait les porcelaines, les soieries, le papier doré ou les estampes gravées sur bois, dont la technique passa dans le monde musulman. Celui-ci utilise, dès le xe siècle, des *Korans* imprimés à l'aide de blocs de bois sur papier, comme ceux qui sont conservés à la bibliothèque du Caire. L'Inde imprime aussi les étoffes de coton, et on a retrouvé, dans les cimetières d'Égypte, des débris de ces « indiennes ». De l'océan Indien venaient encore les diamants et les pierres précieuses, d'Afrique les œufs d'autruche. On importait aussi les tissus rares de Byzance les *hypocalamon* ou *būqalamūn*, étoffes de soie aux reflets changeants.

De grosses quantités de numéraires étaient données en contrepartie de ces esclaves qui satisfaisaient aux besoins en main-d'œuvre et au luxe, de ces objets de première nécessité comme le bois, les armes

1. Sur les métaux monétaires, voir M. LOMBARD, *Études d'économie médiévale*, II. *Les métaux dans le Monde musulman* (à paraître prochainement).

ou l'étain, de ces produits de luxe, épices, soie, ivoire, fourrures. Une masse importante de monnaies d'or et d'argent musulmanes fuyaient ainsi hors du monde musulman. Hémorragie de métaux précieux qui, pourtant, ne l'affaiblit pas car une arrivée continuelle de métal frais lui est dispensée. Mais ces échanges ont une importance énorme pour l'économie des autres domaines. Après avoir énuméré les besoins du monde musulman, il est donc nécessaire de dessiner ses grandes façades, celles qui donnent sur les domaines économiques voisins, avant d'étudier le tracé et le mécanisme des courants monétaires dirigés du premier vers les seconds.

2. Les horizons commerciaux du monde musulman

Au nord-est, la Chine et l'Inde sont reliées par les routes de caravanes à travers l'Asie centrale, celle qui suit la chaîne d'oasis depuis l'Iran jusqu'à la Grande Muraille de Chine et la Chine du Nord, ou celle qui franchit les cols de l'Hindu-Kush (Kābul, passe de Peshawer) vers l'Inde du Nord. Vieille route de commerce : c'est la « route de la soie » de l'Antiquité, qui connaît un regain d'activité avec l'appel des centres musulmans.

Au sud-est, la façade musulmane donne sur le domaine de l'océan Indien. Les routes maritimes de la mousson conduisent du golfe Persique et du golfe d'Oman, ou de la mer Rouge et du Yémen vers les côtes de l'Afrique orientale et vers l'Inde, l'Insulinde et la Chine du Sud. Cette « route des épices et de la soie » était aussi suivie dans l'Antiquité. L'appel de Bagdad, par le golfe Persique, et du Caire, par la mer Rouge, a suscité un grand développement des « navigations arabes » dans l'océan Indien.

Au sud-ouest, le commerce transsaharien se dirige vers le Soudan, c'est-à-dire l'Afrique occidentale et centrale, nouveau domaine d'expansion rattaché par l'Islam à la Méditerranée et dont l'or fait l'importance.

Au nord, la façade du monde musulman est double. Elle donne d'une part sur le monde barbare et l'Europe du Nord-Ouest, du Centre, du Nord et de l'Est par deux faisceaux de voies : les voies de la Méditerranée, par l'Italie, la Gaule ou l'Espagne, et les voies de l'Océan, par les Colonnes d'Hercule, vieilles routes de commerce et des influences civilisatrices de l'est vers l'ouest ; ou bien les voies de la Caspienne et des fleuves russes que suit le commerce scandinave vers la Baltique et l'Europe centrale. L'autre façade sur le nord est celle de l'Empire byzantin ; ici, la route suit la mer Noire, la frontière d'Asie Mineure, la Méditerranée orientale, longeant un domaine où se sont conservées de hautes techniques industrielles et commerciales.

a) *La façade du nord-est*

Quel est ici le tracé des routes commerciales et, par suite, des courants monétaires ? Une route continentale quittait la Mésopotamie se dirigeait vers l'Oxus (= Amu-Daria) et le pays de Mā warā 'an-Nahr, par le plateau de l'Iran et le H̱urāsān au nord-est. De là, trois routes divergeaient. La première piquait vers le nord-est et traversait les steppes des nomades turcs, le *bilād al-Atrāk* ou Turkestan. La seconde se dirigeait vers l'est, soit par le sud du lac Balkach et la Dzoungarie depuis le VIIIe siècle, soit par le plateau de Pamir, le bassin du Tarim (Takla Makan) et le Turkestan chinois jusqu'au coude du Fleuve Jaune, où elle rejoignait la Grande Muraille et la Chine du nord. Une troisième route passait par le sud-est ; elle prenait les passes de l'Hindu-Kush traversait Bāmiyān, Kābul, la passe de Khaiber, Peshawer, et rejoignait l'Indus et le Pendjab.

Insistons sur l'importance de deux régions traversées par ces différentes routes : le H̱urāsān par où passaient les routes de Bagdad à l'Asie centrale, et surtout le H̱wārizm, ou vallée de l'Oxus moyen, vaste dépression qui a beaucoup varié d'étendue et de niveau. Quand l'Oxus ne s'est plus jeté dans la mer Caspienne, le niveau de celle-ci a baissé et la mer d'Aral s'est formée. Les causes de ce changement tiennent au régime des pluies et à des variations climatiques ainsi qu'à des phénomènes d'érosion et de capture. Un immense travail d'irrigation y a aussi contribué. Prototypes des *foggara* du sud marocain, les *qanāt*, ou canalisations creusées en profondeur afin d'éviter l'évaporation, ont amené un déséquilibre dans le volume et le niveau de la masse d'eau. Une navigation active suivait le Yaxartes et l'Oxus et, aux VIIIe-XIe siècles, le H̱wārizm était renommé pour sa fertilité. C'était un centre commercial de première importance, une véritable plaque tournante vers les pays des Turcs, l'Inde et la Chine, et aussi la Caspienne, la Volga, la région des fleuves russes, l'Europe centrale et la Baltique. De 875 à 999, la dynastie des Sāmānides occupe tout le bassin de l'Oxus et étend sa domination à l'est jusqu'au Syr-Daria, à l'ouest jusqu'aux rivages de la mer Caspienne, Des monnaies sāmānides ont été retrouvées en très grandes quantités dans les trésors de monnaies musulmanes le long des fleuves russes jusqu'en Baltique et en mer du Nord. Ces monnaies circulaient aussi dans les pays rhénans, à Mayence, Coblence, au Xe siècle [1]. Le H̱wārizm était

1. QAZWĪNĪ, *'Ağā'ib al-maḫlūqāt*, éd. Wüstenfeld, *al-Cazwini's Kosmographie*, I, p. 409. Cf. G. JACOB, *Ein Arabischer Berichterstatter aus dem 10. oder 11. Jahrhundert über Fulda, Schleswig, Soest, Paderborn und andere deutsche Städte...*, Berlin, 1896, p. 13.

donc un centre monétaire extrêmement important où se concentraient, aux frontières mêmes du monde musulman, de grosses masses de numéraires attirées par le commerce de ces régions importatrices de marchandises.

Du pays des Turcs, venaient les fourrures des animaux des steppes, comme le renard blanc de Tartarie, ainsi que celles des animaux de la grande forêt sibérienne ; les tribus turques les introduisaient sur les marchés du Ḫurāsān et du Ḫwārizm. Mais les esclaves turcs constituaient le principal objet de commerce avec ces tribus. Les gens du Ḫwārizm et du Mā warā 'an-Nahr les razziaient ou les achetaient à des trafiquants du pays des Turcs. L'anarchie de la société turque, les perpétuelles luttes de clans leur facilitaient la tâche et leur permettaient d'en vendre en grand nombre sur les marchés [1]. Le monde musulman en demandait en masse ; les califes 'abbāsides en achetaient pour leur garde du corps et pour l'armée. Al-Mu'taṣim surtout en acquit ; dès le règne de son père, al-Ma'mūn, il envoyait un serviteur en acheter le plus possible sur les marchés du Ḫwārizm ; trois mille furent alors payés. Après son avènement (833), il emplit de soldatesque turque la ville de Bagdad ; d'après le *Siasset-Nameh*, « il n'y a pas eu de souverain ayant possédé autant d'esclaves turcs que Mu'tasim ; leur nombre s'élevait à 70 000. Il ne cessait de dire qu'il n'y avait pas de serviteurs pareils aux Turcs ». Les Turcs furent utilisés dans les troubles et les désordres de Bagdad à Samarra. La nouvelle ville compta un quartier turc où en vivaient 8 000 qui avaient été affranchis à la mort du calife. Les Turcs se convertissaient à l'Islam et les affranchis devenaient émirs, généraux. Ibn Ṭūlūn était fils d'un esclave turc vendu au Ḫwārizm (son nom est celui d'une tribu turque). L'armée des Ṭūlūnides d'Égypte comptait 24 000 esclaves turcs.

Les provinces frontières ou les principautés qui dépendaient de Bagdad, Ṭāhirides et Sāmānides, devaient verser au trésor du calife 'abbāside à titre de tribut annuel, plusieurs milliers d'esclaves turcs. Du Fargana au Ḫwārizm, la grande spécialité était le trafic d'esclaves et la principauté sāmānide était un véritable État esclavagiste qui vivait des revenus des taxes frappant ce commerce.

Dès la fin du IXe siècle, tout l'Orient musulman, l'Iran, la Mésopotamie, la Syrie et l'Égypte sont peuplés d'esclaves turcs. Ce sont eux qui constituent la force militaire ; gardes, armée, mamluks, émirs turcs vont jouer un rôle de premier plan dans les tragédies des palais 'abbāsides. Cette installation des Turcs dans l'Empire des califes rappelle celle des Barbares germains dans l'Empire romain. Le recrutement incessant des esclaves a largement ouvert vers l'Asie

1. IDRĪSĪ, trad. Jaubert, I, p. 493.

centrale la voie des invasions turques à partir du XIe siècle, Ġaznévides d'abord, puis Selğukides.

Outre les fourrures et les esclaves, l'Asie centrale envoie au monde musulman du fer et des armes, du cuivre et des ustensiles en cuivre ; l'armurerie et la chaudronnerie faisaient la renommée des Turcs. Ils expédiaient encore du feutre, spécialité dont ils faisaient des tentes (*yourta*).

En échange, les exportations du monde musulman consistaient en quelques étoffes de soie, quelques objets de pacotille, et surtout en monnaie. Il se passait un phénomène analogue à celui de la région des fleuves russes : les peuplades qui commerçaient avec le monde musulman avaient un niveau de vie tros bas pour goûter les commodités de la civilisation ; aussi thésaurisaient-ils les monnaies reçues. Dans l'une et l'autre région, la circulation du direm sāssānide avait implanté le monométallisme-argent ; l'or y était donc thésaurisé sous forme de pièces, de lingots et surtout d'orfèvrerie. Dans les trouvailles du sud de la Sibérie figurent des pièces d'argent musulmanes, des direms sāssānides et des bijoux d'or, faits en métal de l'Altaï ou à partir de dīnārs musulmans. Les nomades d'Asie centrale : Huns, Avars, Turcs, Mongols, ont toujours montré un goût vif pour l'or et les parures d'or.

De la Chine, par la route continentale, arrivait la soie chinoise et celle du Khotan. Cependant, la domination de la Sogdiane, entre l'Amu et le Syr-Daria autour de Samarqand et de Buẖārā, avait rendu les musulmans maîtres d'une région grosse productrice de soie ; c'est de là que l'élevage du ver à soie avait été introduit dans l'Empire byzantin, en Syrie du Nord, dès le VIe siècle. D'autre part, la sériciculture connut un développement considérable dans le monde musulman, aussi bien en Sogdiane même qu'en Syrie du Nord, dans le Ṭabaristān, en Arménie, en Ifrīqiya en Sicile, et en Espagne du Sud ; elle progressa d'est en ouest le long du 36e parallèle où étaient réalisées les conditions optimales pour le mûrier et le ver à soie. Ces deux raisons expliquent que l'appel à la soie chinoise se soit arrêté dès que la production intérieure eut suffi à la consommation intérieure et à l'exportation vers les centres de tissage byzantins, restés tributaires de la soie musulmane malgré l'introduction de la sériciculture dans le Péloponnèse. Mais si l'importation de soie grège chinoise s'interrompit, celle des soieries chinoises de grand luxe se poursuivit, ainsi que le commerce des curiosités de Chine, porcelaines *sīnī* qui venaient par la route continentale ou par la route maritime.

Notons aussi que, malgré la perfection de leur technique, malgré la beauté et la variété de leurs soieries, les Chinois importaient aussi des étoffes du domaine musulman ; des motifs irano-musulmans se retrouvent ainsi sur certains spécimens de soieries chinoises. Vers la Chine, les entrées et les sorties du numéraire paraissent assez équilibrées.

Les produits du haut Indus, des vallées de l'Himalaya et du Tibet étaient seuls à emprunter les passes de Bāmiyān, Kābul, Khaiber. Quant aux marchandises du bas Indus et de l'Inde péninsulaire (Dekkan, Malabar, Coromandel), elles venaient par la route maritime vers le golfe Persique et la mer Rouge, la route des moussons. Les produits de l'Inde étaient, là encore, les esclaves, les tissus de Cachemire, tissés avec les poils de la chèvre angora des hautes vallées de l'Himalaya, et les parfums comme le nard indien ou le musc du Tibet (une secrétion qui se forme dans une poche ventrale du daim musqué). Le musc est employé en mélange pour soutenir les autres parfums dont il augmente la suavité. Les sources musulmanes décrivent les débauches de musc, lors des grandes fêtes de Bagdad ou de Sāmarrā. Au mariage d'al-Ma'mūn et de Buran, de grosses boules de musc furent distribuées à tous les invités ; elles contenaient un numéro de tombola attribuant objets de prix, maisons, domaines... Le musc intervenait dans des formules de parfums composés qui toutes procédaient d'un art très savant.

Comme vers le pays des Turcs, le numéraire en argent ou en or s'enfuyait vers l'Inde du nord-ouest par la voie continentale et l'or y était aussi thésaurisé.

b) *La façade du sud-ouest*

En échange des marchandises de peu de valeur expédiées des ports sahariens du Maghreb méridional, les caravanes revenaient chargées d'or et d'autres produits précieux : esclaves et ivoire. Une notation d'Al-Umarī résume le sens de ce commerce lucratif : « Ils emportent des marchandises sans valeur et rapportent l'or brut à pleines charges de chameaux ». De ce côté donc, il sortait très peu de numéraire du monde musulman ; inversement, l'or du Soudan affluait, or brut qui alimentait les ateliers de frappe du Maghreb et de tout le monde musulman.

c) *La façade du nord-ouest*[1] *: les relations avec Byzance*

Voyons d'abord comment se présentent la balance commerciale et le mouvement des monnaies le long des itinéraires qui conduisent vers le domaine byzantin.

1. M. Lombard, « La route de la Meuse et les relations lointaines des Pays mosans entre le VIIIe et le XIe siècle », dans *L'Art mosan.*, Rec. P. Francastel, Paris, 1953, pp. 9-28 et la carte.

La balance commerciale de Byzance est déficitaire avec l'Empire sāssānide, comme l'a montré l'étude de la carte monétaire à la veille des conquêtes musulmanes. L'approvisionnement de Byzance en denrées précieuses, épices, parfums, aromates, drogues, et en matières premières pour ses industries de luxe, soie, teintures, ivoire, perles... la place dans la dépendance de la Perse sāssānide. Celle-ci domine les grandes routes commerciales de l'océan Indien vers la Méditerranée, elle est l'intermédiaire obligatoire de toutes les marchandises de l'Extrême-Orient et de l'océan Indien à destination des grands centres de consommation byzantins. L'or byzantin s'enfuit en abondance hors des frontières vers l'est, pour payer ces produits précieux et chers, et cette fuite provoque l'asphyxie graduelle du commerce.

La situation ne fait que s'aggraver après les conquêtes de l'Islam et la formation d'un vaste domaine musulman. La Syrie et l'Égypte, puis l'Afrique et la Sicile sont perdues ; Byzance se trouve ainsi privée de ses grands centres de production égyptiens (papyrus) et syriens (soie). Elle devient encore plus étroitement dépendante de l'intermédiaire oriental, puisque les marchands musulmans sont maîtres de toutes les routes d'adduction. Or toute l'économie byzantine, toutes ses possibilités de richesse sont accrochées à sa position d'intermédiaire entre l'Orient et l'Occident et à sa production industrielle de luxe fondée sur les matières premières importées brutes d'Orient et exportées façonnées vers l'Occident. La politique économique de Byzance est un véritable mercantilisme, bien avant que la doctrine en ait été formulée. Elle s'efforce de réglementer et de surveiller étroitement le commerce vers l'Orient et l'Occident pour que les entrées de numéraire soient toujours supérieures, ou au moins égales aux sorties.

Sur sa double façade commerciale, la balance est donc déficitaire vers l'Orient et favorable vers l'Occident. Vers l'Orient, l'achat des produits nécessaires à son propre luxe, à son commerce de transit vers l'Occident et à ses industries de luxe, est faiblement compensé par quelques exportations : mastic, thymiane, styrax, spécialités textiles de grand luxe, *hypocalamon* ou brocart de Rūm (*dībāǧ rūmī*). Vers l'Occident, les produits orientaux simplement transités par Byzance ou transformés dans ses ateliers en objets précieux recherchés sont vendus sur les marchés barbares. Pour contrôler ce commerce, des postes de douanes et des règlements draconiens dont l'évêque de Crémone, Liutprand, envoyé par l'empereur Othon vers Nicéphore Phocas en 968, fit la pénible expérience : dans le récit de son ambassade il a exposé ses démêlés avec les douaniers byzantins [1]. Il était interdit d'exporter certaines pièces d'étoffes ou *kekoly-*

1. *De legatione constantinopolitana, M.G.H., Scriptores,* III, p. 360.

mena, réservées à la cour byzantine et aux cadeaux que l'empereur byzantin faisait aux souverains de l'Occident barbare. Tout autant que les pièces d'or byzantines, les fameuses pièces d'étoffes de soie historiée, teintes de pourpre et tissées d'or, qui sortaient des ateliers de Byzance, étaient avidement sollicitées par les cours et les églises du monde barbare. Un peu du luxe oriental passait ainsi en Occident.

Naturellement, la contrebande subvenait en partie à ces besoins : Vénitiens et Amalfitains fondèrent les débuts de leur fortune sur ce commerce, d'autant plus lucratif qu'il était dangereux. Quand Liutprand discute avec les douaniers byzantins, il leur demande : « Pourquoi m'interdire de passer la frontière avec quelques pièces d'étoffes alors qu'on voit les mêmes sur le dos des courtisanes italiennes à qui les fournissent les marchands vénitiens et amalfitains ? ». La contrebande des marchandises byzantines se doublait d'une contrebande de guerre à destination des ports musulmans, qui tournait les rescrits des empereurs byzantins interdisant l'exportation de certains objets de commerce : armes, bois de construction navale [1], esclaves...

Pour mieux agir sur le mouvement des importations et des exportations, avaient été institués les *mitata*, lieux d'échange, où devaient obligatoirement résider les marchands étrangers lors de leur séjour, étroitement réglementé et limité, à Constantinople ; leurs marchandises y étaient entreposées, les affaires qu'ils concluaient avec des marchands grecs ne pouvaient avoir lieu que là, et elles étaient surveillées et contrôlées par des fonctionnaires spéciaux dépendants du préfet de la ville. On y dressait la balance des marchandises échangées et on y comptait le solde en numéraire. Là se rencontraient les marchands de l'Empire musulman, les trafiquants russes, bulgares et occidentaux. Les *mitata* agissaient sur les échanges. Elles restreignaient les achats à l'est si les ventes à l'ouest se révélaient insuffisantes, en limitant les importations ou en faisant pression sur les prix des matières premières orientales destinées aux industries de luxe byzantines, afin de les faire baisser. Ou encore, les efforts tendaient à augmenter les exportations vers l'Occident ; c'était par exemple, le but des privilèges en faveur du commerce vénitien, privilèges qui cherchaient à éviter le plus possible les relations directes entre Venise et la Méditerranée musulmane, et la contrebande. Les dons aux princes barbares de riches étoffes, de bijoux et de couronnes, d'ivoires et d'émaux apparaissent comme une distribution

1. M. Lombard, « Arsenaux et bois de marine dans la Méditerranée musulmane (VIIe-XIe siècles) », dans *Le Navire*, IIe colloque intern. d'Hist. maritime, Paris, 1958, pp. 89-90.

de véritables échantillons de propagande. Quant à la production, elle était organisée dans des ateliers de l'État ou dans des ateliers privés contrôlés par celui-ci. L'action des *mitata* était enfin renforcée par la fiscalité qui dosait les taxes sur les marchandises importées et exportées.

Le commerce était donc dirigé selon un principe mercantiliste ; on s'efforçait de retenir à Byzance le plus possible de l'or qui y passait par le commerce de transit, ou qui y affluait pour solder les exportations. Le volume d'or sortant vers le monde musulman était toujours plus petit que le volume d'or entrant en paiement des soldes débiteurs du côté des fleuves russes ou des ports italiens. La politique imposée à un pays, à une ville plutôt, qui ne vivait que du commerce et qui ne possédait pas de mines d'or ne pouvait être que de transit et d'exportation. Quand son rôle de grande place de commerce intermédiaire entre l'Orient et l'Occident s'effaçait, elle s'appauvrissait ; quand il était incontesté, elle s'enrichissait et se développait.

Or, à la fin du VIe siècle et au début du VIIe, juste avant les conquêtes musulmanes, ce rôle de transitaire est en déclin. Il a pour cause profonde le manque d'or dû à la thésaurisation interne, à la fuite vers l'Empire sāssānide et à l'épuisement des stocks d'or de l'Occident barbare qui n'alimentent plus le commerce des *Syri*. Une atonie, une ankylose générales frappent le commerce et le mouvement économique et urbain de l'Empire. Les conquêtes musulmanes ne font d'abord qu'accentuer le malaise, à la fin du VIIe et au début du VIIIe siècle. La circulation monétaire se restreint davantage encore à Byzance, tandis que s'aggrave la fuite de l'or vers le monde musulman, pour solder les achats et payer de grosses indemnités de guerre.

Mais à partir du VIIIe siècle et jusqu'au XIIe siècle, les stocks d'or commencent à se reconstituer et la circulation monétaire se fait plus intense. On en a de nombreuses preuves. Après une longue période de baisse (IVe-début VIIIe siècle), les prix se mettent à monter, car les métaux précieux se concentrent de nouveau à Byzance. Pendant les trois siècles qui ont précédé les invasions musulmanes et jusque vers 700, la réserve d'or a, comparativement aux besoins, diminué dans la mesure où ont baissé les prix exprimés en or, passant de l'indice 100 au IIe siècle, à 88 au Ve, 75 au VIe, 71 au VIIe, 68 vers 700 pour remonter à 71 au VIIIe [1]. Le renversement de la courbe et la remontée des prix, avec la reprise de la circulation de l'or, se placeraient dans le courant du VIIIe siècle, au moment où se fait sentir l'influence économique du monde musulman.

1. MICKWITS, « Ein Goldwertindex der römisch-byzantinischen Zeit », *Aegyptus*, XIII, 1933, pp. 95-106.

Une autre preuve en est le développement des arts somptuaires à Byzance. Les constructions magnifiques des empereurs isauriens et macédoniens (VIIIe-XIe siècles) marquent l'apogée du luxe byzantin et l'influence de l'art musulman de Bagdad, du Caire et de Cordoue [1]. Sous Théophile (829-842), un trône d'or donnait sur la cour de la Phialle, où les factions du cirque venaient se présenter à l'empereur. Dans la grande salle de la Magnaure où se donnaient les audiences solennelles, un platane d'or couvert d'oiseaux d'or était dressé derrière le trône impérial, au pied duquel étaient couchés des lions d'or ; sur ses côtés, des griffons d'or se dressaient ; en face, des orgues d'or, ornés d'émaux et de pierreries. L'ensemble était animé par une mécanique savante : au moment où les ambassadeurs étrangers étaient introduits, les lions se soulevaient en rugissant, le feuillage de l'arbre doré s'agitait et les oiseaux se mettaient à chanter. Mentionnons encore le *pentapyrgion*, grand coffret d'or en forme de château « à cinq tours », où l'on gardait les insignes impériaux et les joyaux de la couronne. Toutes ces œuvres d'art étaient des réserves précieuses pour le trésor impérial ; on les fondait en cas de nécessité, comme fit Michel III (842-867) en envoyant au creuset une partie des fameuses orfèvreries de son père Théophile.

Les empereurs de la dynastie macédonienne accumulèrent aussi les richesses et furent de grands constructeurs. Basile Ier (867-886) fit construire l'oratoire du Sauveur qu'a décrit son petit-fils, Constantin Porphyrogénète [2], lui-même artiste et grand constructeur ; Nicéphore Phocas (963-969) fit construire le palais du Boucoléon, et Jean Tzimiscès (969-976) l'oratoire du Sauveur où il voulut être enterré dans un tombeau tout en or enrichi d'émaux [3]. Partout ruisselait l'or, cet or qui fit l'ébahissement, et le butin incalculable, des croisés de 1204 : « Les palais, la ville entière apparaissaient dans un miroitement d'or ».

D'autres preuves encore confirment la reconstitution de stocks d'or et l'active circulation des métaux monétaires. Théophile laissait à sa mort (842) 970 000 livres d'or de 72 *nomismata* chacune, soit 70 millions de pièces d'or [4]. A l'apogée de l'Empire, sous la dynastie macédonienne, Basile II Bulgaroctone laissait à sa mort (1025) 200 000 livres d'or et une grande quantité de joyaux [5] ; sous son règne, les droits de marché et de douanes dans la seule capitale rapportaient annuellement au trésor 7 300 000 sous d'or.

1. C. Diehl, *Manuel d'art byzantin*, Paris, 2e éd., 1925-1926, pp. 399 et 413.
2. Constantin Porphyrogénète, *Vie de Basile*, éd. Niebuhr, pp. 330-331. Cf. C. Diehl, *op. cit.*, p. 419.
3. C. Diehl, *op. cit.*, pp. 415-416.
4. Continuation de Théophane, IV, 21, éd. Migne, *P.G.*, CIX, col. 188.
5. Psellos, *Chronographia*, éd. et trad. E. Renauld, I, p. 31.

Dernière preuve : l'afflux de mercenaires étrangers à Byzance, car l'empereur payait bien. Ḫazars, Petchénègues, Slaves, Normands de Russie et de Scandinavie, puis d'Italie, Arméniens, Turcs, Anglo-Saxons accouraient. Une hétairie de la garde, au xe siècle, était exclusivement composée de Slaves, de Scandinaves et de Ḫazars. La politique du *nomisma* faisait la puissance de la diplomatie byzantine.

Dès la fin du VIIIe siècle et le début du IXe, les stocks d'or sont reconstitués, la circulation monétaire rétablie est de plus en plus active ; Byzance a retrouvé sa position de premier rang entre l'Orient et l'Occident, elle est redevenue une grande foire permanente de marchandises et de change. Pourquoi ?

Nous touchons là au problème central de l'histoire économique byzantine, problème que soulevait Marc Bloch [1] ; pourquoi, après une longue période de diminution de la circulation monétaire à Byzance, les stocks d'or sont-ils à nouveau reconstitués et la circulation monétaire se fait-elle plus intense, alors que Byzance n'a plus de liens avec les régions minières et que de grosses masses métalliques s'échappent continuellement du circuit byzantin vers le monde musulman ? Andréadès soutenait qu'après la perte de l'Égypte et de la Syrie, les achats que Byzance opérait sur les places de ces régions avaient cessé et que l'or était par suite resté concentré à Byzance. Thèse difficilement soutenable ; car Byzance déboursait de grosses sommes dans les pays d'Orient, en Égypte, en Syrie et vers l'océan Indien, après plus encore qu'avant les conquêtes musulmanes. Les fournitures de blé et de papyrus qu'il fallait acheter respectivement dans la région des fleuves slaves et en Égypte, faisaient s'enfuir beaucoup d'or. Andréadès suggérait encore que l'interdiction coranique du prêt à intérêt aurait fait de Byzance la grande place de banque où seraient venus affluer les capitaux du monde musulman, gênés pour s'employer dans leur pays d'origine par les prescriptions religieuses. On peut objecter que l'Église condamnait aussi sévèrement le prêt à intérêt et que cette interdiction religieuse, dans le monde islamique comme dans le monde chrétien, n'a jamais rien empêché. Le développement des organismes commerciaux et bancaires dans le monde musulman aux IXe-Xe siècles le prouve amplement [2].

Marc Bloch indiquait une voie de recherche dans les conséquences monétaires de la crise iconoclaste à Byzance (726-780, puis 802-842) [3]. La crise se traduisit par la remise en circulation des richesses thésaurisées dans les monastères byzantins, objets du culte et icônes

1. M. Bloch, « Le problème de l'or », *loc. cit.*, pp. 1-34.
2. A. Andréadès, « De la monnaie et de la puissance d'achat des métaux précieux dans l'empire byzantin », *Byzantion*, I, 1924.
3. M. Bloch, *art. cit.*

en métal précieux. Ce qui se passa à Byzance du milieu du VIIIe siècle au milieu du IXe s'était déjà produit dans le monde musulman aux VIIe-VIIIe siècles, et il semble d'ailleurs que les empereurs isauriens aient agi sur l'exemple qui leur était proposé par les califes. Cependant, remarquons que la remise en circulation des richesses thésaurisées dans le monde byzantin s'est faite dans des proportions bien moindres que dans l'empire des califes. L'or était thésaurisé, en effet, en plus grande quantité dans les églises et les monastères de Syrie et d'Égypte que dans ceux de Constantinople. L'explication ne vaut donc que pour une partie du phénomène, elle ne suffit pas à l'éclairer tout entier.

L'or remis en circulation par les empereurs iconoclastes leur a permis de redresser la puissance militaire de Byzance face à la menace musulmane, de donner un coup de fouet à l'économie défaillante du domaine byzantin et de maintenir le *nomisma* à côté de son nouveau rival, le dīnār. Mais le volume d'or ainsi rendu à la vie active est insuffisant à expliquer l'essor de la vie économique et la concentration de métaux précieux que nous constatons à Byzance aux IXe-XIe siècles. Dans le monde musulman, deux phénomènes se sont relayés l'un l'autre ; à la remise en circulation de l'or thésaurisé des palais perses et des églises byzantines, a succédé l'arrivée d'or neuf soudanais, permettant une injection continue dans le circuit musulman et l'essor de la vie économique. S'est-il passé un phénomène analogue à Byzance ?

Oui, car l'arrivée d'or monnayé de l'Occident barbare, toujours plus intense, y a succédé à la remise en circulation de l'or thésaurisé par les monastères. Simultanément ont repris l'exportation des produits précieux de l'industrie byzantine vers l'Occident barbare et la réexportation d'une partie des marchandises brutes achetées par Byzance à l'Orient musulman. Le débouché occidental, qui s'était progressivement fermé aux produits byzantins pendant les VIe et VIIe siècles, se rouvre peu à peu à partir des VIIIe-IXe siècles. Tout le commerce de Byzance s'effectue en suivant deux faisceaux de routes et par l'intermédiaire de marchands étrangers ; il a tous les caractères d'un commerce passif.

La route de la Méditerranée est empruntée par les marines italiennes (Venise, Bari, Amalfi, Salerne ou Gaète). Le commerce se concentre aux grandes foires de Pavie, celle qui se tient aux Rameaux pendant quinze jours (mars-avril) et celle de la Saint-Martin (11 novembre) de même durée [1]. Le moine de Saint-Gall raconte, dans

1. *Honorantiae civitatis Papie*, éd. A. Solmi, « L'amministrazione finanziaria nel regno italico nell'alto Medio evo », *Bollettino della Società Pavese di storia patria*, XXXI, 1931, pp. 20-27 et surtout p. 22.

une plaisante anecdote [1], comment Charlemagne était parti chasser avec ses courtisans, vêtus de soieries orientales et de fourrures de plumes de paon achetées à la foire de Pavie ; la suite impériale sortit des fourrés épineux en piteux état. L'empereur était, lui, en costume franc... Il y a beaucoup de chances pour que l'anecdote ait été inventée ; elle a été écrite dans la seconde moitié du IXe siècle ; mais l'allusion au marché de Pavie et aux soieries orientales qui s'y vendaient, est parfaitement véridique [2]. Les marchands des villes maritimes italiennes y rencontraient les marchands anglo-saxons venus par les cols des Alpes, qui redistribuaient dans toute l'Europe du nord les marchandises importées de Byzance [3].

La route de la mer Noire et du Dniepr est empruntée par les marchands russes, scandinaves ou slaves. Elle a pour relais les grandes foires de Kiev. Le commerce scandinave suit ensuite les fleuves russes vers la Baltique et la mer du Nord ; ou bien il emprunte les routes d'Ukraine, de Volhynie et de Pologne, de Bohême et des pays rhénans. Les produits importés de Byzance sont ainsi redistribués dans toute l'Europe du nord-est, dans l'Europe centrale, et vers le nord-ouest.

Les marchands russes introduisent à Byzance des produits du nord, blé, miel, cire des forêts, mais ils en tirent les produits précieux et chers de l'industrie byzantine. La balance est donc très favorable à l'Empire byzantin qui reçoit ainsi un afflux d'or ; Constantin Porphyrogénète appelait la région du Dniepr la « côte de l'or » [4]. De leur côté, les bateaux italiens n'apportent à Byzance que des marchandises de faible valeur, du ravitaillement pour la grande ville : blé de la plaine du Pô, des Pouilles ou de Campanie, poisson salé des lagunes de l'Adriatique, etc. Ils en remportent au contraire des cargaisons de grand prix : soieries, pourpres, toute la série des précieuses étoffes byzantines dont on voit apparaître les noms grecs dans les documents occidentaux [5]. Ils remportent encore des épices, des drogues, de l'ivoire pour les ateliers de sculpture qui se multiplient à l'époque carolingienne et ottonienne. Le déséquilibre du commerce italien avec Byzance est donc tout au bénéfice de celle-ci. Une chrysobulle de 992 que Basile II accordait aux Vénitiens, ne faisant que confirmer des accords bien antérieurs, établissait que chaque navire vénitien passant la douane d'Abydos, devait payer un droit d'entrée

1. *Gesta Karoli, M.G.H., Scriptores*, II, p. 760.
2. V. aussi ALCUIN, *M.G.H., Epist. Karoli aevi*, II, p. 375.
3. *Honorantie civitatis Papie*, c. 3, éd. Solmi, p. 21.
4. CONSTANTIN PORPHYROGÉNÈTE, *De administrando imperio* (Corp. Script. Hist. Byz.), p. 179.
5. E. SABBE, « L'importation des tissus orientaux en Europe occidentale au Haut Moyen âge, aux IXe et Xe siècles », *Revue belge de philologie et d'histoire*, XIV, 1935, pp. 811-848 et 1260-1288.

de deux sous d'or, et un droit de sortie de quinze sous. Le rapport de 2 à 15 est à peu près le rapport de valeur existant entre les importations et les exportations de Byzance dans son trafic avec Venise. Il sortait donc un important courant d'or des ports italiens en direction de Byzance.

Des trois fronts du commerce extérieur byzantin un seul avait une balance déficitaire, celui de l'Orient musulman ; la balance était excédentaire pour les deux autres et un double courant monétaire entrait dans l'Empire byzantin par le nord et par l'ouest, faisant affluer des quantités d'or plus importantes que celles qui s'enfuyaient à l'est vers le monde musulman. De ce côté, Byzance achetait des matières premières, certes très chères, moins cependant que les produits qui étaient fabriqués à partir d'elles et qui étaient exportés ensuite vers l'Occident barbare ; elle achetait aussi des marchandises destinées à être transitées vers l'ouest et revendues, par conséquent, plus chères qu'elles n'avaient été achetées, laissant ses bénéfices au pays transitaire, « pays-éponge ». Malgré l'importante consommation du marché intérieur, une marge excédentaire d'or restait dans le circuit byzantin ; le mercantilisme en vigueur y veillait.

Mais le problème n'est que reporté : d'où cet Occident, vidé de ses réserves d'or à la fin du VIe siècle et au VIIe siècle, tirait-il son or au VIIIe et au début du IXe siècle ?

d) *La façade du nord-ouest : les relations avec l'Occident barbare*

On a vu quelle était la position commerciale et monétaire de l'Occident mérovingien, lombard, wisigothique et anglo-saxon, au VIIe et au début du VIIIe siècle, avant qu'une influence quelconque, négative ou positive, ait pu se faire sentir sur ces contrées lointaines, forestières, barbarisées et en régression économique. La structure des échanges était caractérisée par la prédominance presque exclusive du commerce d'importation depuis le domaine byzantin ; des marchandises de luxe, étoffes, ivoires, épices, etc., que le monde barbare ne pouvait fabriquer ou qu'il ne pouvait se procurer sur place, étaient ainsi introduites. Commerce à sens unique, qui trouvait ses intermédiaires dans les marchands orientaux, que les sources latines connaissent sous le nom de *Syri*, et qui s'était presque complètement éteint à la fin du VIe siècle, non sans avoir préalablement pompé les réserves d'or de l'Occident, qui n'avait que peu de chose, sinon rien, à offrir en échange des marchandises précieuses de l'Orient. Sous une forme qui imitait le type byzantin la monnaie d'or occidentale s'était enfuie, laissant la monnaie d'argent, le denier, remplacer peu à peu le sou d'or. Pendant tout le VIIe et le début du VIIIe siècle, vidé d'or, abandonné par le grand commerce, l'Occident barbare apparaît comme un domaine économique de plus en plus desséché et isolé. Pour le commerce byzantin, cela signifiait la fermeture de ses débouchés occidentaux.

Or, après les conquêtes musulmanes, une nouvelle position commerciale et monétaire se définit. Pourquoi les débouchés occidentaux se rouvrent-ils alors à Byzance ? C'est que, fait capital pour toute l'histoire économique ultérieure de l'Occident, un nouveau domaine économique, en pleine activité et en continuel essor, s'est créé aux portes mêmes de l'Occident barbare : le monde musulman. Au cours du VIIIe siècle, il conquiert les rivages méridionaux du bassin occidental de la Méditerranée et domine ainsi tout l'horizon économique méridional. Les grands centres musulmans deviennent clients de l'Occident barbare pour tous les produits qu'il peut leur offrir : esclaves slaves de la grande forêt nordique et esclaves anglo-saxons, bois de construction navale, étain, armes. En échange de ces produits essentiels, le monde musulman exporte vers le monde barbare d'Occident ses pièces d'or, qui ne tardent pas à dominer les marchés, les transactions, les comptes des zones d'Occident en rapport avec lui.

Fait d'une immense importance : le sens des échanges se renverse ; l'Occident, d'importateur, devient exportateur. Au lieu d'une fuite de numéraire, c'est un afflux, qui se dessine, très lentement, à la fin du VIIIe siècle, et s'amplifie du IXe au XIe siècle. Cela ne s'était pas produit depuis la belle époque de l'Empire romain : la Rome impériale avait alors fait appel aux produits des provinces occidentales d'Italie, d'Espagne, de Gaule et de Bretagne, comme maintenant les grands centres créés ou recréés dans le monde musulman font appel aux pays de l'Occident barbare : Italie, Gaule et Bretagne. Les centres urbains de la Méditerranée occidentale qui avaient disparu lors des invasions, sous le Bas-Empire, réapparaissent avec la formation du monde musulman. Cet appel de la consommation, moteur de l'économie, dépend lui-même de la possibilité d'achat, c'est-à-dire de la possession des moyens d'échange, en l'occurrence de l'or.

Cela n'est pas une vue théorique de l'esprit ; toute une série de faits, dont chacun n'est qu'une suggestion, finit par former un faisceau de preuves. Avant d'étudier la circulation des monnaies d'or musulmanes dans l'Occident barbare et l'imitation qu'en faisaient les royaumes barbares, il est nécessaire de préciser quels étaient les objets de ce commerce afin d'apprécier leur valeur et le volume d'or donné en échange. Ensuite seulement, il sera possible de déterminer quelle a été l'influence de ces arrivées d'or musulman sur le système monétaire des royaumes barbares et sur la reprise de l'importation en Occident de marchandises provenant du domaine byzantin.

Les objets de commerce

La Méditerranée musulmane fait appel à l'Occident barbare pour de nombreuses marchandises, en dépit des interdictions que papes ou empereurs édictent contre l'exportation de certains produits considérés comme contrebande de guerre : esclaves, fer et armes, étain, fourrures, bois pour la construction navale [1].

Le commerce des esclaves puise dans deux grands réservoirs, le réservoir slave et le réservoir anglo-saxon. Depuis le VIe siècle, les Slaves se sont étendus vers l'est, débordant hors de la zone forestière vers les steppes de Russie méridionale, vers le sud, dans les Balkans, jusque dans le Péloponnèse et à Thessalonique, et vers l'ouest, remplaçant les peuplades germaniques émigrées plus à l'ouest et au sud-ouest, atteignant l'Elbe et la Saale, le Massif bohémien, l'ouest des plaines danubiennes, les Alpes occidentales de Carinthie et le plateau du Karst illyrien. A partir de Charlemagne, et surtout au VIIIe siècle, le mouvement s'inverse et la poussée germanique se fait sentir vers l'est ; des luttes continuelles se déroulent à la bordure du monde slave, prétexte à des razzias d'esclaves. La poussée se fait de plus en plus forte, et bientôt la royauté germanique prend définitivement la direction de la lutte contre le slavisme. Lors de la victoire de Henri Ier l'Oiseleur à Lenzen, en 929, tous les guerriers slaves furent tués, et les femmes, les enfants, ceux qui ne furent pas pris les armes à la main (*inermes*) furent réduits en esclavage [2]. Les conquêtes des rois de la dynastie saxonne jetèrent ensuite sur le marché un nombre très considérable d'esclaves slaves : c'est en 937 que le terme *sclavus* est opposé pour la première fois à *servus* dans un diplôme [3]. Ces grandes campagnes et les razzias journalières alimentent le grand commerce des esclaves slaves, malgré les protestations de l'Église, depuis les confins germano-slaves vers le monde musulman.

La première des directions qu'il suit relie la zone de l'Elbe et de Bohême aux pays rhénans et mosans. Les commerçants d'esclaves empruntent la route de Westphalie, qui, par une série de clairières, joint Bardowick à Xanten, ou Duisbourg, Aix-la-Chapelle, Liège, Dinant et enfin Verdun ; ou bien celle de la vallée du Main qui passe par la Bohême, Erfurt et Mayence avant de rejoindre Verdun ; ou encore la route du haut Danube qui traverse la Bavière par Passau et Regensburg, la Souabe et la Franconie, Worms et débouche aussi à Verdun. Au terme de ces trois routes, un grand centre, Verdun,

1. M. LOMBARD, « Arsenaux et bois de marine... », dans *Le Navire*, *op. cit.*
2. WIDUKIND, *Res gestae saxonicae*, *M.G.H.*, *Scriptores*, III, p. 433.
3. *M.G.H.*, *Diplomata*, I, p. 104 (11 oct. 937).

qui envoie ses marchands jusqu'en Espagne [1] et où beaucoup de ces esclaves étaient transformés en eunuques [2].

Verdun, grand entrepôt, centre de rassemblement et de castration, est situé sur la Meuse au point où le fleuve cesse d'être navigable vers le sud ; une piste terrestre rejoignait la vallée de la Saône à Saint-Jean-de-Losne où la rivière devenait navigable. Lyon, Arles, Narbonne étaient autant de relais fluviaux du commerce des esclaves. A Lyon, il fallait quitter les barques employées à la tranquille navigation sur la Saône pour de nouvelles embarcations, plus solides et plus petites, permettant d'affronter le cours rapide du Rhône. A Arles, on abandonnait la route fluviale pour les routes terrestres vers la Septimanie. A Narbonne, enfin, on prenait la voie de terre pour gagner la Catalogne et l'Espagne musulmane. On pouvait aussi s'embarquer à Arles sur les navires de mer et gagner ainsi Narbonne, Barcelone, Tortosa, Valence ou Almeria par cabotage. De Narbonne aussi partaient des navires à destination des ports du Levant musulman. Ibn Ḫurdāḏbeh, maître des postes du califat ʿabbāside au milieu du IXe siècle, a décrit ces itinéraires [3]. L'importance de Narbonne était considérable et comparable à celle de Verdun ; c'était le grand centre de redistribution des esclaves slaves vers la Méditerranée musulmane.

Très peu de commerçants chrétiens s'adonnaient au grand commerce des esclaves, qui était la chose des juifs *raḏānites*, les « juifs du Rhône » ou les « juifs errants » (*Nahr Raḏun* ou *arraḏāniya* : errants). Des communautés importantes jalonnaient la route des esclaves ; les marchands juifs s'assemblaient près des centres de premier groupement des esclaves en Germanie et en Pologne. Ils suivaient les armées germaniques dans leurs campagnes contre les Slaves. Ils sont mentionnés en 965 à Magdebourg [4] ; les *Leges portorii* de 906 qui se rapportent au tonlieu de Raffelstätten, en Bavière, signalent aussi l'activité de marchands juifs dans ces contrées [5]. Les communautés des pays rhénans sont attestées par le tarif de Coblence du XIe siècle :

1. *Miracula Sancti Bertini*, *M.G.H.*, *Scr.*, XV, p. 511.

2. LIUTPRAND, *Antapodosis*, *M.G.H.*, *Scr.*, III, p. 338 : « ... quod Verdunenses mercatores ob immensum lucrum facere et in Hispaniam ducere solent ».

3. Cf. M. LOMBARD, *L'Islam dans sa première grandeur*, Paris, 1971. Carte 24, Itinéraires des marchands juifs raḏānites.

5. « Judei vel ceteri ibi manentes negociatores ». *M.G.H.*, *Diplomata*, II, nº 300, p. 416, et *ibid.*, II, nº 29 (Diplôme d'Otton II de 973).

4. L'article 1er parle des marchands d'esclaves venus *ab occidentalibus partibus* ; les art. 4 et 6, des marchands bavarois et slaves. L'art. 9, des juifs : « Mercatores, id est Iudei et ceteri mercatores, undecumque venerint de ista patria vel de aliis patriis, justum teloneum solvant tam *de mancipiis* quam de aliis rebus, sicut semper in prioribus temporibus regnum fuit », *M.G.H.*, *Leges*, III, pp. 480 et 481.

« Judei pro unoquoque sclavo emticio debent quatuor denarios »[1] ; des textes concernant Worms, Spire, indiquent aussi la présence des marchands juifs. Le juif espagnol Ibrāhīm ibn Y'aqbū, qui écrit dans la seconde moitié du xe siècle, affirme que Prague est un grand marché d'esclaves, très actif, où accourent les marchands juifs de l'ouest et de l'est[2]. Dans sa *Vie de saint Adalbert*, l'évêque de Prague, Brunon, écrit aussi que « les habitants de Bohême avaient l'habitude de vendre des chrétiens aux infidèles et aux juifs »[3] ; en 989, saint Adalbert renonçait à son évêché, outré par les mœurs de ses ouailles[4]. Vers 1009, en Misurie, le margrave Gauzelin vendait des familles de serfs aux marchands juifs[5], et à la fin du xie siècle, Judith, épouse de Vladislas Ier, duc de Pologne, rachetait sur son lit de mort nombre de chrétiens, esclaves de juifs[6]. En 1039, une peine spéciale était prévue en Bohême contre les marchands juifs qui vendaient les Tchèques au dehors[7]. Les marchands juifs étaient donc nombreux dans les confins slaves.

Les pays rhénans et l'Allemagne au sud comptaient aussi d'importantes communautés, qui entretenaient des relations actives avec celles de Bohême et, plus loin, avec la Russie kievienne[8]. A Lyon, l'évêque Agobard accusait, au début du ixe siècle, les juifs de vendre des chrétiens aux Sarrasins d'Espagne, et pas seulement des Slaves païens[9] ; il citait le cas d'un esclave enfui de Cordoue, qu'un juif de Lyon avait enlevé vingt-quatre ans auparavant, vers 800, tout enfant ; le compagnon qui l'avait suivi dans sa fuite avait été enlevé de même à Arles. Le fait aurait été courant au moment où Agobard écrivait. Il existait un faubourg juif à Arles et une très importante communauté juive à Narbonne. Les légendes juives racontent qu'après la conquête de Narbonne par Pépin, en 759, la ville aurait été partagée en trois parties, celle du comte, celle de l'évêque et celle des juifs, qui avaient

1. *Hansisches Urkundenbuch*, éd. C. Höhlbaum..., Halle, 1876-1896, III, p. 388.
2. F. Westberg, « Ibrahïm Ibn Jakūb's Reisebericht über die Slavenländer aus dem Jahre 965 », *Mémoires de l'Acad. des Sciences de Saint-Pétersbourg*, 8e série, III, 1898, p. 53 ; et « Beiträge zur Klärung orientalischer Quellen über Osteuropa », *ibid.*, IV, 1899, p. 211 et p. 275.
3. *M.G.H.*, *Scr.*, IV, p. 600.
4. *Vita Adalberti, M.G.H.*, *Scr.*, IV, p. 586 : « Propter captivos et mancipia christianorum quos mercator judaeus, infelici auro merat emptosque tot episcopus redimere non potuit. »
5. Thietmar de Merseburg, *Chronicon*, *M.G.H.*, *Scr.*, III, p. 821.
6. *Chronica Polonorum*, *M.G.H.*, *Scr.* IX, p. 444.
7. Cosmas de Prague, *Chronicon Boemorum*, *M.G.H.*, *Scr.*, IX, p. 4.
8. J. Brutzkus, « Der Handel der west-europäischen Juden mit der alten Kiev », *Zeitschrift für die Geschichte der Juden in Deutschland* », III, 1931, pp. 97-110.
9. *M.G.H.*, *Epistolae Karol. aevi*, III, pp. 183 et 185, *Epistolae Agobardi*, no 7.

un « Roi »[1]. Le Languedoc était un centre rabbinique important qu'entretenait l'arrivée de rabbins orientaux aux VIIIe et IXe siècles, comme le talmudiste Makhirau (VIIIe siècle)[2]; il se rattachait ainsi au grand centre de Mésopotamie : les *responsa* gaoniques de Sura-Pumbedita parvenaient jusqu'aux communautés de Languedoc, à Aigues-Mortes, Nîmes, Narbonne ou Lunel. Le pape Étienne III envoyait, en 768, une lettre à l'archevêque de Narbonne, Aribertus, à propos du droit de propriété des juifs de sa ville, qui détenaient souvent des alleux, commerçaient et collectaient les impôts. Agobard critiquait aussi l'archevêque de Narbonne, Nibridus, qui vivait en bons termes avec les juifs et les recevait à sa table ; il avait vécu jadis à Narbonne et savait que, dans cette ville, « juifs et chrétiens fraternisent »[3].

De Narbonne, le grand port de la France du midi au IXe siècle, partaient les Raḏānites, liés à toutes les communautés juives du monde musulman ; les documents de la *Geniza* signalent un juif du Languedoc au Caire, et le moine de Saint-Gall des navires de marchands juifs au large de Narbonne[4]. La communauté juive de Narbonne entretenait des relations étroites avec celles de Barcelone, Tortose, Valence et Almeria. Bakrī raconte le stratagème imaginé, en 1054-1055, par le comte de Barcelone pour enlever la femme d'un personnage de Narbonne. Il s'adressa au seigneur musulman de Tortose, le *fatā* slave Nabīl, qui, « par l'intermédiaire de ses juifs et de leurs correspondants à Narbonne, mit à exécution l'entreprise »[5]. Almeria était, dans le sud, le grand port d'arrivée des esclaves[6]. Ibn Sa'īd raconte, de son côté, comment un juif, arrivé à Mérida avec plusieurs esclaves « galiciennes », eut, au sujet de l'une d'entre elles, une contestation avec le prince Muḥammad, fils du gouverneur de la ville[7].

Ainsi, un intense trafic d'esclaves se faisait depuis la Bohême et la frontière de l'Elbe jusqu'en Espagne musulmane et on ne peut souscrire à l'opinion de H. Pirenne qui niait tout commerce entre la *Francia* et l'Espagne au Xe siècle[8]. Les sources arabes nous ren-

1. *Narboni* est un ethnique fréquent des Juifs des pays méditerranéens.
2. R. ABRAHAM B. DAVID, éd. par C. Neubauer, *Mediaeval Jewish Chronicles*, I, p. 82.
3. J. RÉGNÉ, *Étude sur la condition des Juifs de Narbonne du Ve au XIVe siècle*, Narbonne, 1912.
4. MONACHUS SANGALLENSIS, *Gesta Karoli*, éd. Pertz, *M.G.H.*, *Scr.*, II, p. 757.
5. *Rawd al-mi'tār*, éd. et trad. Lévi-Provençal, Leyde, 1938, p. 54. A Barcelone, les Juifs étaient aussi nombreux que les chrétiens.
6. SAQAṬĪ, éd. Colin et Lévi-Provençal, *Un manuel hispanique de hisba*, p. 47.
7. Cité par RIBERA, *Dissertaciones y opusculos*, Madrid, 1928, I, p. 24.
8. H. PIRENNE, *Mahomet et Charlemagne*, 4e éd., Paris-Bruxelles, 1937, p. 227.

seignent sur le nombre des esclaves slaves achetés aux pays chrétiens du Nord et sur leur prix. Il est possible, grâce à elles d'apprécier les quantités d'or données en échange par l'Espagne musulmane aux pays de l'Occident barbare et de fixer, sinon un chiffre, au moins un ordre de grandeur.

La réforme militaire d'al-Ḥakam Ier (796-822) créa un corps de 5 000 *mamālīk* ne sachant pas l'arabe [1]. Nous connaissons les chiffres des dénombrements successifs faits des esclaves slaves à Cordoue sous ʿAbd ar-Raḥman III (912-961). Il y en eut successivement : 3 750, puis 6 087 et 13 750 [2]. A la fin du règne d'an-Nāṣir on comptait 3 750 *ṣaqāliba* au seul palais de Madīnat az-Zahrā' [3]. Ces esclaves slaves servaient d'eunuques pour le harem et de gardes du corps ; affranchis, ils jouaient un rôle important dans la société, comme le slave Naǧda qui mena l'expédition contre Ramiro II de Léon, en 939, ou les deux Slaves qui commandaient, à la mort d'Al-Hakam II, en 976, les mercenaires de la garde du prince.

Leur prix augmentait rapidement selon leur qualification. D'après Iṣṭaḫrī [4], une fille ou un esclave, importés d'Espagne dans l'Orient musulman, sans qu'ils connaissent aucun métier, se vendaient, seulement pour leur beauté, au prix de 1 000 dīnārs et même davantage. Le trafiquant d'esclaves de Cordoue, Ibn al-Kattānī, qui formait des musiciennes et des chanteuses parmi les esclaves chrétiennes et *ṣaqāliba* qu'il achetait, vendait à un prince musulman une chanteuse accomplie pour 3 000 dīnārs. D'autres indications mentionnent, dans des cas exceptionnels, des prix de 5 000 dīnārs. Or on sait qu'à l'arrivée dans le monde musulman, en Catalogne, le prix d'achat brut tournait autour d'une centaine de dīnārs. Le prix d'un Slave décuplait donc lors de la redistribution dans l'Orient musulman, et triplait encore si l'esclave était éduqué.

Reprenons nos chiffres sur les esclaves de Cordoue sous ʿAbd ar-Raḥmān III ; en une cinquantaine d'années, entre 912 et 961, leur nombre est donc passé de 3 750 à 13 750, s'accroissant d'une dizaine de milliers d'individus, ce qui correspond à des achats nouveaux, les hommes étant le plus souvent châtrés. Les enfants n'étaient pas recensés parmi les esclaves ; ils appartenaient au père. A 100 dīnārs en moyenne par tête, ces 10 000 esclaves représentent une somme globale d'un million de dīnārs, environ 5 000 kg d'or ; pour la seule Cordoue, une centaine de kilogrammes d'or par an allait à l'achat

1. E. Lévi-Provençal, *Histoire de l'Espagne musulmane au XIe siècle*, Paris, 1930, I, p. 189.
2. E. Lévi-Provençal, *L'Espagne musulmane au Xe siècle*, Paris, 1932, pp. 29-30.
3. Ibn Iḏārī, *Bayān*, éd. Dozy, II, pp. 247-383.
4. Iṣṭaḫrī, éd. de Goeje, p. 45.

de slaves. Si on leur ajoute les sommes que devaient dépenser les autres grandes villes d'Espagne et la résidence de Madīnat az-Zahrā', ainsi que les sommes correspondant au commerce de transit vers l'Orient musulman, on mesure les paroles de Liutprand évoquant l' « *immensum lucrum* » des marchands verdunois [1], et d'Adalbert de Prague quand il déplorait cet « infelix aurum », cet or qui porte le malheur avec lui [2].

Le réservoir slave avait une seconde façade, celle qui donnait sur le marché du Frioul. Les slaves des Alpes orientales, les *Carentani* de Carinthie ou Carniole, du plateau d'Istrie, d'Illyrie et de la côte dalmate, étaient perpétuellement sur le pied de guerre ; les pirates dalmates slaves, les Narentans, trouvaient refuge, avec leurs barques légères, dans les îles de l'Adriatique, mais la côte était une zone fructueuse de razzias. Les esclaves capturés étaient dirigés sur Venise, au point de jonction des trois domaines de Byzance, du monde musulman et de l'Occident barbare. La ville fondait sa richesse sur l'exportation des produits de l'Occident barbare vers les ports de la Méditerranée musulmane et sur l'importation des produits de Byzance vers l'Occident barbare ; beaucoup des articles qu'elle expédiait vers les ports musulmans étaient prohibés par les empereurs byzantins et parmi les plus profitables se trouvaient les esclaves.

Une partie des esclaves que Venise réexportait arrivait par les cols des Alpes [3] ; quelques-uns venaient des groupes concentrés à Verdun et descendaient par le Saint-Gothard jusqu'à Venise. D'autres venaient de l'Angleterre anglo-saxonne ; nous en reparlerons. D'autres encore arrivaient du haut Danube et de Bohême par les cols des Alpes orientales ou du Septimer. La route du Septimer passait à Raffelstätten en quittant la Bavière, puis à Walenstad dans les Alpes, dont le tarif, daté de 1050 environ, mentionne le commerce des esclaves [4].

Beaucoup plus nombreux étaient les esclaves directement razziés ou acquis aux confins italo-slaves, dans les Alpes orientales, en Istrie ou en Dalmatie. A partir du VIIIe siècle, quand l'appel des grands centres musulmans se fait plus insistant, la politique vénitienne est partiellement déterminée par cet impératif : la chasse à l'esclave

1. LIUTPRAND, *Antapodossis*, *M.G.H.*, *Scr.*, III, p. 338.
2. *Vita Adalberti*, *op. cit.*, p. 586.
3. C. VERLINDEN, *L'esclavage dans l'Europe médiévale*. I. *Péninsule ibérique. France*, Bruges, 1955, p. 401. Voir aussi A. SCHULTE, *Geschichte des mittelalterlichen Handels und Verkehrs zwischen Westdeutschland und Italien mit Ausschluss von Venedig*, Leipzig, 1900, I, p. 151.
4. « De unoquoque mancipio, quod ibi venditur, denari II », T. von MOHR, *Codex diplomaticus ad historiam Raeticam*, Cur, 1851-1865, I, p. 288. Sur le tarif de Walenstad à l'époque de Louis le Pieux, cf. G. GARO, « Ein Urbar des Reichsguts in Churrâtien aus der Zeit Ludwigs des Frommes », *Mitteilungen des Instituts für Österreichische Geschichtsforschung*, XXVIII, 1907, pp. 267 et suiv.

slave. Des expéditions maritimes sont menées contre les pirates slaves de l'Adriatique afin de libérer les accès maritimes de Venise, mais aussi de se procurer à bon compte le précieux bétail humain acheté si cher par les marchands musulmans. Le Quai des Esclavons rappelle le souvenir de ce commerce, près du Palais des Doges et de la place Saint-Marc, où, en creusant des fondations, on a retrouvé, comme un symbole, un dirhem musulman. En 876, le doge interdisait vainement le trafic des esclaves ; vers le milieu du IXe siècle, les marchands vendaient même des esclaves chrétiens aux musulmans [1], bien que le traité passé par Venise avec Lothaire, en 840, ait interdit la vente d'esclaves chrétiens et celle d'eunuques [2].

Les îles Britanniques formaient le second grand réservoir [3]. Les luttes intestines entre les divers royaumes de l'Heptarchie se terminaient par la réduction à l'esclavage des captifs, souvent membres de grandes familles. De plus, la guerre continuelle entre Saxons et Celtes multipliait aussi les esclaves : le mot *wealth* (Gallois) finit par prendre, dans la langue courante, le sens d'esclave. L'évolution générale de la société vers le système féodal caractérisé par le seigneur et le serf, se poursuivait beaucoup plus lentement que sur le continent ; aussi le classement traditionnel du vieux droit germanique entre libres et esclaves (le *theow* anglo-saxon, esclave et non pas serf) s'était-il maintenu. Il existait donc un marché intérieur où l'on écoulait les esclaves captifs de guerre ; les pères trafiquaient même de leurs enfants, les chefs de leurs sujets, tout comme, plus tard, sur la côte orientale d'Afrique. Les esclaves anglo-saxons étaient également exportés soit vers l'Irlande par Bristol, soit vers le continent, d'où ils gagnaient l'Italie ou l'Espagne musulmane, après qu'on eut engraissé les filles (les *ancillae* des tarifs de péage), pour en augmenter la valeur marchande.

D'Angleterre (*Bariṭāniya*), cet « entrepôt de Rūm (Byzance) et d'al-Andalūs (l'Espagne musulmane) » selon le *Ḥudūd al-ʿālam* [4],

1. H. Pirenne, *op. cit.*, p. 158 ; A. Schaube, *Handelsgeschichte der romanischen Völker des Mittelmeergebiets bis zum Ende der Kreuzzüge*, Münich, 1906, p. 3, n. 3, et p. 22 ; A. Dopsch, *Die Wirtschaftsentwickelung der Karolingerzeit*, Weimar, 2e éd., 1922, II, p. 143. Sur la spécialisation vénitienne dans le négoce des esclaves : *Liber pontificalis*, éd. Duchesne, 1886, I, p. 433, nos 741-752, ainsi que V. Lazari, « Del traffico e delle condizioni degli schiavi in Venezia nei tempi de mezzo », *Miscellanea di storia italiana*, I, 1862, p. 467 ; G. Luzzatto, *I servi nelle grandi proprietà ecclesiastiche nei secc. nono e decimo*, Pise, 1910 ; R. Livi, *La schiavitù domestica nei tempi di mezzo e nei moderni. Ricerche storiche di un antropologo*, Padoue, 1928.

2. *M.G.H.*, *Capit.*, II, p. 130. Voir aussi F. L. Ganshof, « Note sur un passage de la vie de saint Géraud d'Aurillac », *Mélanges Jorga*, Paris, 1933, pp. 295-307.

3. M. Bloch, « Comment et pourquoi finit l'esclavage antique » *Annales E.S.C.*, II, 1947, p. 166.

4. *Ḥudūd al-ʿālam*, trad. Minorsky, p. 158.

jusqu'aux centres de consommation, les itinéraires peuvent être reconstitués grâce aux tarifs de péage, aux sources ecclésiastiques et aux indications des sources arabes. Les esclaves suivaient les marchands frisons et scandinaves vers la Scandinavie, et, au delà, vers les fleuves russes et le monde musulman. Ils étaient aussi embarqués pour les Flandres, les pays mosans et rhénans. Le grand entrepôt était Dorestad (Duerstaedt) sur le Rhin, un *vicus* bien connu des Annales du IXe siècle. Les marchands frisons servaient d'intermédiaires, ou bien les marchands anglo-saxons pratiquaient directement ce commerce. Par la vallée du Rhin et les cols des Alpes, les *servi et ancillae* arrivaient en Italie [1] et gagnaient les foires de Pavie [2]. On les acheminait ensuite vers Rome où affluaient pèlerins, moines, marchands anglo-saxons [3]. Dès la fin du VIIIe siècle, un vaste établissement d'hospitalité s'étendait sur la rive droite du Tibre, dans le *Burgus Saxonum* (le *Borgo*) ; le roi Ethelwulf acquittait, en 853, une redevance de 300 *manci* dans les 2/3 allaient au luminaire des basiliques Saint-Pierre et Saint-Paul, le reste au pape ; à la fin du IXe siècle le roi Alfred envoya à plusieurs reprises à Rome les aumônes des Saxons du Wessex [4].

Les marchands d'esclaves acheminaient leur marchandise par la *Via Francigena*, qui passait l'Apennin au col de la Cisa et rejoignait le littoral tyrrhénien à Luni. Pise, et surtout Civita Vecchia pratiquaient activement l'exportation des esclaves. Le pape Zacharie avait pu fermer, en 748, le marché officiel de Rome, il n'en subsistait pas moins un marché clandestin. De Rome, les esclaves étaient envoyés dans les villes d'Italie méridionale, Gaète, Naples, Amalfi ou Salerne, qui en faisaient un commerce actif avec les musulmans. Empereurs et papes avaient beau se plaindre de ce trafic, accusant même les gens d'Amalfi d'acheter ou de voler des sujets lombards du duché de Bénévent pour les vendre outre-mer sur les marchés musulmans [5]. En 836, dans son traité avec Naples, le duc de Bénévent reconnaissait aux marchands des libertés commerciales plus étendues dans ses terres, mais il leur interdisait d'en user pour acheter des esclaves lombards et en faire la traite dans les ports musulmans. Juifs du Rhône et Vénitiens avaient encouru le même reproche. Notons encore

1. Cf. le Tarif de la porte Saint-Ours à Aoste, en 960. Voir C. E. PATRUCCO, « Aosta dalle invasion barbariche alla signoria », in *Miscellanea Valdostona*, Pignerolles, 1903 (Bibl. della Soc. stor. subalpina, vol. 17).

2. *Honorantiae civitatis Papie*, éd. Solmi, p. 21 : « Omnes gentes que veniunt de ultra montes in Lombardiam debent esse adecimate de... servis, ancillis... ».

3. F. CABROL, *L'Angleterre chrétienne avant les Normands*, Paris, 1909, app. II, pp. 329 et suiv., bibl.

4. On a trouvé, en 1883, sur le Forum, des trésors de monnaies anglo-saxonnes, dont la date de dépôt était 944-946, ainsi qu'une fibule en cuivre incrustée d'argent.

5. *Capitulare Sicardi*, *M.G.H.*, *Leges*, IV, p. 218.

que l'Italie du Sud abritait d'importantes communautés juives qui entretenaient des liens étroits avec leurs coreligionnaires de Sicile, d'Afrique du Nord et d'Égypte.

Une partie des esclaves anglo-saxons était aussi acheminée d'Angleterre vers les Flandres et, par les pays mosans, jusqu'à Verdun, où ils se mêlaient aux Slaves des confins germaniques ; ils prenaient alors la voie des flottilles sur la Meuse, la Saône et le Rhône vers l'Espagne musulmane. Cette direction du commerce des esclaves anglo-saxons était celle que suivait l'étain de Cornouailles, nécessaire à l'industrie des batteurs de cuivre et aux bronziers de Dinant et des pays mosans.

La voie maritime vers l'Espagne musulmane s'offrait aussi au commerce anglo-saxon ; c'était la très ancienne « route de l'étain »[1]. Des sources nombreuses attestent, à notre époque, le commerce entre l'Angleterre, l'Irlande, la Gaule et l'Espagne du Nord. Le moine de Saint-Gall rapporte qu'un navire parut en vue de Narbonne quand Charlemagne s'y trouvait, et qu'on fit aussitôt l'hypothèse plausible qu'il s'agissait d'un navire breton[2]. Au IXe siècle, les Normands poussent leur navigation en Méditerranée par le détroit de Gibraltar, et y commercent ; ils pillent Gadès et Séville en 844, Séville encore et Luni entre 859 et 862[3]. Dans l'autre sens, les flottilles musulmanes de corsaires ou de marchands sont signalées le long des côtes occidentales de France au IXe siècle, à l'embouchure de la Loire ou à celle de la Gironde[4]. Les relations maritimes des musulmans vont des Canaries à la Bretagne[5], à partir des grands ports atlantiques, Alcader do Sal (Qaṣr Abī Dānis) et Lisbonne (al-Ušbuna)[6]. Des routes les relient à Cordoue, mais plus souvent le trafic continue par mer en cabotant jusqu'à Gadès et Séville où l'on prend de plus petites embarcations pour remonter le Guadalquivir jusqu'à Cordoue. Sur la route de l'Espagne musulmane jusqu'à l'île de Bretagne, route que décrivent les géographes arabes, des escales et des relais s'offrent sur la côte septentrionale espagnole (Castro Urdiales, Laredo) et de la Gironde à la Loire ou à l'Armorique. Les navires anglo-saxons surtout la parcourent, mais quelques marchands arabes aussi s'y

1. A. Berthelot, éd. Festus Avienus, *Ora maritima*, Paris, 1934.
2. Voir *supra*, p. 202 et note 4.
3. Sur le pillage et les massacres de Séville, en 844, par « les Madjus qu'on appelle les Rus », Ya'qūbī, éd. Wiet, pp. 218-219, et références données p. 218, n. 9.
4. R. Poupardin, *Monuments de l'histoire des abbayes de Saint-Philibert*, Paris, 1905, p. 66.
5. « On ne parcourt que la partie longeant la terre depuis les confins extrêmes du pays des Noirs jusqu'à la Bretagne (Britaniya), la grande île qui se trouve à l'extrême nord. » *Rawḍ al-mi'ṭār*, éd. et tr. Lévi-Provençal, p. 36.
6. Le roi des Asturies, Alfonso II, effectuait, en 798, un raid contre Lisbonne, « la cité la plus reculée d'Espagne », et en envoyait les dépouilles à Charlemagne à Aix-la-Chapelle. Eginhard, *Vita Karoli*, 16, éd. Halphen, p. 46 et note 1.

risquent jusqu'à « l'île des femmes » dont les récits musulmans décrivent les hommes roux et les belles épouses. On a recueilli parallèlement de vieilles traditions en Irlande sur les voyages d'hommes au teint foncé dont certains, « les hommes bleus d'Erin », s'établirent dans l'île.

Les esclaves n'étaient pas seuls à suivre cette route océanique. Les autres marchandises que l'Occident barbare envoyait à la Méditerranée musulmane, et par elle, à l'Orient musulman, empruntaient les mêmes itinéraires que la marchandise humaine.

Les fourrures étaient l'un des objets les plus demandés dans le monde musulman [1]. Les pays d'Islam eux-mêmes disposaient de peu de ressources ; la Syrie s'était fait une spécialité des fourrures en plumes d'oiseau, paons, grèbes ou pélicans, qui arrivaient jusqu'aux foires de Pavie [2]. Cependant, ils faisaient bien davantage appel aux pays sud du monde musulman, aux peaux de girafe, de tigre, de lion d'Afrique, et surtout aux ressources infinies de la grande forêt nordique. Là pullulaient les animaux à splendides fourrures, le castor et le petit-gris, la martre zibeline, c'est-à-dire noire (de *sabel* qui a donné *sable*), dont on faisait les vêtements des rois et des grands, selon Masʿūdī. Le même auteur indique les deux chemins par lesquels les précieuses fourrures parvenaient au monde musulman. Elles venaient par l'est, par la route des fleuves russes, la Caspienne, le H̱wārizm, grand centre d'apprêt et entrepôt, l'Iran et la Mésopotamie ; ou bien, par l'ouest, du pays des Slaves par l'Empire carolingien et de là, vers la France du Midi et l'Andalousie ; de ce côté, le grand entrepôt et centre de travail des fourrures était Saragosse. D'autres arrivaient jusqu'à Narbonne, et étaient chargées sur les navires des juifs raḏānites. Ibn H̱urdāḏbeh précise à leur propos qu' « ils apportent de l'Occident des eunuques, des esclaves femelles, des garçons, des peaux de castor, des pelisses de martre et d'autres pelleteries, et des épées » [3]. Certaines enfin, venaient par l'Océan : « le *sammūr* (la martre) dont les peaux sont travaillées à Saragosse, est importé par l'Océan » ; il s'agit là des fourrures expédiées de Bretagne [4].

Les épées dont parle Ibn H̱urdāḏbeh sont les fameuses épées de Firanǧa, qui figurent en bonne place dans les listes et traités arabes consacrés aux armes. Le fer et les armes formaient un troisième poste important du commerce extérieur de l'Occident barbare. Nous avons vu que le fer était peu abondant dans le monde musulman, et que le bois manquait plus encore ; on faisait donc appel aux épées de

1. M. Lombard, « La chasse et les produits de la chasse dans le monde musulman (VIIIe-XIe siècle) », *Annales E.S.C.*, 1969, pp. 572-593.
2. V. *ibidem*, p. 578.
3. Ibn H̱urdāḏbeh, éd. et trad. de Goeje, p. 153.
4. Maqqarī, *Ānalectes*, I, pp. 121-122 (d'après al-Ḥiǧārī).

l'Inde, d'une part, et d'autre part, aux épées de l'Occident barbare, plus précisément de l'Empire carolingien [1].

Les forges étaient nombreuses dans l'Empire, et Charlemagne s'intéressait personnellement à la production du fer, particulièrement en Rhénanie, d'Aix-la-Chapelle à Solingen, où les exploitations minières furent activement poussées [2] ; Cologne devint sous les Ottons une des grandes places d'exportation des épées dites « al-Lamaniya » par les auteurs arabes. La région qui s'étend du Rhin aux pays de la Saône, et jusqu'au Berry, était le plus grand centre de fabrication, grâce à l'abondance du bois et à la forme facilement exploitable sous laquelle se présentait le fer pisolithique des ferrières superficielles. Notons que les documents occidentaux parlent de « l'acier verdunois », bien que Verdun ne soit pas un centre de fabrication, mais seulement d'exportation [3].

Mais d'autres foyers étaient également très actifs, comme la Biscaye et la Catalogne, le Poitou qui, au XIIIe siècle, produisait à Poitiers et à Saint-Maixent un acier réputé [4] ; les ateliers ecclésiastiques du Nord, comme Saint-Riquier et Saint-Pierre de Corbie ; en pays germanique, la région d'Amberg, qu'on a pu appeler la « Ruhr du Moyen Âge » [5] ; la Suisse alémanique [6] ; le Norique, avec les centres industriels de Passau et de Ratisbonne ; dans les Alpes orientales, le pays de Salzbourg, la Styrie et la Carinthie, dont la production, déjà connue à l'époque romaine, ne cessa de se développer jusqu'à l'époque moderne ; les Alpes italiennes enfin, où la toponymie, la persistance au long du Moyen Âge des traditions métallurgiques, les célèbres lames de Brescia, attestent le développement ancien de l'industrie du fer.

A la technique indienne de l'acier fondu, le véritable damas, s'opposait celle de l'acier forgé ou faux damas, des forges occidentales. Il fallait un minerai d'une qualité exceptionnelle, comme celui de Rhénanie, de Catalogne et du Norique, et une habileté artisanale consommée, pour obtenir par corroyage et soudure intime de fers de duretés différentes les armes admirables de l'époque carolingienne.

1. E. SALIN et A. FRANCE-LANORD, *Rhin et Orient. Le haut Moyen âge en Lorraine d'après le mobilier funéraire*, Paris, 1940 ; et *Rhin et Orient. Le fer à l'époque mérovingienne*, Paris, 1943.
2. E. A., GESSLER *Die Trutzwaffen der Carolingerzeit vom VIII. bis XI. Jahrhundert*, Bâle, 1908, pp. 96 et suiv.
3. Voir par exemple, *Li romans d'Alexandre*, éd. H. Michelant, Stuttgart, 1846, p. 132, vers 32.
4. AUDOUIN, « Recueil de documents concernant le commerce et la ville de Poitiers », *Arch. hist. du Poitou*, XLIV, p. XXV.
5. *Arnolied* (XIe siècle), XX, 293-305.
6. « Au nord des monts de Croatie, contiguë aux montagnes de Lombardie. est la ville de Saint-Gall où l'on fabrique des épées allemandes bien connues » IBN SA'ĪD, Bibl. nat., ms. arabe 2234, fº 104 vº. Cf. l'Hymne au fer du Moine de Saint-Gall, II, c. 17, *M.G.H.*, *Scr.*, II, pp. 759-761.

Ces épées dont les forgeages répétés faisaient apparaître la texture vermiculée — tresses doubles, triples ou quadruples, nervures, arborescences — étaient au demeurant d'un grand prix et s'héritaient de génération en génération ; mais, du nombre des trouvailles, de la forme et des dimensions très comparables de ces armes, on peut conclure à une fabrication à grande échelle, et destinée à l'exportation.

Les cimetières mérovingiens contiennent en grande quantité épées et autres armes ; elles disparaissent à l'époque carolingienne avec la christianisation et l'évolution des rites funéraires. Mais des épées carolingiennes ont été retrouvées dans les tombes des pays qui n'étaient pas encore christianisés, en Scandinavie, dans la plaine du Danube (Avars) et en Russie. Les sagas attribuent toutes pour origine aux fameuses épées, les *frakka,* des chefs vikings, la Gaule, la région rhénane ; elles les appellent « lames de Flandre » (*flamingr, flamländer*) [1].

Les épées franques faisaient la force des bandes normandes [2], d'autres ennemis aussi, comme les Slaves ou les Avars, qui en faisaient venir malgré les interdictions répétées des empereurs francs [3] : un édit de Charles le Chauve défendait, sous peine de mort, de vendre des épées aux Normands ; reprenant des dispositions antérieures, il assimilait à un acte de haute trahison le fait de vendre ou de céder en rançon à l'ennemi toute arme, offensive ou défensive [4].

Les armes franques n'en parvenaient pas moins aux Normands par le relais anglo-saxon et celtique des îles Britanniques ; elles partaient aussi vers les pays du Midi, comme l'indiquent les dispositions des tonlieux des Alpes et des Pyrénées : le tonlieu de la porte Saint-Ours à Aoste, par exemple, exigeait vers 960 deux épées par charge de mulet (*saumata spatharum*) et une lance par douzaine [5] ;

1. Sur les épées carolingiennes retrouvées en Scandinavie, cf. A. L. Lorange *Bergens Museum. Den Yngre jernalders Svaerd...* [Les épées du second âge du fer, contribution à l'histoire et à la technologie de l'époque des Vikings (avec un résumé en français)], Bergen, 1889. Six épées sur neuf portent des inscriptions INGEL... ou ULFVERHT ; or la forme *bert* appartient aux seuls Francs et Lombards. Le mot *frakka* est employé dans un des plus anciens poèmes norvégiens.

2. Le commerce frison exportait par Duurstedt, Wikla, Tiel, Utrecht, des objets de métal, surtout des épées, dans le monde scandinave. Cf. A. Bugge, « Die Nordeuropäischen Verkehrswege im frühen Mittelalter », *Vierteljahrschrift für Sozial- und Wirtschaftsgeschichte,* IV, 1906, p. 254.

3. Les textes carolingiens interdisant les exportations d'armes sont les Capitulaires *Haristalense* (799), *Missorum* (803), *Theodonisville* (805), *Bononiense* (811), et l'Édit de Pîtres (862). Cf. *Add. ad Capitularia Caroli Magni, M.G.H., Capit.*, I, p. 123, n° 805 (a. 805) : « De negotiatoribus qui partibus Sclavorum et Avavorum pergunt... et ut arma et brunias non ducantur ad venandum. Quod, si inventi fuerint portantes, omnis substantia eorum auferatur ab eis ad venandum ».

4. *M.G.H., Capit.*, III, pp. 488-496.

5. Éd. C. E. Patrucco, *loc. cit.*, p. LIX. Cf. le tonlieu de Pavie, *Honor. civit. Papie*, éd. Solmi, p. 21, c. 2 et 3.

cuirasses et éperons sont également mentionnés. Il en va de même du tonlieu de Jaca [1], dans les Pyrénées ; Saragosse était un grand centre de transit. Elles partaient aussi par la voie du Danube et de la mer Noire, comme l'indique le tarif du péage d'Enns sur le Danube, fixé par le duc Léopold d'Autriche au XIIe siècle, appliqué aux marchands *ruzarii* (faisant le voyage de Russie), qui sont encore les juifs raḏānites de Narbonne [2].

Malgré les prohibitions des empereurs byzantins et des papes, les armes étaient vendues, et le seront tout au long du Moyen Âge, aux musulmans ; Venise fut un centre actif de cette contrebande, Pise payait un tarif de faveur pour les importations de fer en Égypte musulmane ; bois, fer et poix figurent dans nombre de traités de commerce entre musulmans et chrétiens [3].

Du côté musulman, les sources mentionnent toujours les épées des Francs, dites de *Firanǧa,* appréciées, d'après *Ḥudūd al-ʿālam*, pour la souplesse de leur lame, qu'on pouvait ployer dans les deux sens, et qui se redressait ensuite ; Qazwīnī les disait mieux forgées que celles de l'Inde [4], et on les payait jusqu'à 1 000 dīnārs égyptiens [5]. Dans la liste des cadeaux offerts par le Ḥāǧib Ǧaʿfar al-Muṣḥafī à al-Ḥakam de Cordoue lors de son avènement, en 961, figuraient 300 piques catalanes [6].

A côté des épées occidentales, appelées parfois *sulaymaniya*, mot d'origine douteuse [7], on trouve aussi sur les marchés du Ḫwārizm, venues par Bulġar, des épées slaves, dites épées des *Rūs* ou des *Ṣaqāliba* [8]. Bīrūnī rapproche souvent les deux derniers termes [9] et cite les vers d'un poème umayyade pour confirmer l'identité des *Ṣaqāliba* et des *Rūs* avec des peuples germains du nord, englobant dans la même définition les Suédois [10] et les « Brūs », les Prussiens d'Ibrāhīm ibn Yaʿqūb. Peuples au teint clair et aux yeux bleus,

1. J. M. LACARRA, « Un arancel de aduanas del siglo XI », *Actos del Primer congresso internacional de Pireneistas*, Saragosse, 1950, p. 19.
2. A. RAUCH, *Rerum Austriacarum scriptores*, Vienne, 1794, II, p. 106.
3. C. H. BECKER, art. « Égypte », in *Encyclopédie de l'Islam*, II, Leyde-Paris, 1927, pp. 20-21.
4. QAZWĪNĪ, éd. Wüstenfeld, II, pp. 334-335.
5. A. Z. VELIDI-TOGAN, « Die Schwerter der Germanen, nach arabischen Berichten des 9.-11. Jh. », *Zeitschrift der deutschen morgenländischen Gesellchaft*, XC, 1936, pp. 29 et suiv.
6. IBN ḤAYYĀN, dans G. PERES, *La poésie andalouse en arabe classique au XIe siècle*, Paris, 1937, p. 354, n. 4 ; IBN HALDŪN, éd. et trad. de Slane, IV, p. 144.
7. De *Salomon*, chef des génies travaillant le fer, ou d'*Alamania* ?
8. IBN FAḌLĀN, *Risāla*, éd. Frähn, pp. 4-5, et *Tuhfat al-aḥbāb*, pp. 116-117.
9. A. Z. VELIDI-TOGAN, *art. cit.*, pp. 22-23.
10. M. VASMER, « Wikingerspuren in Russland », dans *Sitzungsberichte der königlich Preussischen Akademie der Wissenschaften zu Berlin*, phil. histor. Kl., 1931, pp. 649-674.

voisins des Varègues, ils ont en commun la réputation de couper le fer en petits morceaux, de le mélanger à de la pâte, et de le donner à manger à des oies et à des canards. Les petits morceaux de fer ainsi purifiés par des passages répétés dans l'estomac des volailles, sont ensuite fondus au feu et forgés en épées. Le thème de l'acier purifié par les sécrétions internes des volatiles se retrouve dans les poèmes épiques allemands, comme celui de Théodoric de Berne, dans les poèmes norvégiens du XIIIe siècle, mais également en Asie centrale [1]. Ces épées slaves, qu'Ibn Rusteh nomme *slimani* [2], seraient donc produites dans le nord de l'Europe et arriveraient à Bagdad et jusqu'aux frontières de l'Inde par une voie empruntée également par les épées franques, celle des fleuves russes.

La distinction des deux sortes d'épées venues du monde occidental devait être techniquement difficile à établir, puisqu'elles se définissaient les unes et les autres par leur « faux damas », selon Ibn Fāḍlan [3] ; le même auteur déclare que les épées des Russes, qui ne les quittaient jamais, étaient de « travail franc » ; lors de la victoire de Jean Tzimiscès sur Svjatoslav, en 971, les épées laissées par les Russes en grandes quantités sur le champ de bataille, étaient également de « travail » franc [4]. Il est donc possible que la fabrication d'épées *ṣaqāliba* ait été attribuée dans des proportions excessives aux Scandinaves, qui, de la Caspienne à Bagdad et en Asie centrale [5], ont joué le rôle de marchands d'armes, faisant parcourir aux épées d'Occident le chemin inverse de leurs concurrentes indiennes, comme cette *spatha indica* que l'on voit figurer en 876 dans le testament d'un chevalier d'Occident [6].

Fouilles archéologiques et études métallographiques ont néanmoins fait apparaître que sur la route des fleuves russes, utilisant des minerais locaux, des artisans surent, dès le Xe siècle, fabriquer de l'acier ; on a relevé que les glaives des *tumuli* du IXe siècle, attribués communément à l'importation scandinave, contenaient une forte proportion de nickel, existant dans le minerai proche de Smolensk. Des constatations de cette nature permettent de nuancer la valeur qu'il convient d'attribuer aux classifications des contemporains arabes.

1. A. VELIDI-TOGAN, *art. cit.*, pp. 23-24.
2. IBN RUSTEH, éd. de Goeje, p. 147.
3. LORANGE, *op. cit.*, p. 157 ; M. CANARD, » Ibn Faḍlān chez les Bulgars de la Volga », *Annales de l'Institut d'Études orientales*, XVI, 1958, pp. 118 et n. 284.
4. LORANGE, *op. cit.*, pp. 45 et 76.
5. IBN ḪURDĀḎBEH, éd. de Goeje, pp. 115-116.
6. M. PROU et A. VIDIER, *Recueil des chartes de Saint-Benoit-sur-Loire*, Paris, 1907-1932, n° XXV. Dans le butin pris sur des Sarrasins en 795, on trouve mention d'une « spatha de India cum techa de argento parata ». *Dipl. Carol.*, I, p. 242, n° 174. Cf. GESSLER, *Die Trutzwaffen der Carolinerzeit*, p. 138.

Les routes des fleuves russes

De la façade orientale du commerce barbare avec le monde musulman sortaient deux faisceaux de routes, les routes orientales et les routes des fleuves russes ; on y retrouve les marchandises des routes occidentales : esclaves, fourrures et épées.

Un premier itinéraire partait de la mer du Nord et joignait la Baltique vers l'île de Gotland ; il était suivi par les commerçants frisons, puis par les Scandinaves. Par flottilles de barques légères, ils remontaient le réseau des fleuves russes jusqu'à Novgorod, passant par portage (*volok*) d'un bassin fluvial à l'autre. Ils franchissaient ainsi la forêt puis les plaines et les steppes ; ils atteignaient à la limite de la zone forestière, les villes marchandes de Kiev, sur le Dniepr, et de Bulġār, sur la Volga. De Kiev ils se rendaient à Constantinople et, par le coude du Don, vers la basse Volga et la Caspienne. Dans le delta de la Volga, Itil, la capitale des Ḫazars, était un grand entrepôt commercial, que fréquentaient des marchands russes, Ḫazars et musulmans [1].

Quelques esclaves anglo-saxons ou celtes parvenaient peut-être dans la région des fleuves russes ; la plupart de ceux qui étaient exportés par là vers le monde musulman étaient pourtant des Slaves ou des Finnois, capturés dans les clairières de la grande forêt, dans ce *bilād aṣ-ṣaqāliba* des géographes arabes, complexe géographique et ethnique qui recouvrait des peuplades slaves, finno-ougriennes et scandinaves. Ils affluaient par trois bassins de réception dans les grands centres d'entrepôt et de commerce, Kiev peuplée de Slaves et de Russes, le pays des Burṭās sur la Volga et l'Oka, au confluent desquelles s'élèvera plus tard Nijni-Novgorod, et Bulġār, peuplée de Turco-Mongols, dont le site était proche de celui de Kazan ; les gens de Bulġār, convertis à l'Islam, au début du IXe siècle, étaient sous l'influence musulmane, et leur monnaie au type musulman. Aux lisières de la forêt et aux confins du royaume s'étendaient les Ḫazars, peuples de race turque semi-nomades. Ils dominèrent la steppe entre le VIIe et le XIe siècle ; leur roi s'était converti au judaïsme au VIIIe siècle et les juifs étaient nombreux sur les routes commerciales de ces lointaines contrées. A travers les mailles très lâches de la domination des Ḫazars, des peuplades asiatiques avaient pénétré par la porte ouralo-caspienne vers l'ouest : Bulgares du bas Danube, Magyars, Petchénègues des bords de la mer Noire, Ghuzz du sud-est de l'Oural. Les Scandinaves aussi traversaient leurs territoires vers Constantinople et l'Occident. Les Ḫazars dominèrent les Slaves, les Burṭās, les Bulgares de la Volga, jusqu'à la fin du Xe siècle, quand les Russo-

1. D'après Ibn Faḍlān, il y avait à Itil une colonie de 10 000 Musulmans.

slaves de Kiev, après avoir détruit leur rivale Bulġār (968-969), abattirent leur royaume. Désormais c'était Kiev qui devenait le grand marché de l'Europe orientale, l'intermédiaire entre l'Europe septentrionale et centrale, Byzance et le monde musulman, comme, plus au nord, Novgorod l'était vers la Baltique. On peut parler d'une véritable osmose des routes de l'ouest et de l'est, de l'Atlantique jusqu'en Chine.

Les esclaves suivaient donc ces itinéraires d'ouest en est ; Ibrāhīm ibn Ya'qūb dit, en 965, de Prague, vieux centre de fabrication d'armes, qu'elle était une grande place commerciale des peuples slaves ; Russes et Slaves y arrivaient avec les marchands de Cracovie ; musulmans, juifs, Turcs y apportaient marchandises et pièces d'or et d'argent du pays des Turcs (Ḫazarie) et en remportaient esclaves et fourrures ; des monnaies sāmānides circulaient sur son marché [1]. Vers 900, on voit un commerçant russe de Kiev venir à Ratisbonne pour y acheter des chevaux et des esclaves [2]. D'Itil à Derbend, c'étaient surtout des esclaves qui partaient pour Barḏa'a et Bagdad ; on les faisait eunuques en Arménie [3]. Les esclaves slaves arrivaient au Ḫwārizm du pays des Bulġār. Dans tout ce commerce des esclaves vers l'est, les juifs jouaient un rôle prépondérant.

Les fourrures étaient expédiées de Kiev, de la région des Burṭās, et de Bulġār vers Itil, leur grand entrepôt. On les acheminait ensuite vers les rives méridionales de la Caspienne et vers le Ḫwārizm où on les préparait ; cette région avait en effet une spécialité du découpage, de l'assemblage, de la teinture des fourrures ; on en faisait des cafetans, des toques (*qalansuwa*), des manchons, des bottes fourrées..., les peaux de martres noires, de petit-gris, (*sinǧāb*), un animal prolifique de la région de Vologda, de renard ou d'hermine (*qāqūm*) [4] étaient les plus couramment négociées.

La circulation des monnaies musulmanes

Ce grand courant d'exportation du monde de l'Occident barbare vers le monde musulman par le sud-ouest et par le sud-est a eu pour conséquence de faire entrer dans le premier un abondant numéraire d'or et d'argent. La circulation des monnaies musulmanes est attestée par les trouvailles faites le long des fleuves russes ; on a ainsi découvert des dépôts considérables, s'élevant jusqu'à 40 000 pièces. Le pointage de toutes ces trouvailles fortuites permet de dessiner les

1. Éd. Kunik et Rosen, p. 35. Cf. F. Westberg, loc. *cit.*, pp. 53 et suiv.
2. *Monumenta Boica*, éd. Königliche Akademia... der Wissenschaften, Münich, vol. 28, p. 203.
3. Iṣṭaḫrī, éd. de Goeje, p. 184.
4. Sur les prix élevés qu'atteignaient les fourrures et les énormes bénéfices que faisaient les marchands musulmans, v. l'art. cité p. 208, n. 1.

grands itinéraires par la Volga et ses affluents, le Don, le Dniepr. Leur densité est particulièrement forte autour des grands centres d'échange, au confluent de la Volga et de la Kama, (région de Bulġār-Kazan) et de la Volga avec l'Oka (pays des Burṭās et région de Nijni-Novgorod), ou encore sur le Dniepr près de Kiev, là où converge, au sortir de la grande forêt, l'éventail des affluents de ce fleuve.

Les dépôts sont également abondants sur les rivages de la Baltique et de la mer du Nord, jalonnant les itinéraires du grand commerce nordique. Ce sont surtout des monnaies d'argent, des dirhems. La région des fleuves russes n'a pas de monnayage propre au VIIe siècle ; le direm persan y circule bientôt ; y circuleront aussi les dirhems de tout le monde musulman, de l'Espagne à l'Iran, mais, en plus grand nombre les pièces sāmānides. Cependant l'or aussi apparaît. On a gardé la prière d'un Viking à son idole de bois, lui demandant de faire prospérer son commerce de filles esclaves et de peaux de martre en lui faisant gagner beaucoup de dīnārs (*dananit*) et de dirhems (*darāhim*). En 997, le duc Boleslav de Pologne rachetait pour son poids en or le corps d'Adalbert de Prague martyrisé par les Borusses païens [1]. Les nombreux bijoux d'or de l'époque des Vikings, qui sont conservés dans les musées de Suède et de Norvège, prouvent aussi que le grand commerce régulier avec l'Orient musulman était payé en or, plutôt qu'ils ne sont le témoignage des pillages d'églises dans l'Occident chrétien. On sait en effet que dans les pays où circule l'argent, les bijoux sont en or.

Quelques pièces d'or et d'argent ont été retrouvées dans les limites de l'Empire carolingien et en Italie. Mais ces trouvailles ne sont pas massives comme en Europe orientale ou nordique [2]. Les monnaies musulmanes étaient considérées comme métal et refondues dans les ateliers occidentaux ; l'or était employé pour les dorures et l'orfèvrerie. Bien plus, du côté de l'Occident carolingien comme vers les fleuves russes, les pièces d'or musulmanes étaient réexportées vers les marchés byzantins. Aussi les monnaies d'or frappées dans le monde musulman circulaient-elles activement en Occident ; on appelait le dīnār *mancus*, ou *solidus mancussus*, *mango*, *mangous*. *Al-manquš*, « la gravée », désignait la nouvelle monnaie sans effigie, purement épigraphique, qu'avait créée à la fin du VIIe siècle ʿAbd al-Malik. Le première mention qu'en font les sources occidentales date de 778 ; elle est italienne. Il a fallu près d'un siècle à la nouvelle monnaie pour s'établir dans les usages commerciaux et dominer les marchés de l'Occident. De grandes quantités en circulent dans les régions en rapport avec le commerce musulman. Dans l'Espagne septentrionale,

1. *Chronica Polonorum*, *M.G.H.*, *Scr.*, IX, pp. 428-429.
2. Un dirhem sur la place Saint-Marc à Venise, quelques dīnārs à Ilanz, près de Coire, sur la route orientale des cols des Alpes, un dīnār en Flandre...

au IXe siècle, quand les Normands attaquent Pampelune, ils font prisonnier Garcia, le seigneur de la ville, qui se rachète moyennant 90 000 dīnārs. En 927-928, Salerne achetait sa paix à des pirates slaves partis de Dalmatie, contre une grosse somme en dīnārs. L'Istrie versait en *mancus* ses impôts au fisc carolingien en 800. Ceux qui oseraient molester les marchands vénitiens privilégiés venus à Pavie, devraient payer un millier de *mancossos aureos* [1]. En Angleterre, le roi Offa de Mercie promettait de payer en *mancus* le tribut dû à Saint-Pierre (en 786). La monnaie musulmane était donc officiellement reconnue par l'empereur et par le pape. Dans la France du Midi, en 798, Théodulphe mentionnait à propos d'une affaire de concussion, « l'or qui porte des mots arabes » [2], tandis qu'en Lotharingie, un évêque de Metz qui faisait inventorier, en 870, les trésors de Saint-Trond, y trouvait pour seules monnaies cinq *manci* [3].

Ainsi, de même que les itinéraires des fleuves russes jusqu'au monde musulman sont jalonnés par des trésors de monnaies, les itinéraires de l'Occident barbare sont jalonnés par des mentions de *mancus*. De l'Italie du Sud jusqu'en Angleterre, les monnaies musulmanes circulent abondamment.

Une autre preuve que la monnaie musulmane d'argent, dans les régions des fleuves russes, et la monnaie d'or, en Occident, sont bien les monnaies dominatrices, est que le grand commerce les tient pour monnaies réelles, et les conventions pour monnaie de compte.

L'imitation des monnaies musulmanes

C'est un fait d'ordre économique général, fréquemment observé en numismatique, que l'imitation du type de la monnaie qui domine le grand commerce. Or, les monnaies musulmanes furent imitées par les ateliers barbares. En Europe orientale, on a trouvé, avec des monnaies musulmanes, des dirhems d'imitation barbare le long des fleuves russes [4] ; on conserve au Musée de l'Ermitage un moule en pierre — destiné à la fabrication de ces monnaies, — qu'on a exhumé dans la région de Vitebsk. L'île de Bornholm a révélé une monnaie imitée de celles d'al-Mutawakil (845) avec insertion d'inscriptions runiques. En Europe occidentale, des centres de cette frappe d'imitation se trouvaient en Angleterre, en Italie du Sud, en Espagne du Nord, en

1. *Honorantie civitatis Papie*, éd. Solmi, *loc. cit.*, c. 7, p. 22.

2. « Iste gravi numero nummos fert divitis auri
« Quos Arabum sermo sive caracter arat,
« Aut quos argento Latinus stilus imprimit albo ».
Versus contra judices, *M.G.H.*, *Poet. aevi Karol.*, I, p. 498, vers 173-175.

3. *Gesta abbatum Trudarensium*, *M.G.H.*, *Scr.*, X, p. 231.

4. A Pskov, à Minsk, à Toula, en Pologne, en Poméranie, dans l'île de Gotland et en Suède.

Languedoc et dans les pays rhénans. On a trouvé à Rome un des faux *manci* d'Angleterre payé pour le denier de Saint-Pierre ; il imite un dīnār d'al-Manṣūr de 774 et il est au nom d'*Offa rex* (737-796). Dans son testament, en 955, le roi Eadred prescrivait la frappe de 2 000 *manci*. Des dīnārs de même facture barbare sont conservés dans les musées européens [1].

L'Italie du Sud voyait circuler et imitait surtout les *rub'*, ou quarts de dīnārs fāṭimides, qu'elle appelle *tarini* (*ad crucem*). En Catalogne, circulaient des monnaies imitant les types musulmans, que frappaient des monnayeurs juifs au temps du comte Bérenger-Raymond Ier (1018-1035) [2]. En Aragon, une bulle d'Urbain II ordonnait au roi de payer pour le denier de Saint-Pierre : *quingentos Jaccensis monetae mancusos aureos* (« monnaie de Jaca »). Alphonse VIII de Castille (1158-1214) frappait des monnaies portant légendes arabes, tandis que les sous d'or *melgorienses* de Languedoc (« monnaie de Melgueil, ou Mauguio ») imitaient des types musulmans [3].

Lorsque Gênes lança le denier de 1141, il est possible qu'il ait été frappé au poids et au titre des sous de Melgueil [4]. Une vingtaine de contrats signés par le marchand-capitaliste Manduel de Marseille entre 1212 et 1246, prévoient la vente par des juifs, à Bougie, Ceuta, Oran et Tlemcen, de pièces d'argent au type musulman, *millares* ou demi-dirhems, qu'ils faisaient frapper à Montpellier pour l'exportation. Terminons cette revue des imitations occidentales en mentionnant dans les pays rhénans, le sou de Henri II, (vers l'an 1000) dont le revers copie une monnaie du calife Hišām. Plus tard, les croisés imiteront le dīnār fāṭimide du calife al-ʿAmir (1101-1130) : ce sera le besant sarrasinois.

Dès la seconde moitié du VIIIe siècle, le dīnār musulman domine donc les marchés commerciaux de l'Occident comme monnaie réelle qui circule et qu'on imite, et comme monnaie de compte ; cette suprématie, il l'a acquise pendant le premier siècle du califat, après que le calife ʿAbd-al-Malik eut frappé les premières pièces au type musulman (*c.* 695). Jusqu'au milieu du VIIIe siècle, la frappe de l'or en

1. A Paris : H. M. LAVOIX, *Catalogue des monnaies musulmanes de la B.N.*, Paris, I, p. 143, n° 604. A Berlin : MUTZEL, *Catalogue...*, I, p. 115, n° 663. A Londres : S. LANE POOLE, *Catalogue of oriental coins in the British Museum*, Vol. IX, Part I, p. 39, n° 24 ; R. Stuart POOLE, *Catalogue of the Greek coins in the British Museum : Italy*, Londres, 1873.

2. En 1019, les « mancusos de manu Bonnom ebreo » ou « de manu Bonom ». Au temps du comte Raymond-Bérenger Ier (1035-1076), des « mancusos de manu Henee », « de Eneas », « Enee de Barchinona », « de manu Eneas ». Cf. C. DEVIC et J. VAISSÈTE, *Histoire générale de Languedoc*, V, Toulouse, 1875, Preuves, n°s 283, 289, 301.

3. *Ibid.*, V, n° 346 : « et de ipsa moneta de ipso auro... ».

4. Le fait a été mis en doute par M. CHIAUDANO, « La moneta di Genova nel secolo XII », *Studi in onore di A. Sapori*, Milan, 1957, I, p. 187.

Occident se fait au type pseudo-byzantin ; alors que l'Orient musulman a rompu avec les anciennes habitudes monétaires depuis la fin du VIIIe siècle, l'Occident les perpétue dans ses « sous » d'or mérovingiens et lombards. Mais dès la première moitié du VIIIe siècle, le dīnār est diffusé et progresse jusqu'à dominer le marché occidental.

VIII

L'ÂGE DU DĪNĀR

Nous avons vu que pour déterminer la base de la frappe de l'or dans l'Empire musulman, le calife 'Umar avait fait prendre le poids moyen du plus grand nombre possible de pièces byzantines courant en Égypte et en Syrie ; ce poids moyen s'établissait au-dessous du poids théorique du *nomisma*, à 4,25 gr, au lieu de 4,58 gr. A la fin du VIIIe siècle, 'Abd al-Malik réforma le type monétaire mais maintint le poids fixé par 'Umar ; il accrocha l'argent sāssānide au système de l'or byzantin, selon le rapport d'un dīnār pour vingt dirhems.

Dans le même temps, le titre du *nomisma* fléchissait, car les stocks d'or byzantins s'épuisaient (fin VIIe-début VIIIe siècle) ; à la fin du VIIIe siècle, le *basileus* devait relever le titre de son *nomisma* pour le mettre à parité avec le dīnār. La monnaie byzantine s'alignait ainsi sur la monnaie musulmane. Rappelons que le relèvement du titre fut rendu possible par la remise en circulation d'or thésaurisé, consécutive à la crise iconoclaste.

Vers le même moment (seconde moitié du VIIIe siècle), tandis que le *mancus* pénètre et s'impose comme monnaie réelle servant aux transactions importantes, sur le marché occidental, et se substitue au sou d'or comme monnaie de compte servant de base à la fixation des prix, la réforme monétaire de Charlemagne semble obéir au même souci d'alignement sur la monnaie musulmane. La réforme date d'avant 779, et la première mention du *mancus* comme unité monétaire bien établie est de 778. Charlemagne relevait donc le poids du denier d'argent, afin de tenir compte du change avec le dīnār ; comme il fallait aussi respecter la vieille tradition qui voulait qu'on taillât 240 deniers à la livre, le poids de la livre fut augmenté. L'ancienne livre romaine pesait 327,453 gr. ; elle fut remplacée par la livre carolingienne plus pesante, qu'on calcula de telle sorte qu'un chiffre rond de deniers nouveaux correspondît au change du dīnār, en l'occurrence 30 deniers. Ce change de 30 deniers pour un dīnār (*mancus*) ou pour un besant — puisque celui-ci s'était aligné sur le premier — fut pratiqué dans tout l'Occident du IXe au XIe siècle. De nombreux documents, tous concordants, en font foi ; voici, par exemple, le diplôme de 815 de Louis le Pieux en faveur de Saint-Zénon de Vérone : *aut mancosos viginti aut quinquaginta solidos argenti*, ou les chartes de Subiaco, au Xe siècle, *per unoquemque mancoso denarios triginta*... On a : 1 sou d'argent = 12 deniers ; 1 *mancus* = 30 deniers, 20 *manci* = 50 sous d'argent = 600 deniers.

Du poids réel de la livre de Charlemagne et, par suite du poids théorique du nouveau denier qui en est la 240e partie, les numismates ont beaucoup discuté et ont soutenu des évaluations fort différentes. Les résultats atteints par M. Prou sont les plus probants [1]. Selon ses calculs, le poids réel de la livre de Charlemagne s'établirait autour de 490 gr. et celui du denier autour de 2 gr. (exactement 491,179 gr. et 2,04 gr.). Or l'équivalence de 30 deniers carolins pour un dīnār confirme parfaitement cette hypothèse.

Dans le système monétaire établi par ʿUmar et conservé par ʿAbd al-Malik, le dīnār de 4,25 gr. équivaut à 20 dirhems (dont chacun pèse 2,97 gr. d'argent), donc à 59,4 gr. d'argent. Le poids d'argent de 30 deniers qui équivalent au dīnār doit, lui aussi, s'établir autour de 59,4 gr., or c'est un chiffre très légèrement supérieur qu'on obtient en partant des valeurs proposées par M. Prou : 2,04 gr. × 30 = 61,2 gr. Remarquons aussitôt que cette légère plus-value a dû favoriser l'entrée de l'or musulman dans l'Empire carolingien.

En « accrochant » sa monnaie d'argent à la monnaie d'or musulmane, Charlemagne faisait pour l'Occident ce que les califes avaient fait pour l'Orient en établissant le rapport fixe théorique entre la monnaie d'or byzantine et la monnaie d'argent sāssānide. Du côté des fleuves russes et dans tout le nord de l'Europe, c'est le dirhem qui a cours : sur les marchés de l'océan Indien, c'est le dīnār qui domine. Ainsi la monnaie musulmane apparaît comme le pivot d'un vaste système de monnaies liées l'une à l'autre, qui est à la base du règlement des échanges depuis l'océan Indien jusqu'à l'océan Atlantique et à la mer du Nord :

1 *dīnār* ou *mancus* d'or = 1 *nomisma* ou besant d'or = 20 *dirhems* d'argent = 30 deniers d'argent.

Telle était la situation à la fin du VIIIe siècle. Mais l'afflux d'or dans le monde musulman ne devait pas tarder à y établir de nouveaux rapports entre l'or et l'argent : au milieu du IXe siècle, 1 dīnār = 15 dirhems en Orient et en Égypte ; et au cours du Xe siècle, 1 dīnār = 17 dirhems en Espagne.

Dans les pays occidentaux où la « soif d'or » n'était pas encore étanchée, l'équivalence 1 dīnār = 30 deniers se maintint jusqu'au

1. M. Prou, *Introduction au « Catalogue des monnaies carolingiennes de la B.N.* », Paris, 1896, pp. XLIII-XLV.

XIe siècle. Ce caractère dut amplifier le mouvement d'or qui s'était établi du monde musulman vers l'Occident chrétien. Un courant d'origine purement monétaire, provoqué par le déplacement de la monnaie métallique vers les pays où le change était le plus avantageux, vint alors s'ajouter au courant dû à la balance commerciale étudiée précédemment.

L'entrée d'or dans les pays d'Europe occidentale et orientale et la reconstitution de réserves d'or ont permis à l'Église d'entasser des trésors et à l'orfèvrerie de s'épanouir ; elles ont aussi provoqué la reprise des importations de marchandises précieuses en provenance de Byzance. Le tracé des courants monétaires s'établit selon un nouveau schéma [1]. On y constate les grosses sorties de numéraire du monde musulman vers l'Occident barbare et le courant du monde barbare vers Byzance, puis de Byzance vers le monde musulman, courant moins abondant que le premier. Le flot qui retourne au monde musulman est bien moins large que le flot qui en sort ; mais c'est lui qui a provoqué l'éveil des relations générales dans le monde musulman et l'essor de Byzance. A l'est, la fuite vers l'Asie centrale et l'océan Indien est limitée par les voyages polygonaux et le système des échanges.

L'or musulman, or neuf du Soudan surtout, injecté dans les pays sous domination musulmane, est allé irriguer tous les domaines voisins. On peut parler d'un *âge du dīnār* qui prendrait fin au XIIe siècle, moment où les villes italiennes vont chercher elles-mêmes l'or brut dans les ports du Maghreb, signifiant ainsi la fin de la suprématie musulmane sur les plans monétaire, commercial et politique et, plus tard, sur celui de la civilisation.

Une conjoncture splendide s'offre aux monnaies d'or musulmanes qui s'implantent comme l'instrument exclusif des échanges internationaux : l'or afflue dans le monde musulman alors que l'Occident s'est vidé de son or à la période précédente ; les villes musulmanes appellent en masse les produits de l'Occident barbare, et l'or musulman pénètre ainsi en Occident ; il y court, domine les marchés, on l'imite et, avec lui, les importations en provenance de Byzance peuvent reprendre, par l'intermédiaire de places privilégiées, comme Venise et Amalfi.

Du milieu du VIIIe au XIe siècle, la frappe de l'or occidental est toute au type pseudo-musulman et l'or musulman circule abondamment sous forme de *manci*, de *tarins*, de *marabotins* ; le commerce musulman domine. Puis, aux XIe-XIIe siècles, une frappe de l'or au type occidental apparaît dans le nord-ouest de l'Europe ; ces petites

1. Voir le schéma 10, et M. LOMBARD, *L'Islam dans sa première grandeur*, fig. 10.

pièces, les deniers d'or, courent dans l'Empire et en France ; l'économie occidentale commence à échapper à l'emprise et à la suprématie du monde musulman. A partir du XIIIe siècle, les cités marchandes d'Italie lancent la frappe d'or au type occidental avec leurs florins et leurs ducats ; ces pièces ont cours en Occident et dans tout le bassin méditerranéen, même sur les places du monde musulman. Le commerce occidental est alors en plein essor, il pénètre au Proche-Orient avec les croisades, et s'ouvre la route de l'Inde et de l'Asie intérieure.

BIBLIOGRAPHIE D'ORIENTATION

1° Ouvrages généraux, portant sur plusieurs régions ou sur plusieurs époques :

Babelon (E.), *Traité des monnaies grecques et romaines*, Paris, 1901 et suiv., 6 vol.

Blanchet (A.) et Dieudonné (A.), *Manuel de numismatique française*, Paris, 1912.

Hultsch (F.), *Griechische und römische Metrologie*, 2e éd., Berlin, 1882.

Kian (G. R.), *Introduction à l'histoire de la monnaie et histoire monétaire de la Perse des origines à la fin de la période parthe*, Paris, 1934.

Lane Poole (S.), *Catalogue of oriental coins in the British Museum*, Londres, 1875-1890, 10 vol.

Markof (A. K.), *Catalogue des monnaies arsacides, subarsacides, sassanides, ainsi que des pièces frappées par les ispehbeds arabes du Tabaristan et les gouverneurs de la Perse et du Maveraunahr au nom des Khalifes*, Saint-Pétersbourg, 1889.

Mickwitz (G.), « Le problème de l'or dans le monde antique », *Ann. d'hist. écon. et soc.*, VI, 1934, pp. 235-247.

Müller (L.), *Monnaies de l'ancienne Afrique*, Copenhague, 1860-1874, 4 vol.

Robinson (J.), *Oriental numismatics, a catalog of the collection of books relating to the coinage of the East*, Salem, 1913.

Segré (A.), *Metrologia e circolazione monetaria degli antichi*, Bologne, 1928.

Vives (A.), *La moneda Hispanica*, Madrid, 1924-1926, 4 vol.

2° Mondes grec et achéménide :

Babelon (E.), *Les origines de la monnaie*, Paris, 1897.

Gardner (P.), *A history of ancient coinage, 700-300 B.C.*, Oxford, 1918.

Head (B. V.), *A guide to the principal coins of the Greeks from circa 700 B.C. to A.D. 270*, rééd., Londres, 1938.

Herzfeld (E.), « Notes on the Achaemenid coinage », *Numismatic Chronicle*, Londres, 1935).

Hill (G. F.), *History of Greek coins*, Londres, 1910.

Milne (J. G.), *Greek coinage*, Oxford, 1931.

REINACH (Th.), « De la valeur proportionnelle de l'or et de l'argent dans l'antiquité grecque », *Revue numismatique*, 1893.

RIDGEWAY (W.), *The origin of metallic currency and weight standards*, Cambridge, 1892.

WEST (A. B.), « The early diplomacy of Philipp II of Macedon as illustrated by his coins », *Numismatic Chronicle*, Londres, 1923.

3° MONDES ROMAIN ET PARTHE :

BRATIANU (G. I.), « La distribution de l'or et les raisons économiques de la division de l'empire romain », *Études byzantines d'histoire écon. et soc.*, Paris, 1939, pp. 57-91.

COHEN (H.), *Description historique des monnaies frappées sous l'empire romain*, Paris, 1880-1892, 8 vol.

DURRY (M.), « Le règne de Trajan d'après les monnaies », *Revue historique*, LVII, 1932, p. 316.

GARDNER (P.), « The Parthian coinage », *Internat. Numismata orientalia*, vol. V, Londres 1897.

GUEY (J.), « Trésors de monnaies romaines en Europe orientale (à propos d'un récent article de V. V. Kropotkine) », *Mélanges d'Archéologie et d'Histoire publiés par l'École française de Rome*, 1955-1956.

KUBITSCHEK (J. W.), « Gold und Silber im IVten Jahrh. », *Numismatische Zeitschrift*, Vienne, XLVI, 1913, p. 161.

MARTROYE (F.), « La variation de la valeur de l'or sous le Bas-Empire », *Bull. Soc. Antiq. de France*, 1928, p. 165.

MATTINGLY (H.), *Roman coins from the earliest times to the fall of the western Empire*, Londres, 1928.

MATTINGLY (H.), « The Palmyrene princes and the mints of Antioch and Alexandria », *Numismatic Chronicle*, Londres, 1936, p. 89.

MICKWITZ (G.), « Geld und Wirtschaft im römischen Reich des vierten Jahrh. », *Societas Scientiarum Finnica-Commentationes humanarum litterarum*, IV, 2, Helsingfors-Leipzig, 1933.

MILNE (J. G.), *The development of Roman coinage*, Oxford, 1937.

NEWELL (E. T.), « The coinage of the Parthians », in *A Survey of Persian Art*, éd. par Pope et Ackerman, I, Oxford, 1938, pp. 475-492.

PIGANIOL (A.), « Le problème de l'or au IVe siècle », *Annales d'histoire soc.*, 1945, p. 47.

PINK (K.), « Die Silberprägung der Diokletian Tetrarchie », *Numismatische Zeitschrift*, LXIII, 1930, p. 9.

SEWELL (R.), « Roman coins found in India », *Journ. Roy. Asiat. Soc.*, 1904, pp. 592-637.

WEST (L. C.), « Gold and silver coin standards in the Roman Empire », *Numismatic Notes and Monographs, American Numismatic Society*, n° 94, New York, 1941.

WORTH (W.), *Catalogue of the coins of Parthia*, Brit. Mus., Londres, 1903.

4º MONDES BYZANTIN ET SASSANIDE :

ANDRÉADÈS (A.), « De la monnaie et de la puissance d'achat des métaux précieux dans l'empire byzantin », *Byzantion*, I, 1924, pp. 75-115.

DIEHL (Ch.), « Une crise monétaire au VIe siècle », *Revue des Études grecques*, 33, 1921, pp. 158-166.

DORN (B.), *Collection de monnaies sassanides*, 2e éd., Saint-Pétersbourg, 1875.

DROUIN (E.), « Le type monétaire sassanide et le monnayage indien », *Procès-verbaux et mémoire du Congrès intern. numismatique*, Paris, 1900, pp. 155-164.

GOODACRE (H.), *A Handbook of the coinage of the Byzantine Empire*, Londres, 1928-1933.

MORGAN (J. de), « Contribution à l'étude des ateliers monétaires sous la dynastie des rois sassanides de Perse », *Revue numismatique*, 1913.

MOSSER (S. Mac A.), « A bibliography of Byzantine coin hoards », *Numismatic Notes and Monographs, American Numismatic Society*, nº 67, New York, 1935.

OSTROGORSKY (G.), « Löhne und Preise in Byzanz », *Byzantinische Zeitschrift*, 32, 1932, pp. 293-333.

SEGRÉ (A.), « Inflation and its explication in early Byzantine times », *Byzantion*, XV, 1940-41, p. 249.

VALENTINE (W. H.), *Sassanian coins*, Londres, 1921.

ZAKYTHINOS (D. A.), *Crise monétaire et crise économique à Byzance du XIIIe au XVe siècle*, Athènes, 1948.

5º OCCIDENT BARBARE :

BELFORT (A. de), *Description générale des monnaies mérovingiennes*, Paris, 1892-1895, 5 vol.

BLOCH (M.), « Mutations monétaires dans l'ancienne France », *Annales E.S.C.*, VIII, 1953, pp. 145-158 ; 433-456.

BOLIN (S.), « Mohammed, Charlemagne and Ruric », *Scandinavian Economic History Review*, I, 1953, pp. 5-39.

ENGEL (A.), *Recherches sur la numismatique et la sigillographie des Normands de Sicile et d'Italie*, Paris, 1882.

FRIEDLÄNDER (J.), *Die Münzen der Ostgothen*, Berlin, 1844.

GARUFI (C. A.), « Il sistema monetario dei Normanni si Sicilia e il rapporto fra l'oro e l'argento », *Arch. stor. it.*, XXX, 1902, pp. 141-152.

HAMILTON (E. J.), *Money, prices and wages in Valencia, Aragon and Navarre, 1351-1500*, Cambridge (Mass.), 1936.

HILL (P. V.), « The coinage of Britain in the Dark Ages », *British Numismatic Journal*, XXVI, 1949, pp. 1-27.

HOMAN BELINT, « La circolazione delle monete d'oro Ungheria dal X al XIV secolo e la crisi europea dell'oro nel secolo XIV », *Rivista italiana di numismatica*, Milan, 1922, fasc. II et III.

JACOBS (J.), *The Jews of Angevin England*, Londres, 1893.

KOVACEVIC (S.), « Dans la Serbie et la Bosnie médiévales : les mines d'or et d'argent », *Annales É.S.C.*, XV, 1960, pp. 248-258.

LE GENTILHOMME (P.), « Le monnayage et la circulation monétaire dans les royaumes barbares en Occident, Ve-VIIIe siècle », *Revue numismatique*, VII, 1943, pp. 46-112 ; VIII, 1944, pp. 13-59.

LOPEZ (R.), « An aristocracy of money in the early Middle Age », *Speculum*, 1958.

MILES (G. C.), *The coinage of the Visigoths of Spain*, New York, 1952.

O'SULLIVAN (W.), « The earliest Irish coinage », *Journ. Roy. Soc. Antiq. Ireland*, LXXIX, 1949, pp. 190-235.

PERROY (E.), « A l'origine d'une économie contractée : les crises du XIVe siècle », *Annales E.S.C.*, IV, 1949, pp. 167-182.

PROU (M.), *Esquisse de la politique monétaire des rois de France du Xe au XIIIe siècle*, Paris, 1901.

WERVEKE (H. van), « Monnaies, lingots ou marchandises ? Les instruments d'échange aux XIe et XIIe siècles », *Annales d'hist. écon. et soc.*, IV, 1932, pp. 452-468.

6° MONDE MUSULMAN :

AGHNIDES (N. P.), *Mohammedan theories of finance. With an introduction to Mohammedan law and a bibliography*, New York, Columbia Univ. Press, 1916.

ASHTOR (E.), « Essai sur les prix et les salaires dans l'Empire califien », *Revista degli Studi orientali*, XXXVI, 1961.

ASHTOR (E.), « La recherche des prix dans l'orient médiéval, sources, méthodes et problèmes », *Studia islamica*, XXI, 1964.

BALOG (P.), « Aperçus sur la technique du monnayage musulman au Moyen Âge », *Bulletin de l'Institut d'Égypte*, XXXI, 1949, pp. 95-105.

BEL (A.), « Contribution à l'étude des dirhems de l'époque almohade », *Hesperis*, XVI, 1933, pp. 1-68.

BJÖRKMANN (W.), « Kapitalentstehung und -Anlage im Islam », *Mitteilungen des Seminars für orientalische Sprachen*, 32, 1929, 2. Abteilung, pp. 80-98.

BLAKE (R. P.), « The circulation of silver in the Moslem east down to the Mongol epoch », *Harvard Journal of Asiatic Studies*, II, 1937, pp. 291-328.

BLANCARD (L.), « Sur l'origine du monnayage musulman », *Revue numismatique*, 1884, pp. 333-346.

BOÜARD (M. de), « Sur l'évolution monétaire de l'Égypte médiévale », *L'Égypte contemporaine, Revue de la Société Fouad Ier d'économie politique, de statistique et de législation*, XXX, 1939, pp. 427-459.

CAHEN (C.), « Douanes et commerce dans les ports méditerranéens de l'Égypte médiévale, d'après le « Minhâdj » d'Al-Makhzûmî », *Journal Econ. Soc. Hist. of the Orient*, VII, 1964.

CODERA Y ZAIDIN (F.), *Tratado de Numismatica arabigo-española*, Madrid, 1879.

CODRINGTON (O.), « A manual of Musulman numismatics », *Asiatic Society's Monograph*, VII, Londres, 1904.

DECOURDEMANCHE (J. A.), « Étude métrologique et numismatique sur les misqals et les dirhems arabes », *Revue numismatique*, XII, 1908, pp. 208-251.

FISCHEL (W.), « The Origin of banking in Mediaeval Islam : a contribution to the economic history of the Jews of Baghdad in the tenth century », *Journal of the Royal Asiatic Society*, avril-juillet 1933.

FRAEHN (C. M.), *Beiträge zur Muhammedanischen Münzkunde*, Berlin, 1818.

GOITEIN (S. D.), « The Rise of the Near Eastern Bourgeoisie in early Islamic Times », *Cahiers d'Histoire mondiale*, 3, 1956-1957, pp. 583-604.

GOITEIN (S. D.), « Artisans en Méditerranée orientale au Haut Moyen Âge », *Annales É. S. C.*, 1964, pp. 847-868.

GRIERSON (P.), « The monetary reforms of Abd al-Malik », *Journal of Economic and Social History of the Orient*, III, 1960, pp. 241-264.

HAZARD (H. W.), *The numismatic history of late mediaeval North Africa*, New York, 1952.

HERENKREUTZ (A. S.), « Studies in the monetary history of the Near East in the Middle Ages », *Journal Econ. Soc. Hist. of the Orient*, II, 1959.

KARABACEK (J. von), « Über die Anfänge des islamischen Münzwesens und die Papyrusprotokolle », *Monatsblatt der numism. Gesellschaft in Wien*, 1885, pp. 114 et suiv.

LAVOIX (H.) et CASANOVA (P.), *Catalogue des monnaies musulmanes de la Bibliothèque Nationale*, Paris, 1887-1896, 3 vol.

LEGGETT (E.), *Notes on mint-towns and coins of the Mohammedans from the earliest period to the present times*, Londres, 1885.

LEWIS (B.), « The islamic guilds », *Economic History Review*, VIII, 1937, pp. 20-37.

LOMBARD (M.), « Les bases monétaires d'une suprématie économique : l'or musulman du VIIe au XIe siècle », *Annales É.S.C.*, II, 1947, pp. 143-160.

MASSIGNON (L.), « L'influence de l'Islam au Moyen Âge sur la fondation et l'essor des banques juives », *Bulletin d'études orientales de l'Institut français de Damas*, I, 1931, pp. 3-12, réimprimé dans L. MASSIGNON, *Opera minora*, t. I, Beyrouth, 1963, pp. 241-249.

MAYER (L. A.), *Bibliography of Moslem Numismatics India excepted*, Londres, Royal Asiatic Soc. 1954.

MILES (G. C.), *The coinage of the Umayyades of Spain*, New York, 1950, 2 vol.

MORGAN (J. de), « Observations sur les débuts de la numismatiques musulmane en Perse », *Revue de numismatique*, IVe série, XI, 1907, pp. 79-95.

PRIETO Y VIVES (A.), *La reforma numismatica de los Almohades, ensayo sobre la numismatica de los estados musulmanes hispano-africanos de los siglos XII al XV*, Madrid, Centro de Estudios historicos, 1914.

PRIETO Y VIVES (A.), *Los reyes de taifas, estudio historico-numismatico de los musulmanes españoles en el siglo V de la hegira* (*XI de J.C.*), Madrid, 1926.

RODINSON (M.), « Le Marchand méditerranéen à travers les âges », in C. A. O. van NIEUWENHUIJZE édit, *Markets and Marketing as factors of development in the Mediterranean basin*, La Haye, 1963, pp. 71-92.

RODINSON (M.), *Islam et capitalisme*, Paris, 1966.

SAUVAIRE (H.), *Matériaux pour servir à l'histoire de la numismatique et de la métrologie musulmanes*, Paris, 1882, 3 vol.

SAUVAIRE (H.), *La plus ancienne monnaie arabe d'Abdul-Malek*, Bruxelles, 1860.

SOURDEL (D.) et SOURDEL-THOMINE (J.), « Trois actes de vente damascains du début du IVe-Xe siècle », *Journal Econ. Soc. Hist. of the Orient,* VIII, 1965.

7° TROUVAILLES DE MONNAIES MUSULMANES HORS DES LIMITES DU MONDE MUSULMAN ; IMITATIONS DE MONNAIES MUSULMANES :

BLANCARD (L.), « Le besant d'or sarrazinas pendant les croisades ; étude comparée sur les monnaies d'or, arabes et d'imitation arabe, frappées en Égypte et en Syrie aux XIIe et XIIIe siècles » (*Mém. de l'Acad. des Sciences de Marseille,* 1879-1880, pp. 151-191).

CARLYON-BRITTON (P. W. P.), « The gold mancus of Offa, king of Mercia », *The British Numismatic Journal,* V, 1909.

CHAUDRUC DE CRAZANNES (C. A.), « De la monnaie arabe frappée dans le Moyen Âge par les évêques de Maguelone », *Revue archéologique,* V, 1849, pp. 400-404.

FRAEHN (C. M.), « Trouvailles de vieilles monnaies arabes en Russie », *Bull. Acad. Saint-Pétersbourg,* IX, 1842, nos 19-21.

FRANK (H.), « Die baltisch-arabischen Fundmünzen », *Mitt. aus der livländischen Geschichte,* Bd. 18, Riga, 1908, pp. 301-406.

HOLMBOE (C. A.), « Le mancus des Anglo-saxons », *Numismatic Chronicle,* XX, 1857-1858.

LEWICKI (T.), « Dzieje polskich badań w zakresie numizmatyki orientalnej », in *Szkice z dziejow orientalistyki Polskiej,* t. III, Varsovie, 1969.

LEWICKI (T.), « Nouveaux travaux russes concernant les trésors de monnaies musulmanes trouvés en Europe orientale et en Asie centrale (1959-1963) », *Journal Econ. Soc. Hist. of the Orient,* VIII, 1965, pp. 81-90.

MARKOF (A. K), *Topografia Kladof vostotchnykh Monet (Sasanidskikh i Koufitcheskikh),* Saint-Pétersbourg, 1910.

SOYER (J.), « Un procès à l'occasion d'une découverte de monnaies sarrasines en Orléanais au XIVe siècle », *Bull. Soc. arch. et hist. de l'Orléanais,* XVIII, Orléans, 1918.

VASMER (R. R.), « Ein neuer Münzfund des elften Jhts im estnischen Privatbesitz », *Sitzungsber. d. gelehrten estnischen Gesells. 1934,* Tartu, 1936, pp. 155-223.

VAUX (W. S. W.), « On the discovery of cufic coins in Sweden and on the shores of the Baltic », *Numismatic Chronicle,* XIII, 1850-1851, pp. 14-23.

WITTE (A. de), « Monnaies sarrasines frappées dans le midi de la France au cours de la seconde moitié du XIIIe siècle », *Revue belge de numismatique,* Bruxelles, 1898, p. 227.

ZAMBAUR (E. von), « Orientalische Münzen im Nord-und Osteuropa », *Monatsblatt der numismatischen Gesells. in Wien,* V, 1902, pp. 367-378.

TABLE DES CARTES ET SCHÉMAS

TABLE DES MATIÈRES